De groene weduwe

Van dezelfde auteur

Verloren stemmen

Internet: www.awbruna.nl

Teri Holbrook

De groene weduwe

A.W. Bruna Uitgevers B.V., Utrecht

Oorspronkelijke titel
The Grass Widow
© 1996 by Teri Pseito-Holbrook
Vertaling
Martin Jansen in de Wal
© 1998 A.W. Bruna Uitgevers B.V., Utrecht

ISBN 90 229 8402 8
NUGI 331

Voor mijn vader Gene
die de Not-Olly-verhalen verzon
en mijn moeder Jann
die me negen maanden droeg
op die plek onder haar hart
terwijl ze hongerig boeken las

Dankwoord

Zoals er een kleine stad nodig is om een kind groot te brengen, is er ook een kleine stad nodig om een boek te schrijven. Ik wil graag mijn familie en vrienden bedanken voor hun geduld, hun inzicht en hun steun. Voor hun technische assistentie wil ik graag de volgende personen bedanken: majoor Al Yarbrough van het sheriffkantoor van Walton County, Georgia; brigadier Teresa Race van het politiedepartement in Conyers, Georgia; dokter Mark Kopenen en dokter Jeffrey Smith van het lijkschouwerkantoor van Fulton County. Evenzeer gaat mijn dank uit naar Nancy Love voor haar nimmer aflatende adviezen; naar Casey Blaine, die me bijlichtte en me de weg wees; en de mannen van de verenigde methodistenkerk van Embry Hill, die op een vroege ochtend uren de tijd hebben genomen om me te laten zien wat een authentieke, zuidelijke kerkbarbecue inhoudt.

Alle fouten en misvattingen zijn voor mijn rekening.

Proloog

Statlers Cross, Georgia – 1925

Malcolm Hinson zag haar het eerst. Ze hing in een boom als een grote katoenen lap. Hij zou er ook langs zijn gelopen, in de veronderstelling dat het een oud laken was dat van iemands waslijn was gewaaid en in dit groepje dennen terecht was gekomen, als er onder het laken niet een klein stukje van een zwarte schoen had uitgestoken, de neus van een schoen die naar hem wees en glom in het felle zonlicht.

Hij rende de twaalfhonderd meter naar het huis van Parrish. Samen renden de twee jonge mannen terug, dwars door het veld, waarbij de lange sprieten van het zwenkgras hun benen geselden. 'Misschien hadden we een ladder mee moeten nemen,' riep Malcolm hijgend. 'Misschien hadden we dat moeten doen.' Maar Parrish rende door en zijn laarzen produceerden een onheilspellend gefluister op de maat van zijn grote, snelle stappen.

De groep dennen was vrij breed en toen ze daar aankwamen, rende Parrish langs de voorkant, naarstig zoekend naar een stuk wit tussen alle tinten groen en het donkerbruin van de stammen en de dennenappels. Hij draaide zich om naar Malcolm.

'Waar is ze dan, verdomme? Waar is ze, Malcolm?'

Malcolm stond daar met zijn hoofd achterover en zijn onderkaak wees recht vooruit. 'Ik zweer het je, Parrish, ik zweer het bij God.'

Parrish greep hem bij zijn jas, en Malcolm kneep zijn ogen dicht en wachtte tot zijn vriend hem in zijn gezicht zou slaan. Maar in plaats daarvan liet Parrish zich naar de grond zakken, met zijn vuist nog steeds gebald voor Malcolms gezicht, en de twee mannen bleven hijgend en snikkend op de grond liggen.

Een week later was het Eppie Falcons beurt. Op de eerste

zonnige middag na drie regenachtige dagen trok ze haar twee kleine kinderen hun broeken uit, haalde ze het vergiet uit de keukenkast en ging ze in de tuin bonen plukken terwijl haar kinderen in hun blootje door de modder rolden. Ze verdeelde haar aandacht tussen de bonen die ze in het vergiet schoot en de kinderen, zodat ze eerst dacht dat het een van haar buren was die naast haar huis stond, precies op de hoek, en zwijgend naar haar kinderen keek.

Maar ten slotte keek Eppie op om 'hallo' te roepen. Later zou ze vertellen dat ze kippenvel over haar hele lichaam kreeg en dat ze zo schrok dat ze geen woord kon uitbrengen. Maar in werkelijkheid was ze gefascineerd. Daar, bij de hydrangea's met hun blauwe knoppen, stond een vrouw met ronde vormen, met haar voeten diep weggezakt in de modder en haar starende blik gericht op de twee kinderen. Eppie wist meteen dat de vrouw niet echt was. Het was niet haar gezicht, dat er bleek en onaards uitzag, en het was ook niet haar wilde zwarte haar. Het was de onderkant van haar witte nachthemd, die in het roodbruine water hing maar waarop geen vlekje te zien was.

Daarna werd ze vaker gezien: bij de katoenfabriek, bij de kerk, bij de spoorbaan die de stad in tweeën deelde. Jeffrey Peterson zag haar in de etalage van de kleine fotostudio in de hoofdstraat, poserend met een lelie tegen haar wang. Ze zag er ronduit vredig uit, zei hij tegen zijn moeder. Niet zoals toen ze nog leefde, toen Linnie Glynn Cane de kwaadaardigste vrouw was geweest die hij ooit had gekend. Zelfmoord mocht dan misschien een zonde zijn, de vrouw was er tenminste wat rustiger van geworden.

Hij zei dit niet tegen zijn moeder, want het was zeker geen gemoedsrust geweest die hij op haar gezicht had gezien toen hij haar hangend aan een tak van een pecannotenboom had gevonden. Haar gezicht was paars en opgezet, haar tong zwart en de onderkant van haar gele jurk donker van de urine. Jeffrey had aan haar voeten gebraakt en zo heftig staan kokhalzen, dat de neuzen van haar bruine leren schoenen, die een stukje boven de grond zweefden, tegen zijn voorhoofd tikten. Toen hij het touw onder haar kin doorsneed, wist hij dat ze een gruwelijke dood was gestorven. Linnie

Cane was bezeten geweest door boosheid, en dat had haar doen besluiten om de strop om haar hals te leggen. Een alles-overheersende woede had ervoor gezorgd dat ze met haar voeten om zich heen had geschopt en met stuiptrekkende armen en benen was gestorven.

Hoewel haar leven na de dood niet bepaald onopgemerkt bleef, was de hele stad wel verdomde dankbaar dat ze tenminste wat minzamer was geworden. Naarmate de waarnemingen toenamen, nam de belangstelling voor de methodistenkerk van Statlers Cross af. Er werd een baptistenkerk gesticht. Weduwen zochten elkaar thuis op en ongetrouwde vrouwen zagen af van hun plannen om naar de grote stad te trekken. Het aantal huwelijken nam toe en er werden meer kinderen geboren. Al met al was het een goed jaar voor Statlers Cross.

Parrish Singleton trok zich terug in zichzelf. Urenlang slenterde hij door de velden, langs de wegen, en staarde hij in de door regen uitgesleten geulen. En als hij ten slotte thuiskwam, besmeurd met oranje modder, dan ging hij aan zijn keukentafel zitten. Zijn vingernagels werden steeds dikker, zijn gedachten steeds dunner. En hij rouwde.

1

Ik denk dat ik wist dat het een mens was door de kleur van haar haar, maar verder kon je dat nergens aan zien. Ze lag dwars over de spoorbaan, helemaal aan stukken gereten. Ik begon te rennen, maar toen ik bij de spoorbaan kwam, viel me op dat ik nergens bloed zag, alleen maar een jurk en wat lang bruin haar, tussen de bielzen gegooid als een zak kattenbotten. Maar toen trok de wind aan en bewoog haar haar, en ze keek me aan en glimlachte naar me.

Matthew Langley,
postbezorger in Statlers Cross, 1927

Statlers Cross, Georgia – 1996

Het vishuis stond een meter of zes van de oever van Martin Cane's meer, op een met gras begroeid heuveltje waar kinderen zich graag vanaf zouden laten rollen, ware het niet dat ze dan terecht zouden komen in een smerige soep van schuimend, modderig water. Martin had het vishuis zelf gebouwd in de zomer dat hij dertig werd, toen het hem in het grote huis te heet onder de voeten werd en het gekrijs van zijn jongste dochter er op een dag voor had gezorgd dat hij de blender van het aanrecht had gepakt en deze dwars door de deur van de keukenkast had gesmeten. Zijn vrouw Cammy, met het kind op haar heup, had zwijgend naar de versplinterde deur gekeken. 'Zeg iets,' had hij geroepen. 'Je weet verdomde goed dat het de baby was die ik tegen de muur had willen smijten.' Ze had hem enige tijd recht in de ogen gekeken. 'Ga weg,' had ze op vlakke toon gezegd. 'Ga iets met je handen doen. En kom pas terug als je jezelf weer onder controle hebt.'
Hij was twee weken weg geweest, had in een tent bij het meer

geslapen en tot diep in de nacht de twee-bij-viertjes aan elkaar staan timmeren totdat hij het skelet van een klein huis had. Hij wilde het schoon kunnen spuiten, dus liet hij tussen de onderkant van het houten frame en de cementen vloer een ruimte van een paar centimeter open. En hij wilde een luchtige constructie om het op te kunnen nemen tegen de verzengend hete zomers van Georgia, dus in plaats van dichte panelen te gebruiken liet hij drie van de vier wanden halfopen en werkte hij deze af met gaas. Vijf jaar later voegde hij er een gootsteen aan toe, en tien jaar daarna elektriciteit en een fornuis. Maar in het begin was het vishuis niet meer dan een handgemaakt heiligdom, een plek om zich terug te kunnen trekken van de wereld als hij de behoefte voelde om zijn vuist in iemands gezicht te planten.

Martin stond nu in zijn vishuis en staarde door het gaas naar zijn meertje. Links daarvan stond een groep mannen in lichte katoenen overhemden en wijde spijkerbroeken te zweten boven een grote barbecuekuil en een paar geroosterde biggen. Vanaf de rechterkant kwam het gekreun van mannen die tenten opzetten op zijn land en de zoete geur van gras dat werd platgetrapt onder hun schoenen. Maar wat hij nu vooral rook, was aftershave. Hij hoefde zich niet om te draaien om te weten wie deze geur zijn heiligdom had binnengebracht.

'Martin, ben je klaar?'

Het was een kruidige geur die hem deed denken aan de vingers van vrouwen als ze stonden te koken. Zijn dochter Sill had allerlei spottende namen voor aftershaves: priesterparfum, lieveherenodeur. Maar Martin hechtte niet veel waarde aan wat zijn dochter zei. Sill was een abnormaal schepsel. Een verloren ziel.

'Het is bijna tijd, Martin. De eerste mensen zullen zo komen. Ben je klaar?'

Martin leunde naar voren tot zijn neus bijna het gaas raakte. Hij had die barbecue ook gemaakt om een woede-uitbarsting af te reageren. Hij had het altijd ironisch gevonden dat projecten die waren gestart in zoveel woede, zulke gezegende resultaten opleverden. Hij zag hoe twee mannen in het vuur pookten en een kleine big van het rooster boven de kooltjes tilden. Voorzichtig legden ze de big op de dikke houten plank die boven de kuil was bevestigd. Martin kon door het gaas het geroosterde vlees van het beest ruiken. Het zag er vreemd uit met die vochtige katoenen lappen om de oren en staart geknoopt. Hij had zelf de instructies voor het roosteren gegeven. 'Zorg ervoor dat de oren van die kleine niet verbranden,' had hij gezegd. 'Het ziet er onnatuurlijk uit als dat gebeurt. En vul zijn bek en buik met keien. Anders droogt hij helemaal uit en worden de vrouwen boos omdat hij te lelijk is voor hun druiven en vruchten. Mensen komen uit het hele land naar dit feestje voor het echte werk, jongens. Laten we er dus voor zorgen dat ze denken dat ze dat gevonden hebben.'

Maar de big zag er met zijn witte lappen nu ook onnatuurlijk uit. Hij lag als een dikke baby op de houten plank.

Hij hoorde ongeduldig geschuifel achter zich. 'Martin? Waar ben je met je gedachten? Wat is er in hemelsnaam met je aan de hand?'

Martin draaide zich om en richtte zijn blik op de slanke man in de deuropening. 'Ik zal eerlijk tegen je zijn, Ryan. Het klonk als een goed idee toen we de plannen maakten, maar ik ben er nu niet meer zo zeker van.'

Ryan Teller liet een minachtend gesnuif horen, wat Martin tamelijk ongepast vond voor een man Gods.

'Natuurlijk is het een goed idee, Martin. Een uitstekend idee zelfs. Wat is de sleutel voor elke bijeenkomst? Een massa mensen. En er zullen veel mensen komen. En wij tillen de show naar een hoger plan. Een beetje muziek, een paar spelletjes en een hele hoop religie. Ze zullen er zijn, makker, omdat jij zo verdomde goed bent in wat je doet.'

Teller kwam bij de tafel staan, dichtbij genoeg voor Martin om de flauwe lichaamsgeur te kunnen ruiken die door de aftershave drong. Hoewel de plafondventilator draaide, blonken er de zweetdruppeltjes langs zijn haargrens. Teller glimlachte en zijn lippen gleden als alen over zijn tanden.

'Heb ik je ooit verteld over de eerste keer dat ik over Statlers Cross hoorde, Martin? Vijf jaar geleden zat ik de *Atlanta Journal-Constitution* te lezen en daar stond het, rechts bovenaan, in zulke koeienletters: LOOF DE HEER, HET WORDT EEN

REUSACHTIG SMULFESTIJN. Ik prikte mijn vinger bijna door het papier, zo enthousiast was ik. Een stad met voldoende hersens om de ouderwetse kerkbarbecue en samenzang in ere te houden. Wat wilde ik nog meer?'
Tellers gezicht betrok plotseling. 'Daarna vergat ik het weer. Ik had het te druk met mijn gewone-mensenwerk. Maar uiteindelijk vond de Heer me en leidde Hij me hierheen. Hij zei: "Ryan, geef je reclamebaan in Atlanta van honderdvijftigduizend per jaar op, verkoop je dure auto's en word dominee. Ik verzin wel een manier om je naar Statlers Cross te krijgen." En dat heeft Hij gedaan. Weet je waarom, Martin? Vanwege jou, broeder.'
Vanuit het woonhuis klonk het zachte gerinkel van de telefoon. Martins keel kneep zich samen. Zwijgend telde hij tot acht. Als het voor hem was, kostte het degene die opnam acht seconden om de informatie te verwerken, de beller te vragen om even te wachten, naar de achterdeur te lopen en zijn naam te roepen. Bidden zou meer effect hebben gehad, maar hij had geleerd dat hij bidden beter voor echte panieksituaties kon bewaren. Hij kon beter luisteren en tellen.
Na negen seconden ontspande hij zich. Hij schoof zijn handen in de zakken van zijn spijkerbroek en zuchtte. 'Je moet niet denken dat ik ondankbaar ben, Ryan. Ik ben gewoon doodmoe. We zijn negentien uur aan één stuk met die verdomde biggen bezig geweest.' Hij haalde zijn schouders op. 'Je hebt natuurlijk gelijk. Het wordt perfect.'
Ryan grijnsde. 'Zie je nu wel, vriend? De duivel blijft je op de proef stellen. Maar jij blijft hem wegduwen. Ik heb alles in mijn auto liggen. Na de gospelzang zijn wij aan de beurt.'
De dominee sloop het vishuis uit en liep naar het westelijke deel van het grasveld, waar de jonge leden van de zondagsschool vaten met gekoelde drank door het gras rolden. De geur van zijn aftershave bleef hangen. Vertrouw nooit een geestelijke die lekkerder ruikt dan je vrouw, papa. Sill had gelachen toen ze het zei, maar haar ogen waren hard als marmer geweest.
Een man bij de barbecuekuil riep hem. 'Martin! Die grote is klaar. Kom eens even naar haar kijken!'
Martin wierp de deur van het vishuis open en liep naar de

opstijgende rook. Toen hij naderde, week de groep mannen uiteen. Cooper Langley, die zijn ene broodmagere been op de wal rondom de kuil had gezet, grijnsde en sloeg Martin op zijn schouder.

'Wat zeg je ervan, Martin? Ze ziet er goed uit dit jaar, vind je niet?'

De big woog twintig kilo: niet genoeg voor de honderden mensen die werden verwacht, maar wel voldoende om de mystiek van een authentiek zuidelijk ritueel in stand te houden. Grappig wat een beetje goede kritiek in de krant voor een stadje kon doen. Een jaar of twintig geleden had presidentskandidaat Jimmy Carter een kerkbarbecue bezocht in een stipje op de kaart dat Statlers Cross heette, en de hele landelijke pers was dolenthousiast geweest. Sindsdien had het land elk jaar in juni volgepakt gestaan met plattelanders en stedelingen die op zoek waren naar wonderen en de waarheid. Het maakte niet uit dat het grootste deel van het varkensvlees, duizend kilo, gisteren was gebraden door een restaurant in Walton County. Het maakte niet uit dat de zelfgebakken koekjes al weken geleden waren ingevroren. Niets was te veel voor het werk van de Heer. Martin glimlachte breed en gaf Langley ook een klap op zijn schouder.

'Ze ziet er prima uit. Het was een lange dag, jongens, maar ik zou zeggen dat het de moeite waard is geweest.' Hij gebaarde naar de kleinere big. 'Als jullie jonge jongens deze kleine nu eens naar de tafel met eten brengen? Dan kan ze dienen als pronkstuk. Wat mama hier betreft, kom op, laten we de handen uit de mouwen steken.'

Op de grond lag een stoffen voederzak. Martin haalde er een kleine bijl uit.

'Wil je haar eerst niet een beetje laten afkoelen?' vroeg Langley.

Martin schudde zijn hoofd. 'Het is bijna tijd en de vrouwen wachten al in de keuken om het vlees eraf te halen. Trouwens, het zal hartstikke donker zijn voordat dat beest afgekoeld is, zo verrekte warm is het.'

Langley pakte een paar ovenwanten en trok ze aan. 'Ik zal haar vasthouden, Martin. Als de rest van jullie een stukje achteruit wil gaan.'

Hij pakte de achterpoten van de grote big vast en draaide haar voorzichtig op haar zijkant. Met zijn ovenwanten stevig tegen de buik en ruggengraat gedrukt knikte hij naar Martin. 'Ga je gang.'

Martin hief de bijl boven zijn hoofd en liet hem met zo'n kracht neerkomen, dat het snijvlak in de houten plank drong. De nek van de big ging dwars doormidden en er steeg een wolk van rook en as op toen de kop in de kuil viel. Langley boog zich voorover en tilde hem aan de snuit eruit.

'Mijn grootmoeder zou hier een pracht van een stoofschotel van kunnen maken,' zei hij.

'De mijne ook,' zei Martin. 'Maar Ella vindt het geen prettig gezicht. Hou hem even apart voor me, wil je, Coop? Als de vrouwen klaar zijn, leggen we hem er wel weer bij, samen met de rest van het spul. Ik heb nog een massa dingen te regelen. Dus als een paar man dit beest naar de keuken willen brengen...'

Toen de mannen wegliepen met hun last, haalde Martin diep adem en zoog hij de dikke, zware lucht in zijn longen. Het was zo verrekte warm. In de afgelopen week was de thermometer gestegen tot bijna vijfendertig graden, een temperatuur die normaliter pas midden augustus werd bereikt. En het was niet de soort hitte die snel verdween. Straks zou de avond vallen, maar Martin voelde de hitte op zich drukken alsof deze hem wilde begraven. Misschien komt er niemand, dacht hij. Misschien blijven ze liever thuis bij hun ventilators zitten en zijn Ryans plannen allemaal voor niets geweest. Maar de vage misselijkheid in zijn buik vertelde hem dat hij een idioot was. Ryan zou zijn mensenmassa krijgen. Daarom had God hem uitgekozen. Ryan Teller was de bulldozer van de Heer.

Statlers Cross was een stadje van gras en daken, had Gale Grayson besloten toen ze vijf jaar oud was. Atlanta, waar ze met haar grootmoeder Ella had gewoond, was wollig, met klimop en harde gebouwen. In Statlers Cross waren de huizen zacht en leken ze op te veren als ze erlangs liep. De velden waren goudgeel en weids, en de oranje geulen lagen als geopende lippen in het land. Maar het raarst was de langwerpige, met gras begroeide heuvel die de stad in tweeën spleet, zodat je van de ene kant alleen maar de daken kon zien.

Toen ze zes was, ontdekte Gale de afgedankte spoorbaan boven op de heuvel. Ella's zuster Nora wandelde met haar over de grindweg bij haar huis en nam haar mee de heuvel op, totdat ze tussen de geteerde bielzen stonden, met felgele paardebloemen rond hun voeten. Ze nam Gale mee naar het eind van de spoorbaan, waar de heuvel abrupt eindigde, en beschreef hoe vele jaren geleden de treinen van de Southern Railway Company sissend tot stilstand waren gekomen voor háár huis. Treinen waren net slangen, zei Nora, dik van alles wat ze hadden verzwolgen, en de lucht eromheen was warm als de adem van dieren. Gale vond dat de lucht in Statlers Cross al warm genoeg was zonder treinen, maar dat zei ze niet tegen Nora. Nora had zelf geen kinderen en ze vond het goed als haar achternichtje 's zomers kwam logeren onder voorwaarde dat het meisje netjes naast haar liep, goed at en niet brutaal was.

Het zou nog vier jaar duren voordat Gale zou beseffen dat de spoorbaan geen privé-eigendom van haar tante was. Want had Nora niet elke dag een hoed en kousen gedragen, alsof ze een dame was die wachtte op het perron van een spoorwegstation? Zwierf ze niet door het bakstenen huis met zijn echo's en zette ze niet voortdurend alle klokken gelijk met haar polshorloge? Had ze niet, om het maar eens ronduit te zeggen, de stem van een stoomfluit en haren zo dik en zwart als de rook die uit een locomotief kwam? Maar de spoorbaan was nooit bedoeld geweest voor haar tante, of de generaties familieleden die haar waren voorgegaan. De trein was gestopt bij de katoenfabriek aan de andere kant van de spoorbaan, waar de ruwe katoen werd uitgeladen en de geweven stof werd ingeladen, waarna de trein begon aan de terugreis dwars door Calwyn County.

Gale streek met haar hand over de bruin met indigo beddensprei die lag te luchten in het gras. Ze was nu dertig en wist dat Statlers Cross meer was dan de som van zijn delen: meer dan de verhoogde spoorbaan, of de kleine huizen, of de fabriek, nu een stenen ruïne die aan het zicht werd onttrokken door het groen. Het was meer dan het merkwaardige Alden-huis dat als een rood origamiwerkstuk achter haar in het veld stond. Statlers Cross was thuis, en zij, de teruggekeerde soldaat, had zojuist een enorme blunder begaan.

Achter haar werd gegromd.

'Mama,' zei Katie Pru. 'Ik weet wat jakkuwaars eten.'

Gale streek met haar hand over een witte vlek op de sprei en de geur van oude textiel vermengde zich met die van bleek-water, die eruit opsteeg. 'Zo, weet je dat, dametje? Dat is geweldig. Ik ben trots op je.'

De vlek op de sprei was niet klein. Als ze haar hand erop legde en haar vingers zo ver mogelijk spreidde, dan was er aan alle kanten nog wit te zien. Het was een leeuwerik geweest: die had de sprei boven de trap zien hangen, had een ver-trouwde donkere plek gezien en gedacht: waarom niet? Gale had ergens gelezen dat je met bleekwater, zout en een beetje vloeibare zeep elke vlek weg kreeg, en dat was inderdaad gebeurd. Niet alleen de donkere vlek was verdwenen, maar ook de oude textielverf die eronder zat.

'Mama, ik zei dat ik weet wat jakkuwaars eten.'

'Dat weet ik, schat. Dat is geweldig.'

Wat alles nog erger maakte, was het feit dat ze hier niet hoorde te zijn. Ze hoorde in het huis van Martin en Cammy te zijn om te helpen met de barbecue, maar ze had lopen treuzelen en weet dat aan de hitte, de insecten en andere, meer menselijke irritaties. Ze maakte zichzelf wijs dat ze niet gemist zou worden: ze was tenslotte zes jaar weg geweest, te lang om de kunst van het koolsla kwakken op papieren bordjes nog voldoende te beheersen.

Ze haalde haar hand van de sprei en trok haar gezicht in een grimas. Ze durfde te zweren dat het bleekwater op dit moment langzaam om zich heen aan het vreten was. Tegen de tijd dat haar grootmoeder Ella thuiskwam, zou de hele sprei spierwit zijn en stinken als een douchecel. Gale kreunde. Waarom was textielverf niet kleurecht? En wat belangrijker was: waarom had ze dat vooraf niet nagekeken? Jezus, ze was historica! Had ze het nog stompzinniger kunnen aanpakken?

'Mama, jakkuwaars...'

'Ik weet het, Katie Pru. Alsjeblieft. Ik moet nadenken over

wat ik hiermee aan moet. Als je heel even wacht, zal ik naar je luisteren.'

De oorspronkelijke vlek was negentien jaar eerder gemaakt toen zij en haar nichtje Sill hadden besloten om een fles chocoladesiroop te gebruiken om een tienerruzie uit te vechten. Ella was woedend geweest.

'Je overgrootmoeder Linnie Cane heeft het garen voor die sprei zelf gesponnen, juffrouw Sill. En ze heeft hem ook zelf geverfd en geweven.' Ze tilde de hoek van de sprei op en hield die woedend voor Sills gezicht. 'Zie je? Ze heeft er een "L" in geweven. Ze was trots op haar werk. Die sprei heeft bijna vijftig jaar boven de trap gehangen en nu hebben jullie monsters hem zo toegetakeld.'

De straf was doordacht wreed geweest. De meisjes moesten van plukken ruwe katoen draden spinnen op Linnies antieke spinnewiel, maar het wiel draaide te zwaar en hun draden waren te dun, zodat ze steeds braken. Na een uur waren ze allebei in tranen. Ella had tevreden toe staan kijken. 'Misschien leert dit jullie een beetje respect te hebben voor het werk van vrouwen,' had ze gezegd.

Gale keek wanhopig naar de vlek. God, wat zou haar grootmoeder bedenken om haar hiervoor te straffen?

'Jakkuwaars eten oogschaduw en lipstick.'

Gale draaide zich om. Katie Pru keek haar moeder pruilend aan. Naast haar stond de levensgrote ijzeren jaguar, vol langwerpige vlekken die er net met zwarte Rust-Oleumspray op waren gespoten. Een oranje sjaal zat als een tulband om zijn kop gewikkeld en aan zijn ene oor hing een snoer met roze kralen. Zijn tanden zaten vol grote stukken dikke rode brij en blauwe vingerafdrukken bespikkelden zijn kop als levervlekken. Rondom Katie Pru's voeten lagen een zestal gesloopte lipsticks en een paar lege oogschaduwdoosjes.

'Kathleen Prudence! Waar heb je dat in hemelsnaam allemaal vandaan?'

'De jakkuwaar heeft het gepakt.'

'Katie Pru. Waar heb je die spullen vandaan?'

'Hij heeft ze gevonden in oma Ella's kast.'

Gale kneep haar ogen dicht. Fantastisch. De vlek op de sprei zou ze misschien nog kunnen uitleggen als een goedbedoelde vergissing, maar Ella ervan overtuigen dat het overmacht was en geen pure onverantwoordelijkheid om een vierjarig meisje haar make-upspullen tevoorschijn te laten halen om deze vervolgens aan een tuinbeeld te voeren, lag buiten haar vermogen. Dat kwam ervan, dacht ze, als je God probeerde te vertellen dat je geen zin had om Zijn borden vol te scheppen.

'Oké, Katie Pru,' zei ze geërgerd. 'Ga naar binnen en was je handen. En dan pak je wat papieren handdoeken in de keuken. Laten we deze rommel opruimen voordat iemand denkt dat jaguars graag op damesjacht gaan.'

'Jakkuwaars jagen niet op dames. Ze...'

De waarschuwende blik die Gale haar toewierp moest doel getroffen hebben, want Katie Pru rende de stenen treden op en verdween het huis in. Gale liet zich boven op de sprei vallen en spreidde haar armen: de ruwe wol prikte haar huid.

'Alstublieft, God,' kreunde ze. 'Laat ons hier weggaan.'

Het was eerder een vloek dan een gebed. Toen ze met Katie Pru vanuit Engeland hiernaartoe was gekomen, had ze gedacht dat hun verblijf bij Ella niet langer zou duren dan een paar maanden, wat voor Gale genoeg moest zijn om even op adem te komen, een huis te vinden en een begin te maken met het schrijven van haar derde boek: een onderzoek naar de dagboeken van plattelandsvrouwen. Maar de werkelijkheid had haar hard getroffen: van alleen haar inkomen als schrijfster zou ze zich nooit én een huis én een oppas én een auto kunnen veroorloven.

Rubberen zolen kraakten op de stenen treden. Een grote prop keukenpapier viel op haar gezicht.

'Hier, mama,' zei Katie Pru. 'Hier heb je je handdoeken.'

Gale lachte. 'O nee, dametje. Dat zijn jóuw handdoeken.' Ze kwam overeind. 'Scheur er een paar af en begin die troep af te vegen. En Katie Pru, kom niet in andermans kasten zonder het eerst te vragen.'

Katie Pru scheurde een paar grote stukken keukenpapier af en draaide zich om, maar pas nadat Gale haar iets had horen mompelen over 'jakkuwaars' en 'fsoenlijke kleren'. Gale schudde haar hoofd. Ella's invloed. Als ze niet oppaste, dan zou haar grootmoeder het meisje laten rondlopen in baljurken en met dophoedjes.

'Jakkuwaars hoeven geen hoeden,' zei Katie Pru, terwijl ze de sjaal van de kop van de jaguar trok. 'Meisjes moeten hoeden.'

Gale grinnikte. Ze sloeg een mug dood op haar blote arm en keek naar het donkerrode bloedvlekje in haar handpalm. Afwezig boog ze zich naar voren en veegde haar hand schoon aan Linnies sprei.

Vol ongeloof staarde ze naar de nieuwe vlek. Shit! Het was niet veel bloed, maar je zag het wel.

Ze draaide zich om naar de jaguar en pakte een stuk keukenpapier tussen zijn poten vandaan. Ze drukte het op het bloedvlekje en slaakte een zucht. De rode kleur werd maar een fractie lichter.

'Katie Pru,' zei ze. 'Ik geloof dat dit een teken is dat God ons tot aan onze ellebogen in de koolsla wil.'

De telefoon rinkelde en Martin begon te tellen. Na negen seconden keek hij op zijn horloge. Het was half zeven in de avond. Hij keek om zich heen, naar de tenten, de staanders, de snoeren met lichtjes die tussen de boomtakken en langs de raamkozijnen van zijn huis waren bevestigd. Nog geen dranktafel, nog geen desserttafel. Hij ging op weg naar de tent met eten. Verdomme, ze lagen achter op het schema. Binnen een uur zouden de eerste mensen komen. Het was allemaal te veel. En het kwam allemaal op zijn schouders terecht.

Onder het kaki tentdoek stonden vijf tafels op een rij. Toen hij naar de eerste tafel liep, schopte hij per ongeluk tegen een open doos met bestek, zodat de plastic vorken in het rond vlogen en in het gras terechtkwamen. Hij balde zijn vuist en sloeg op de tafel. De metalen dwarssteunen boven aan de poten rammelden. De big op de tafel trilde en de droge repen katoen aan zijn oren zwaaiden als papillotten heen en weer. Een jongen die langs de tent kwam lopen, keek hem met open mond aan en deed een stap achteruit.

Martin forceerde een glimlach. 'Sorry, knul,' zei hij. 'Dat komt door de druk van het hele gedoe. Weet je, ik denk erover om het het volgend jaar aan jullie jongeren over te dragen.' Hij veegde met zijn hand over zijn mond. 'Zeg tegen niemand dat je hebt gezien dat ik mijn zelfbeheersing verloor. Straks denken ze dat het zwaar werk is en vind ik nooit een opvolger.'

De jongen glimlachte ongemakkelijk, draaide zich om en liep terug naar zijn vrienden. Martin zag hoe hij zijn handen in zijn broekzakken stak, iets zei en met opgetrokken schouders in zijn richting gebaarde.

Jezus Christus. Martin opende zijn mond om vergeving te vragen voor deze heiligschennis, maar hij bedacht zich. Het is helemaal geen heiligschennis, Heer. Dit is een schreeuw om hulp. U hebt deze last op mijn schouders gelegd. Wat stelt U verdomme nu voor dat ik ermee doe?

De telefoon rinkelde weer. Martin haalde een zakdoek uit zijn broekzak en veegde zijn voorhoofd af. Eén, twee...

Bij negen vloog de achterdeur open. Zijn nicht Ella stak haar hoofd naar buiten.

'Martin! Telefoon voor je!'

Martins mond werd droog. 'Neem de boodschap maar aan,' riep hij. 'Ik ben bezig.'

'Dat heb ik geprobeerd. Ze zegt dat ik tegen je moest zeggen dat het staatszaken zijn.'

Staatszaken. Martins lach bleef steken in zijn keel. De duivel wegduwen, Ryan? Deze keer niet. Hij is gekomen om op mijn rug te klimmen en me eindeloos met zijn hielen in mijn flanken te schoppen.

21

2

Voor een dooie kon ze verdomd goed dansen.

Willy Peterson,

tijdens het ontbijt met zijn vrouw Elizabeth, 1931

Miss Linnie kwam meestal 's avonds bij me op bezoek. Dan zweefde ze door de gang en glansde haar haar alsof het licht gaf. Ik was nog maar een jong meisje, niet ouder dan een jaar of zes, zeven, en het zou nog jaren duren voordat ik ontdekte dat ze donker haar had. Maar voor mij was het een bron van licht, in een strakke wrong om haar hoofd getrokken en glanzend, alsof er een fitting op haar schedel stond waar ze een gloeilamp in had gedraaid en die vervolgens had aangeknipt. Natuurlijk, dat was lang voordat we hier elektriciteit hadden, maar als ik eraan terugdenk, is dát de manier waarop ik me haar herinner, met een lamp in haar haar die alle lokken deed glanzen en haar gezicht in de schaduw liet.

Ze deed me denken aan Guinevere. Ik had plaatjes gezien in mijn zusters boek over koning Arthur, en miss Linnie zag er voor mij uit als Guinevere, gekleed in een lang gewaad met een capuchon. Door de open deur van mijn slaapkamer kon ik haar door de gang zien zweven en zien stoppen bij de kamer van mijn ouders en die van mijn zuster, waarna ze ten slotte bij de mijne stilhield om naar binnen te kijken. Dan draaide ze haar hoofd van de ene kant naar de andere, alsof ze probeerde dat licht in haar haar op mijn bed te richten. Maar er scheen nooit licht naar binnen: het bleef om haar hoofd zitten alsof de capuchon van haar gewaad in gloeiende kooltjes was veranderd. Zo bleef ze een tijdje staan, met dat heen en weer draaiende licht in de donkere gang, totdat haar hoofd ten slotte tot rust kwam en ze in het duister van het huis verdween. Eén keer ben ik opgestaan en haar achternagegaan, maar haar voeten, die de grond niet raakten, waren sneller dan de mijne.

Ik heb mijn vader een keer over haar verteld, maar hij schudde alleen maar zijn hoofd en zei dat ik me niet met haar moest bemoeien. Ik vertelde hem dat ze aardig was, en een beetje verdrietig, en hij zei: nee, ze was kwaadwillig, en geesten waren slecht. Ik zei: maar ze kwam kijken of alles in orde met me was en draaide haar hoofd heen en weer om het licht in mijn kamer te laten schijnen, maar toen zei hij: nee, Zilah, ze draaide haar hoofd niet om jou beter te kunnen zien; ze schudde het heen en weer als een koppige ezel om dat vervloekte touw van haar nek te krijgen.

De hoek van de ongeopende envelop gleed weg onder Zilah Greene's nagel en ze liet hem op het aanrecht vallen. Ze dacht aan de geest op de vreemdste momenten: bijvoorbeeld als ze dacht aan haar vader die met dat vieze gleufhoedje op zijn achterhoofd over zijn zaagbok gebogen stond. Of als ze een parelkleurige draad opmerkte in het weefsel van haar eigen beddengoed. Of nu, terwijl ze uit haar keukenraam keek naar dat kleine meisje van Grayson, dat in haar rode jurkje boven op die lelijke ijzeren kat van Ella Alden zat. Haar hele leven lang had ze griezelige verhalen over miss Linnie gehoord, maar ze had ze nooit geloofd. Ze had de geest zelf gezien en wist dus hoe ze leugens moest herkennen.

Ze wist niet waarom ze nu aan de geest dacht. Misschien was het die oranje sjaal, dat lichte oranje, zo strak om het haar van het meisje gebonden, of misschien waren het haar donkere ogen, die van een afstand als blauwe plekken in haar bleke gezichtje leken te staan. Ze probeerde er niet eens naar te raden. De beelden verschenen de laatste tijd steeds vaker in haar hoofd en als ze ze van zich af probeerde te zetten, raakte ze alleen maar meer in de war.

De envelop was op een nat plekje terechtgekomen. Een tekeningetje in rode inkt in een van de hoeken gleed als een bloeddruppel over het blauwe papier. Ze pakte de envelop op en drukte de natte plek tegen haar schort. Zilah had bijna dagelijks naar het meisje staan kijken sinds ze een halfjaar geleden met haar moeder in Statlers Cross was aangekomen.

Ze had ook bij het keukenraam gestaan toen de auto de oprit van Ella's huis opreed en de twee bij het betegelde voetpad had afgezet, vlak bij de bek van de grommende kat. Ze hadden eruitgezien als bosjes verbrand kreupelhout zoals ze daar hand in hand in hun zwarte kleren voor het grote rode huis hadden gestaan. Ze had met haar tong geklikt. 'Goh, alweer een Alden-vrouw die hier komt rouwen. Ik zweer je, soms denk ik wel eens dat die familie vervloekt is.'

Barry was het niet met haar eens geweest. 'De Heer heeft de mens een vrije wil gegeven, Zilah,' had hij gezegd. 'Die vrouw heeft haar eigen beslissingen genomen. Ze heeft een verdomde hoop lef om hier terug te komen na wat ze heeft meegemaakt.'

'Ze is een arme weduwe, Barry. Met een kind.'

'Arme weduwe, mijn reet. Je bent een dwaze oude vrouw, Zilah Mae. Haar man was een terrorist. Jezus, hij heeft zichzelf van kant gemaakt in een kerk! Ik hoop niet dat ze denkt dat ze hier vergeving zal vinden. Niemand steunt graag de weduwe van een moordenaar.'

Waar kon ze anders naartoe, had Zilah zich afgevraagd. Als wíj haar niet vergeven, wie dan wel? Maar Zilah had haar mond gehouden. Barry had de Aldens nooit begrepen, niet zoals zij dat deed. Hij had het altijd te druk gehad met zijn ijzerwarenzaak in de stad. Hij had niet elke dag bij het keukenraam gestaan.

Buiten sloeg Katie Pru haar armen om de nek van de kat en ze liet zich van zijn rug glijden, totdat ze horizontaal in de lucht hing. De sjaal viel op de grond. Onmiddellijk sprong het meisje van de kat en raapte ze de sjaal op. Ze keek naar Zilah en wikkelde de sjaal weer om haar hoofd.

Zilah glimlachte en stak haar hand op. Katie Pru hield haar armen langs haar lichaam, maar ze bewoog wel haar vingers. Ze ging ervan uit dat het hun geheim was, van haar en het kind. Gale stond een meter of drie van haar dochter, met dat merkwaardige zwart-witte haar dansend in de lucht terwijl ze de sprei opvouwde. Ze keek nooit in Zilahs richting. En waarom zou ze? Voor haar was het kleine blauwe huisje aan de andere kant van het gaashek een arbeiderswoning. Zilahs eigen vader had gedurende de crisisjaren groente verbouwd voor de Alden-familie en tot aan zijn dood voor het onderhoud van het onpraktische huis gezorgd. Ze wist veel te goed dat dergelijke overeenkomsten tot een eenzijdige belangstelling leidden.

Het water op de envelop was opgedroogd. Zilah kon nu zien dat de tekening een dinosaurus voorstelde, met vierkantjes op zijn buik alsof die met lappen was versteld. Ze hield de envelop vlak voor haar gezicht en keek naar de buitenlandse postzegels. Koningin Elizabeth: Gale Grayson had een brief uit Engeland gekregen. De posterijen waren begonnen met het toekennen van genummerde adressen aan iedereen in Georgia, maar Statlers Cross behoorde nog steeds tot de plattelandsroutes. De post werd altijd keurig bezorgd zolang de gewone postbode dienst had. Maar vanochtend had ze gezien dat er een vrouw achter het stuur van de truck had gezeten. Ze liet haar vingertop over de dinosaurus gaan. Zelfs die zag er buitenlands uit. Een Amerikaanse dinosaurus zou er veel dreigender en onbeschaamder hebben uitgezien. Als de brief voor de moeder was, dan was de tekening voor het kind. Wie de schrijver van deze brief ook was, misschien deelden hij en Katie Pru ook een geheim.

Er klonk een zoemer en Zilah greep snel een pannenlap. Ze haalde een dampende bramentaart uit de oven en drukte de brief tegen de hete bodem van de schaal.

'Goh,' fluisterde ze. 'Je bent echt een dwaze oude vrouw, Zilah Greene.' Ach, wat. Ze zou Gale vertellen dat de vrouw van de posttruck hem per ongeluk in haar bus had gestopt. Geen van beiden zou het ooit te weten komen.

Ze liet de envelop in de zak van haar schort glijden. Hoewel ze Gale bij de barbecue zou zien, zou ze wachten en haar de brief thuis overhandigen. Een excuus om het Alden-huis te bezoeken liet je niet lopen. Ze was gek op dat fascinerende oude huis met zijn aparte kleuren en puntige dak. Soms had ze het gevoel dat ze bij het keukenraam kon gaan staan en er voor eeuwig naar kon kijken. Toen Nora Alden nog leefde, kwam Zilah er regelmatig op bezoek en luisterde ze urenlang naar Nora's verhalen: over hoe zij en haar zuster Ella waren getrouwd met twee broers die sinds ze een jaar of zestien waren geen woord meer tegen elkaar hadden gezegd, over hoe het huis na de Burgeroorlog was gebouwd door Nora's grootvader, die wilde dat de bakstenen de kleur van bloed hadden en het dak de vorm van een lans, om de mensen te herinneren aan zijn broer die bij Chickamauga was vermoord, over hoe haar grootvader het huis had willen nalaten aan een zoon... waarna de verhalen onveranderlijk bij miss Linnie terechtkwamen.

Zilah had Nora maar één keer verteld over de geest. De oudere vrouw was rood geworden van woede. Miss Linnie was de tante van Ella en Nora geweest, en Nora wilde niets horen over geestverschijningen.

'Zilah, je was maar een kind dat werd voorgelogen door hysterische oude zakken. Linnie heeft zich opgehangen. Ze hebben het touw doorgesneden en haar lichaam bijgezet in het familiegraf bij Praterton Road. Als je het zelf wilt zien, zal ik er met je naartoe gaan. En als jij wilt geloven dat ze in de hel of het vagevuur is, dan vind ik dat best. Maar van één ding kun je zeker zijn: Linnie Glynn Cane loopt niet rond op deze aarde.'

Nee, mevrouw, had Zilah gedacht. Ze loopt niet rond op deze aarde. Want haar voeten raken de grond niet.

3

Midden in de nacht hoorde ik rumoer op het erf. Ik pakte
mijn hoed en mijn geweer en liep naar buiten. En wat
denk je dat ik zag? O ja, zíj was het, absoluut. Ze zat bo-
ven op het kippenhok met een dode kip in haar hand en de
veren vlogen uit haar mond. Ze verdween, maar sindsdien
zijn de kippen van slag. Ze lopen de hele nacht te klokken
en hun eieren hebben een eigenaardige kleur gekregen.

Jim Jenkins,

tijdens een gesprek in het warenhuis van Statlers Cross, 1933

Gale pakte de handgreep van Katie Pru's rode plastic wagen
en zorgvuldig navigerend langs de geul naast de weg ging ze
met voertuig en kind op weg naar Martins tuin. Het was maar
goed dat het evenement 's avonds plaatsvond, vanaf half
acht, als de hitte iets was afgenomen, en de wandeling, die er
eerder op de dag voor zou hebben gezorgd dat Gale daar geïrriteerd en met een rood gezicht zou zijn aangekomen, ontspande haar zelfs. Een toonloos deuntje fluitend trok ze de
wagen over de hobbelige weg en om de zoveel tijd waarschuwde ze Katie Pru dat ze zich goed moest vasthouden.
De ondergaande zon wierp een zachtroze glans over de witte
panelen van het twee verdiepingen hoge huis en het land
eromheen. Voor de veranda, tussen de twee palen van het
badmintonnet, stond te lezen dat het hier ging om ZUIDELIJ-
KE GOSPELZANG EN BARBECUE, $ 4.99 PER BORD. Auto's scho-
ven voorbij en stopten aan de andere kant van de oprit om
de parkeerinstructies op te volgen van een zondagschoolon-
derwijzer met een felgeel vest. Gezinnen wandelden al in de
richting van de tenten. Wel, wel, dacht Gale. Dit zal God genoegen doen. Opnieuw is het Martin Cane die zijn licht over
het heuvelland laat schijnen en alles in kannen en kruiken
brengt.

Nadat ze de wagen bij de veranda had neergezet, nam ze Katie Pru bij de hand, ze liepen de houten treden op en gingen het huis binnen. Onmiddellijk pakte ze haar dochter bij de schouders en stuurde ze haar opzij. Als er ook maar iets van de zomerloomheid door de buitenmuren was gedrongen, dan was die hierbinnen volledig verdampt. Martins huis gonsde van de activiteit. Vrouwen, gewapend met opscheplepels en met puntige beha's als borstwering, bewogen zich schouder aan schouder over de hele breedte van de gang van het ene vertrek naar het andere. De geuren van ahornstroop en azijn zweefden door de lucht en werden af en toe vergezeld van een brutale dosis Jean Naté.

Katie Pru trok aan Gale's hand. 'Geen jakkuwaar haalt het in zijn kop om op hen te gaan jagen,' fluisterde ze.

Gale lachte hardop. 'Ik denk dat je gelijk hebt, meisje. Wat zou je ervan zeggen als we wachten totdat de zee zich opent voordat we op zoek gaan naar oma Ella?'

Als de zee zich niet opende voor Maralyn Nash, dan steeg haar water toch minstens een paar centimeter, zo kolossaal was de gestalte van Ella Aldens oudste dochter. Maralyn kwam de keuken uit en vulde de hele deuropening, waarbij haar opgekamde blonde haar bijna de bovenkant raakte.

'Dames!' Ze wachtte totdat het rumoer verstomd was. 'Het is bijna half acht en er staan al honderd mensen te wachten. Ik heb Myra opdracht gegeven om met het innen van het geld te beginnen, wat inhoudt dat het niet lang meer zal duren voordat de mensen richting eten komen. Papieren bordjes en bestek zijn er al, het vlees is onderweg, maar we moeten zo gauw mogelijk bonen, sla en sauzen ter plekke zien te krijgen. Als dat je taak is, ga dan naar de keuken, pak een schaal en ga door de achterdeur naar buiten.' Ze zette haar handen op haar heupen. 'En vergeet niet te kijken of er genoeg in zit. Vorig jaar kregen we klachten over lege schalen die niet snel genoeg werden vervangen. Dus kom op, dames, aan de slag.'

Maralyn perste haar één meter tachtig grote lichaam tegen de muur om de colonne vrouwen door te laten. Als gepaste outfit voor een kerkbarbecue had Maralyn gekozen voor een safari-kniebroek, rijlaarzen en een halsketting met een olifantengeweer eraan.

Ze draaide zich om en riep naar de rij achterhoofden: 'O, nog één ding, dames. Zoals altijd is er een kans dat de pers komt opdraven. Alsjeblieft, haal al jullie charme uit de kast.'

Toen de laatste dames de keuken in waren verdwenen, kwam Maralyn Gale's kant op en keek ze overdreven aandachtig op haar horloge.

'Een uur te laat. Niet slecht. Dat betekent dat moeder pas twintig keer heeft gevraagd waar je verdomme bleef.'

'Ik werd opgehouden.'

'O.' Maralyn zakte door haar knieën, trok Katie Pru tegen zich aan en omhelsde haar stevig. 'Ik durf te wedden dat dit jonkie tante Maralyn wel een pakkerd wil geven. God, Katie Pru, het lijkt eeuwen geleden dat ik jou voor het laatst heb gezien. Ik moet weg uit Atlanta en vaker naar huis komen.' Ze grinnikte toen het meisje zich losworstelde uit haar greep en keek met een ernstig gezicht op naar Gale. 'Laat of niet, ik ben blij dat je er bent. Ik ben bang dat we vanavond vuurwerk krijgen.'

'Hoezo?'

Maralyn perste zichzelf overeind. 'Martin is gebeld door Sill. Ze komt. Met Faith.'

Gale staarde haar aan. 'Wat? Is ze gek geworden?'

'Ze zegt dat ze wil dat Martin hen accepteert.'

'Dat kan wel zijn,' zei Gale droog. 'Maar heeft iemand haar gezegd dat een kerkbarbecue misschien niet de juiste gelegenheid is om haar bijbelvaste vader te vragen haar alternatieve leefwijze te accepteren?'

'Ik denk dat dat ongeveer de dieperliggende betekenis van Martins antwoord was. Maar je kent Sill.'

Gale schudde haar hoofd. 'Jezus, Maralyn, ze is negenentwintig.'

'Nou, en? Ik ben zesenvijftig. Denk je dat ík ooit ben opgehouden met rebelleren?'

Gale opende haar mond om iets te zeggen toen ze aan de andere kant van de gang een stem hoorde die lijzig en stekelig tegelijk klonk.

'Gale. Waar voor de duvel heb jij gezeten?'

Als Wes Craven ooit mocht besluiten om Barbara Bush in een van zijn films te laten spelen, dacht Gale, dan zou dit het resultaat zijn. In de deuropening van de keuken zag Ella Alden eruit als een slager die een zware dag achter de rug heeft. Het schort dat haar blauwe linnen pakje moest beschermen, zat vol bruine vegen, en bolletjes vet zaten als parels in haar keurig gekapte witte haar. Rubber handschoenen, glimmend van het varkensvet, bedekten haar armen tot aan de ellebogen.

Gale wees naar haar eigen bovenlip toen zij en Katie Pru met Ella de keuken in liepen. 'Je bent een stukje vergeten,' zei ze. Ella veegde met haar arm over haar mond. 'Hang maar niet het lieve meisje uit. Ik had je minstens een uur geleden verwacht.' Ze wees naar een kleine, magere vrouw die restanten varkensvlees van het aanrecht in een metalen bak stond te scheppen. 'Cammy heeft hulp nodig en jij hangt God mag weten waar uit.'

Gale pakte een afgekloven poot uit de spoelbak. Het vlees aan het bot was nog warm. 'Ik zag zojuist de boezembrigade de achterdeur uit lopen. Ik kan me nauwelijks voorstellen dat je me echt hebt gemist.' Ze gooide de varkenspoot in de bak. 'Maar ik ben er nu, Cammy. Wat wil je dat ik doe?'

Cammy Cane keek niet op en veegde met stukken keukenpapier de rand van het aanrecht schoon. 'Ik weet het niet, Gale. Laat me even nadenken.' Haar bril gleed naar het puntje van haar neus, ze boog haar pols en duwde de bril weer op zijn plaats. 'Nee, ik denk dat alles in orde is. Alles is onder controle.'

Maralyn keek Gale met opgetrokken wenkbrauwen aan en frunnikte wat aan de sluiting van de plastic zak met papieren bekertjes. '"In orde" en "onder controle" zijn behoedzame woorden, Cammy,' zei ze.

Cammy hield haar hoofd schuin en probeerde Maralyn aan te kijken door de vette glazen van haar bril.

'Maar het is waar,' zei ze op koele toon. 'Alles is in orde en onder controle. Katie Pru, liefje, wil jij die deur voor me opendoen, zodat ik dit naar buiten kan brengen?'

De hordeur piepte toen hij open werd gedaan en piepte nog een keer toen hij weer met een klap dichtviel. Gale zag Cammy door de tuin lopen, waarbij de bak bij elke stap tegen haar been sloeg. Ze zag er zo misplaatst uit, die tengere vrouw in haar donkerblauwe katoenen jurk en met haar degelijke schoenen, die met haar bak varkensvlees tussen de tenten en klapstoelen door naar het meer liep.

Gale wachtte tot Cammy achter het vishuis was verdwenen en draaide zich toen om naar Ella. 'Ze is bang,' zei ze.

Ella pakte een sauskom, trok de deur van de koelkast open, schoof een pak melk opzij en zette de kom ernaast. 'Dat is ze zeker. Martin heeft de hele dag al een pesthumeur. Hij is altijd gespannen voor aanvang van de barbecues, maar deze keer is het anders.' Ze gooide de deur met zo'n klap dicht dat de flessen in de koelkast rammelden. 'Sill is een idioot.'

'Weet iemand of zij en Faith hier al zijn?' vroeg Gale.

'Geen idee,' antwoordde Maralyn. 'Maar als dat zo is, dan zijn ze nog niet in het huis geweest.'

'Hmm.' Gale keek naar Katie Pru, die met haar lichaamsgewicht tegen het gaas van de hordeur stond te duwen. 'Oké, dametje. Wat zou je ervan zeggen als we iets te eten en te drinken gingen halen? Daarna zal ik kijken wat ik kan doen om jullie te helpen.'

Ze liepen naar buiten, de zwoele avondlucht in. De barbecuetafel stond aan het westelijke uiteinde van het gazon, onder een groen tentdak dat was gehuurd van de kleinste van de twee plaatselijke begrafenisondernemingen.

Gale liet haar blik over het terrein dwalen. Martin zou dit jaar ongetwijfeld weer de Christus-Koning-titel winnen. Er had zich al een rij gevormd voor de barbecuetent en op het gazon verzamelden de leden van het gospelkoor zich. Maar de papieren borden zouden allang leeg zijn en de buiken vol voordat de eerste tonen van *Power in the blood* door de warme nacht zouden klinken. Ze moest het Martin nageven: als het om religieuze bijeenkomsten op de late avond ging, wist de man hoe hij een hit moest scoren.

Vanaf de overkant van het grasveld klonk het gepiep van een microfoon. Martin stond op een verhoging en voor hem stond een man aan de knoppen van de geluidsapparatuur te draaien.

'Beste mensen, als ik even jullie aandacht mag.' Martin zwaaide met zijn arm en duwde de schuimrubberen bol van de microfoon tegen zijn mond. 'Uit naam van de verenigde methodistenkerk van Statlers Cross wil ik jullie hartelijk danken voor jullie komst. Het is vandaag onze twintigste jaarlijkse "zuidelijke gospelzang en barbecue". Velen van jullie herken ik van voorgaande jaren en sommigen komen hier al vanaf het eerste begin, dus die hebben mijn toespraak eerder gehoord. Dit is een samenzijn dat is geboren uit traditie. We zijn een volk dat gelooft in vriendschap, integriteit en de liefde van de Heer.'

Hij wachtte even en zweetdruppels gleden over zijn gezicht naar beneden. Zijn geruite overhemd was vochtig rondom zijn navel en stond strak over zijn lichte buikje. Martin was een stevige kerel en zelfs Gale moest toegeven dat hij met zijn grijze haar en hoekige bouw een indrukwekkende evangelische verschijning was.

Hij stak zijn handen in de lucht. 'Nu, velen van jullie kennen me. Jullie kennen me als overheidsambtenaar, als voormalig lid van de staatscommissie en als vertegenwoordiger van de dienst ontwikkelingszaken. Jullie kennen me als inwoner van deze stad, als iemand die houdt van deze kleine gemeenschap en die zijn best doet om die tot bloei te brengen. Maar dat zijn allemaal aardse zaken. Ik wil dat jullie me nu zien zoals ik in werkelijkheid ben, als een nederig lid van Gods kudde. Ik wil dat jullie met mij de handen in de lucht steken en de ogen sluiten. Ik wil dat jullie tegen Jezus zeggen dat jullie hem bedanken voor dit kostelijke feestmaal. Want Jezus is het, mensen, en dát moeten we onthouden als we straks gaan zingen en klappen en het uitschreeuwen van vreugde. Jezus is de enige.'

'Zo is dat, Martin,' zei de man bij de geluidsapparatuur. 'Jezus is de enige.'

Er werden een paar handen omhooggestoken en er klonk wat instemmend gemompel. Maar de meeste mensen bleven stil, met de armen over elkaar en ingehouden glimlachjes op het gezicht. Stedelingen staken hun handen niet in de lucht en klappen en schreeuwen deden ze al helemáál niet. Ze waren hiernaartoe gekomen om vermaakt te worden.

Er kwam een jonge vrouw met een camera voor Gale staan. Gale deed een stapje opzij en wierp een terloopse blik op de lange lichtbruine rok en de loshangende katoenen blouse van de vrouw. Heiligheid, dacht Gale, maar ze zette dat idee meteen weer overboord toen ze zag dat de vrouw op haar donkerrood geverfde onderlip beet en de camera naar haar gezicht bracht.

'Vrienden, laat ons het hoofd buigen en bidden. Heer, U hebt ons zoveel gegeven. En wij, als zondaars, nemen al Uw goedheid aan, Heer, omdat we zo behoeftig zijn. Maar vanavond zullen we onze stemmen voor U laten klinken en halleluja voor U zingen. Want U bent onze verlosser, Heer. We vragen U nederig om Uw zegen en vergeving. In Uw naam bidden we, amen.'

De sluiter klikte. De vrouw liet haar camera zakken en wandelde weg.

'Nog één korte mededeling,' zei Martin. 'Het is hier vanavond heter dan in Hades zelf. De ouderen kunnen in het vishuis gaan zitten, onder de plafondventilator, als ze dat willen. En nu, eet smakelijk, mijn vrienden. Ik wens jullie een fantastische avond toe.'

Een bandje met countrymuziek vertolkt door een *fiddle* klonk op toen Martin van het podium klom. Met een brede grijns op zijn gezicht liep hij naar het vishuis, onderweg af en toe even stoppend om op schouders te slaan en handen te schudden.

Gale knikte en glimlachte toen hij haar kant op kwam. Als antwoord daarop pakte hij haar schouder vast, gaf haar een knipoog en liep door. Toen hij bij het vishuis kwam, liet hij zijn hand onder de elleboog van een oudere vrouw glijden en begeleidde hij haar naar binnen. Martin was niet bepaald Gale's favoriet, maar hij was geen slecht mens. Ze had mannen gekend die net zo fanatiek maar minder oprecht waren.

Een klein eindje bij haar vandaan stond een lange tafel met een papieren kleed en rijen stoelen aan weerskanten. Er waren nog maar weinig stoelen bezet en Gale nam Katie Pru mee naar de tafel.

'Hier, meisje,' zei ze. 'Als jij hier lekker gaat zitten en een stoel voor me vrijhoudt, dan ga ik een paar bordjes voor ons opscheppen.'

'Ik wil grote brokken.'

'Die krijg je. Wacht hier op me.'

Katie Pru klom op een stoel terwijl Gale haar plaats innam aan het eind van de rij bij de barbecuetafel. Een korte blik vertelde haar dat de vrouwen ondanks hun strakke organisatie nog niet klaar waren voor het begin van de pret. De kommen met saus stonden wel op tafel, maar zonder lepels, wat de eters dwong om de saus uit de kom op hun borden te gieten, die vervolgens spontaan dubbel klapten als ze ze optilden. De afgebroken kop van een plastic vork stak uit een schaal met gebakken bonen, en terwijl Gale toekeek, stak een man de rand van zijn bord in de schaal om ze er op die manier uit te scheppen. Zelfs de versiering van de geroosterde big, Cammy's volprezen middelpunt, was nog niet helemaal klaar. Zijden magnoliabloesems waren langs zijn flanken gelegd en er zat een onrijpe perzik in zijn bek, maar de guirlande van verse, in elkaar gevlochten kamperfoelie, waar Cammy elk jaar zoveel aandacht aan besteedde, ontbrak om zijn nek. Niet dat het wat uitmaakte, dacht Gale terwijl ze langs de big schoof. De vrouw zou vandaag al genoeg te doen hebben zónder Martha Stewart te spelen.

Boven het gebabbel bij de tafel met eten uit hoorde ze de deur van het huis dichtslaan. Mooi zo, dacht ze. Als het Ella is, kan zij misschien even op Katie Pru passen terwijl ik op zoek ga naar wat bestek.

Plotseling vloog de hordeur van het vishuis open en sloeg hij met zo'n kracht tegen het hout, dat alle dunne wanden trilden.

'Ga hier weg, Sill. En neem die meid met je mee!'

Martin kwam het vishuis uit stuiven, gevolgd door een lange, slanke vrouw die een witte short droeg. Sills blonde haar danste in de lucht terwijl ze achter haar vader aan rende.

'Wil je alsjeblieft blijven staan en naar me luisteren?'

Martin draaide zich met een ruk om; zijn gezicht was donkerrood. Zijn stem nam af tot een gefluister. 'Naar jou luisteren? Waar heb je het over, "naar jou luisteren"? Dit is een christelijk samenzijn, Sill. Ik wil dat je weggaat.'

Gale zag dat zijn ogen vochtig glansden. Twee stappen voorbij haar bleef hij staan. De vrouw met de lange rok kwam vanaf de andere kant de barbecuetent in en richtte haar camera op hem. Even dacht Gale dat Martin zich over de tafel zou buigen en de camera uit haar handen zou slaan. Maar in plaats daarvan duwde hij zijn vuisten in zijn broekzakken en haastte zich naar de achterdeur van het huis. Gale draaide zich terug naar Sill. De wangen van haar nicht zaten vol felroze vlekken en ze plukte aan het zilveren kruisje dat ze om haar hals had hangen.

Een tweede vrouw, klein en donker, verscheen in de deuropening van het vishuis. 'Kom, Sill. Laten we naar huis gaan.'

'Ga jij maar,' zei Sill.

Ze ging haar vader achterna het huis in. In de tuin waren de stemmen verstomd en hingen de papieren bordjes stil in de lucht. Gale sloeg haar armen om zichzelf heen, meer vanwege de gedachte aan nachtelijke kilte dan van de kou zelf.

Katie Pru tilde haar ene been op, toen het andere, en luisterde naar het zuigende geluid waarmee haar huid loskwam van de metalen stoelzitting. Ze vond het een leuk gevoel, net als van het lostrekken van de klittenbandsluitingen van haar schoenen. Alleen was het geen klittenband dat haar huid aan de stoelzitting vastplakte. Het was zweet, en ze genoot van de manier waarop het ervoor zorgde dat het leek alsof haar benen vol zuignappen zaten, alsof ze een inktvis was.

Haar moeder kwam langzaam de barbecuetent uit lopen. Katie Pru wist dat ze verdrietig was. Gillen en schreeuwen maakte haar moeder altijd verdrietig, en daarom gilde Katie Pru alleen maar als het echt niet anders kon. Maar soms kon ze het niet helpen, zoals gisteren, toen Ella zei dat ze geen piano mocht spelen. Ze was gek op pianospelen, het *tink, tink, tink* van de hoge noten. Dat klonk als rupsenvoetjes, en ze wipte haar inktvisbenen weer op en neer.

Haar moeder verdween in de rij voor de tent, maar dat was oké. Want haar moeder zou terugkomen met eten, en dat was wat Katie Pru wilde: eten.

Ze keek om zich heen. Mensen liepen heen en weer over het grasveld. Sommigen droegen een korte broek, net als zij, en anderen droegen vrolijk gekleurde jurken met bloemen en strepen. Eén mevrouw droeg een rok vol grote roze kikkers. Katie Pru hield van kikkers. Ze zag de vrouw naar de dranktent lopen en probeerde zich voor te stellen hoe het zou voelen om een kikker op een damesrok te zijn. Alsof je aan een gordijn hing, dacht ze, en ze wiegde heen en weer op haar stoel.

Ze wierp een blik op de rij bij de barbecuetent en zag dat haar moeder uit het zicht was verdwenen. Ze wipte van haar stoel en ging de rok met kikkers achterna. Die was zo wit en de kikkers zo roze, dat ze geen enkele moeite had om haar terug te vinden. De vrouw kwam de dranktent uit met drie bekertjes in haar handen en liep in de richting van het vishuis. Katie Pru huppelde achter haar aan en keek naar de heen en weer deinende kikkers op haar achterste.

Het was voorbij het vishuis dat ze een glimp van het dierenverblijf opving. Het ijzeren hek zag er verroest uit. Erachter stonden twee jongens te lachen en te wijzen, totdat hun moeder hen riep en ze wegrenden. Katie Pru wist wat dierenverblijven waren, daar had de jakkuwaar haar over verteld. Het waren nare plekken met vieze geuren. Kikkers en jakkuwaars hielden niet van dierenverblijven.

Ze keek nog één keer achterom naar de roze kikkers, maar toen verdween de vrouw het vishuis in. De jakkuwaar had haar gewaarschuwd voor dierenverblijven. Blijf daar weg, had hij gezegd. Maar ja, jakkuwaars wisten ook niet alles.

Ze sloop naar het gaashek en gluurde erdoorheen, want ze wilde zien wat die jongens zo grappig hadden gevonden. Drie honden, allemaal met lang haar en pelzen vol stof, stonden bij elkaar in het midden van het dierenverblijf en gromden nijdig naar elkaar. Met teruggetrokken lippen en flitsend witte tanden beten ze in de aarde. De grond tussen de honden leek te bewegen, voor- en achteruit, alsof ze een touwtrekwedstrijd deden.

Katie Pru deed een stap dichterbij. Ze haakte haar vingers in het verroeste gaas en stak haar neus door een van de openingen.

Een meter van haar vandaan rolde een varkenskop over de grond, met halfopen ogen en zijn mond stijf dicht. De huid was diepbruin en de oren, waarvan Katie Pru wist dat ze net zo roze moesten zijn als de kikkers, waren zwart en geblakerd.

Vanaf de andere kant van de tuin kwamen hoge tonen, bijna

net zo zacht als het *pink, pink, pink* van Ella's piano. Ze kende dat geluid; ze had het wel eens door ramen van kerken horen komen. Het koor was zich aan het klaarmaken.

Hierbovenuit klonk door het gaas van het vishuis een droge, oude stem.

'Ik herinner me dat die jongen zijn gezin niet kon onderhouden. Zijn vrouw werd erop uitgestuurd om eten te gaan stelen en de kinderen hadden geen kleren aan hun lijf. Dus op een avond zijn een paar jongens bij hem langsgegaan...'

Katie Pru gluurde het vishuis in. Door het groene gaas kon ze de gedaante onderscheiden van een oude man die in een stoel zat en met een plastic vork boven zijn hoofd zwaaide. Alle stoelen om hem heen waren bezet en boven hem draaiden de bladen van de ventilator in het rond.

Ze draaide zich weer om naar het dierenverblijf. Het koor was harder gaan zingen en overstemde het gegrom van de honden, maar niet de stem van de oude man.

'Een andere keer was er die gekleurde jongen. Een slechterik, die mensen lastigviel. Dus op een avond ging de bende weer op pad en nam hem te grazen.'

'Katie Pru?' Haar moeders stem leek van heel ver weg te komen. 'Bij me komen, alsjeblieft.'

'God, wat schreeuwde hij. Maar hij viel mensen lastig, dus namen we hem mee naar Baker Ridge en hebben we hem opgeknoopt. Niet meteen, natuurlijk.'

'Hier komen, Katie Pru. Ik vraag het je niet nog een keer. Je komt hier en blijft bij me!'

'Ze begonnen dat touw te draaien en te draaien tot ze niet meer konden. Een van de mannen hield zijn voeten vast zodat ze hem niet te snel zouden kwijtraken. En toen, toen dat touw zo strak stond als een pianosnaar, lieten ze hem los. Zijn armen en benen vlogen als propellers in het rond en toen de mannen terug waren in de stad, konden ze bijna niet meer op hun benen staan van het lachen.'

De oude man lachte kakelend. Katie Pru stond naast het dierenverblijf en kon zich niet bewegen.

Een schot klonk door de lucht. Het gezang verstomde. De mensen in hun korte broek bleven staan; de gebloemde en gestreepte jurken gingen langzamer lopen en stonden toen

doodstil in de tuin. In de deuropening van het vishuis klem-
den de kikkers zich vast aan de rok van de vrouw, haakten
hun glimmende pootjes in de stof om er niet af te vallen.
En toen klonk er een gil. Katie Pru pakte het hek vast en de
roest voelde poederig aan in haar handjes. Mama, mama,
dacht ze wanhopig. En opeens was haar moeder daar. Ze
nam Katie Pru in haar armen en rende met haar naar het
meer, totdat ze het gesnik en gekrijs dat uit het huis kwam
niet meer konden horen.

4

Toen ze nog leefde, verhief ze nooit haar stem tegen die jongen. Ik heb nog nooit iemand meegemaakt die zo zwijgzaam was tegen een kind en het toch de juiste dingen liet doen. Het is een schande hoe ze over haar praten. Ze zeggen dat ze kwaad was, maar ik zou zeggen: verdrietig. Dat kon je zien aan de ronding van haar ogen als ze bad.

Venice Perkins,

in gesprek met haar dochter Maye, 1938

Het probleem met een mannenhoofd is dat het niet de flank van een reebok is. Raak een reebok in de flank met een jachtgeweer en het beest slaat tegen de grond, met het gat in zijn lijf en wat bloed als enige bewijzen dat er iets is gebeurd. Als je hetzelfde doet met een mannenhoofd, dan heb je geen hoofd meer, alleen nog een bloederige bal en een ravage van hersenen en stukjes bot die tegen de muur zijn gespetterd.

Sheriff Alby Truitt keek eerst naar het plafond, waar niet zoveel op terecht was gekomen: alleen een veeg bij de muur. Hij was nog nooit in Cane's slaapkamer geweest, maar hij kende Cammy goed genoeg om de ruimte voor zich te zien in haar oorspronkelijke functie: witgekalkte muren, de rechte lijnen van een netjes opgemaakt bed, eenvoudige donkere meubels in een eenvoudig wit huis. Als God in de details zichtbaar moest zijn, dan werd hij hier wel op heel minimale wijze aanbeden. De kalk die de ruimten tussen de planken vulde, was verkleurd, zodat de muren eruitzagen als de blaadjes schrijfpapier van een kind. Alleen had dit kind van God met rode inkt geknoeid.

Een geweer, een .308 remington, stond met de loop omhoog tegen de deurpost. Truitt had Martin tientallen keren met dat geweer zien schieten, met zijn oog turend langs de loop en de kolf tegen zijn schouder gedrukt. Godverdomme, Martin, je hebt lang genoeg gejaagd om zó stom te zijn. Wat deed je hier trouwens met je geweer tijdens een kerkbarbecue? Hoe zijn verdomme je hersenen op Cammy's witte muren terechtgekomen?

Door de deels geopende deur kon hij het gehuil nog horen. Hij had een bijzonder onaangenaam tafereel in de woonkamer moeten achterlaten: vier vrouwen die dicht bij elkaar op de bank zaten, met hun haar en kleren vol bloed, alsof ze erin hadden gezwommen.

Hij liet zijn blik weer door de kamer gaan: vegen van bloederige schoenen op de lichtgrijze vloerbedekking, rode handafdrukken op het laken onder Martins lichaam, vegen bij de deur van de badkamer. Op de muur naast het bed verstoorden vegen van vingers het weefsel dat erop was gespetterd. In de ene hoek stond een kleine wapenkast, leeg en met de deur open. Niet echt een locatie waar een ongeluk had plaatsgevonden. Zelfs geen typische locatie voor een misdaad.

'Wat was je hier aan het doen, Martin?' vroeg hij zacht. 'Je leerde me al met wapens omgaan toen ik zestien was. Wat ging er om in dat hoofd van je?'

Truitt draaide zich om naar het bed. Martin Cane was een trotse man geweest, en zijn vrouwen hadden ervoor gezorgd dat zijn dood dat niet had veranderd. Ze hadden zijn handen netjes gevouwen op zijn borst gelegd en uit de bloederige vegen bij de knoopjes van zijn overhemd bleek dat ze het na het gebeuren tot bovenaan hadden dichtgeknoopt. Zijn hoofd, of wat daarvan over was, lag op een kussen. Truitt boog zich ernaartoe. Stukjes bot en hersenweefsel lagen los op de bloederige massa. Hij keek naar de vegen op de muur. Jezus Christus. Iemand had het weefsel van de planken geschept en geprobeerd om het hoofd van de man weer in elkaar te knutselen.

Het gehuil in de woonkamer werd harder toen Cammy begon te krijsen. 'O, God,' gilde ze. 'O, alstublieft, God.' Truitt voelde de druk op zijn borst toenemen. Hij had eerder jachtongelukken gezien. Maar nog nooit zoveel bloed op nog levende vrouwen. En nog nooit zoveel rood op de witte muren van een kamer.

40

Buiten was het nu helemaal donker en de wind beroerde de takken van de eiken. Truitt tilde de hoek van het kanten Cape Cod-gordijn op en staarde in het duister. Onder hem in de tuin stonden de mensen in groepjes bijeen. Ze werden verlicht door de slingers met lampjes die van de achterkant van het huis naar de bomen liepen. Ondanks hun vrolijke zomerkleding zagen ze er onmiskenbaar uit als rouwenden, een en al gebogen ruggen en over elkaar geslagen armen. Truitt keek op zijn horloge. Half tien. Er was meer dan een uur verstreken sinds het telefoontje op het sheriffkantoor in Praterton was binnengekomen. Maar hij wist dat deze mensen pas zouden weggaan als híj het ze opdroeg. Hier konden ze tenminste steun bij elkaar zoeken. In de woonkamer slaakte Cammy weer een kreet van verdriet.

Truitt liet het gordijn terugvallen en liep de slaapkamer uit. Het hoofd van de forensische dienst gebaarde dat hij naar beneden mocht komen. Ze stak hem haar arm toe om hem te steunen toen hij voorzichtig over haar heen stapte. 'Een enorme puinhoop hier. Overal afdrukken van schoenen. Ik hoop dat je erop hebt gelet toen je naar boven ging.'

Hij zuchtte. 'Maak je geen zorgen. Als ik een manier had geweten om door het raam naar binnen te vliegen...'

Haar glimlach was vol medeleven. Hij vroeg zich af of zijn hulpsheriff hen had gewaarschuwd toen hij zijn gebruikelijke verzoek om assistentie deed. Pas op wat je tegen hem zegt, jongens. Hij was een oude jachtvriend van de sheriff. Zelfs meer dan dat. Hebben jullie dat ooit gehoord over de vader van de sheriff...?

Truitt zocht zijn weg naar beneden en verbaasde zich – niet voor de eerste keer – over die merkwaardige trap in Cane's huis: een rij smalle treden, aan één kant gesteund, die uit de muur van de tussenkamer staken. Martin had hem uitgelegd dat er aan de voorkant ooit een trap was geweest die uitkwam in de hal, maar in de jaren zestig had hij die gesloopt om een nieuwe verwarmingsketel te plaatsen en een badkamer op de eerste verdieping te maken. 'De warmste badkamer in heel Calwyn County,' had Martin lachend gezegd. 'Cammy zeurde me altijd aan mijn kop over een open haard, zodat ze 's winters een warm plekje had om te lezen. Dus zei ik: "Pak een kussen en ga in de badkuip zitten."'

Truitt liet zijn blik door de kamer gaan, over de bank met de versleten bekleding, de leunstoel, de tv met het beschadigde fineer. Bij de wapenkast bleef hij staan. Zes geweren, alle plekken bezet. De sleutel zat in het slot. Hij draaide zich om, liep de kamer door en wenkte zijn brigadier, die bij de deur van de woonkamer stond.

'Craig, zeg tegen de jongens buiten dat als ze alle namen en adressen hebben genoteerd, ze die mensen naar huis moeten sturen.'

Brigadier Craig Haskell schudde zijn hoofd. 'Niemand wil weg voordat het lijk is afgevoerd.'

'Ik weet het. Maar ik heb geen idee wanneer Bingham hier zal zijn. Zeg maar dat ik hun vraag om naar huis te gaan. Leg ze maar uit dat het straks stevig gaat waaien.'

'Ik zal mijn best doen.'

Truitt knikte in de richting van de woonkamer. 'Ik ben zo'n beetje klaar om de vier apart te nemen en jou door te laten gaan met je ondervraging. Hoe was het daarbinnen?'

Op Haskells donkerbruine voorhoofd verschenen rimpels. 'Nogal heftig. Het enige wat ze doen is elkaars hand vasthouden, huilen en bidden.'

Truitt gluurde de kamer in. De vier vrouwen zaten zoals hij ze daar had achtergelaten: Cammy op de bank, Ella Alden en Maralyn Nash aan weerskanten van haar en Sill op de grond. Met al die handen tezamen leken ze wel op een piëta voor vier personen. Hij zoog bedachtzaam op zijn bovenlip. Er klopte iets niet. Martin zou de eerste zijn om hem te vertellen dat hij op zijn instinct moest afgaan als het ging over wat wel of niet klopte.

Hij keek Haskell aan. 'De andere getuigen zijn nog steeds op de veranda aan de voorkant?'

'Yep. Ruch is bij ze.'

'Wie zegt als eerste de slaapkamer te zijn binnengegaan?'

Haskell sloeg met zijn blocnote in zijn handpalm. 'Nou, blijkbaar drongen ze ongeveer allemaal tegelijk de kamer binnen, maar voorzover ik duidelijkheid heb op dit punt, liep die dominee voorop.'

'Hoe heet hij ook alweer?'

Haskell bekeek zijn aantekeningen. 'Ryan Teller.'

'Ga maar door en zeg tegen die mensen buiten dat ze naar huis moeten gaan,' zei Truitt. 'Maar vraag eerst aan Ruch of hij dominee Teller naar de keuken wil brengen. Zeg maar dat ik nog een paar vragen voor hem heb.'

Truitt wachtte totdat Haskell door de voordeur naar buiten was gegaan voordat hij de woonkamer binnenging. De vrouwen zaten nog steeds bij elkaar op de bank, met hun hoofden dicht bij elkaar. Alleen Sill keek op toen hij naar hen toe liep.

'Hoe hou je je, Cammy?' vroeg Truitt vriendelijk.

Cammy's lippen verdwenen haar mond in toen ze inademde om te antwoorden. Haar blauwe ogen waren nauwelijks zichtbaar tussen haar opgezwollen oogleden.

'God, Alby,' fluisterde ze. 'Hoe heeft het kunnen gebeuren? Martin is zo'n voorzichtig mens. Dat weet je. Hij zou nooit aan een geladen geweer zitten rommelen. Dat is gewoon onmogelijk.'

Truitt hurkte naast haar neer. 'Het gebeurt soms, Cammy. Iemand kan zijn leven lang voorzichtig zijn, maar het hoeft maar één keer fout te gaan.'

'Het was het geweer, Cammy,' zei Maralyn. 'Ik weet zeker dat ze het zullen onderzoeken. Misschien was het kapot. Misschien kwam het helemaal niet door iets wat Martin heeft gedaan.'

Heel even klaarde Cammy's gezicht op. 'Je hebt gelijk, Maralyn. Er moet iets mis zijn geweest met dat geweer. Geloof me, hij heeft het al jaren. Het was zijn favoriete geweer. Er moet iets mee aan de hand zijn geweest.' Ze keek Sill aan met een uitdrukking van machteloze hoop op haar gezicht.

'Het is gewoon kapotgegaan, schat. Je vaders geweer heeft hem gewoon in de steek gelaten.'

Sill pakte haar moeders handen steviger vast. 'Dat is waar, mama. Papa was een veel te goede jager om zo'n fout te maken.'

Truitt zag Ella Alden tegen Cammy aan schuiven. 'En u, miss Ella?' vroeg hij. 'Hoe houdt u zich?'

'Goed,' zei ze kortaf. 'Maar deze kinderen zouden wel een slokje water kunnen gebruiken. Denk je dat een van je mannen tijd zou hebben om een glaasje voor ze te halen?'

Truitt knikte. 'Brigadier Haskell is zo terug. Hij zal ervoor zorgen.' Hij trok zichzelf overeind en keek neer op de hoofden van de vrouwen. Je zou stukjes bot hebben verwacht op iedereen die in de buurt was toen dat geweer afging. Maar hij kon geen stukjes bot ontdekken. Het bloed zag er glad uit. Godverdomme. Het leek wel of ze hun haar ermee hadden gekamd.

Hij liep de kamer uit en maakte een scherpe bocht naar links. Cammy's keuken was eenvoudig, net als haar slaapkamer, met een prettige balans tussen het primitieve van het huis en haar eigen fijnzinnige smaak. Sporen van de barbecue waren overal te zien: kommen op het aanrecht, proppen plastic verpakkingsmateriaal in de spoelbak, scharen en stukken kamperfoelie, hangend over de rand van de tafel in de hoek. Ondanks dit alles had de keuken haar praktische karakter behouden. Gele pannenlappen hingen aan smeedijzeren haken die in de muur waren geslagen, en een gordijn met de kleur van lichte boter hing voor het enige raam. De kasten hadden de kleur van gebrande sienna waar hier en daar het oorspronkelijke bruin van het hout doorheen kwam. Truitt had heel wat vroege zaterdagochtenden in deze keuken doorgebracht, zittend aan de tafel met de stalen poten om nog een laatste kop koffie te drinken voordat hij met Martin op weg ging naar de bossen ten noorden van de stad. Het waren aangename ochtenden geweest, wat mede te danken was geweest aan Cammy's discrete bijdragen: de warme broodjes in de oven, de gevouwen papieren servetten naast hun schoteltjes, maar nooit de vrouw zelf. Die verrichtte alleen haar taken, en Truitt had altijd vermoed dat ze zich in haar kamerjas naar boven haastte als ze hem hoorde aankomen.

Met een licht schuldgevoel besefte hij dat hij door zijn werk meer dan drie jaar niet bij Martin of in Statlers Cross was geweest. Hij knikte naar zijn hulpsheriff, trok zijn das recht en liep naar de keukentafel. De man die met zijn rug naar de deur zat, leek maar iets ouder dan hijzelf en was waarschijnlijk net de veertig gepasseerd. Hij zag er netjes uit in zijn zandkleurige broek en donkerblauwe overhemd. Zijn haar, een flinke bos blonde krullen, had een dofgroene glans, maar of dat kwam door de gele tinten in de keuken of te veel tijd bij het zwembad, kon Truitt niet zeggen. Hij haalde zijn noti-tieboekje en pen uit zijn zak, trok een stoel achteruit en ging zitten.

'Dominee Teller...' begon hij.

Teller boog zich naar voren en zijn gezicht was een en al be-zorgdheid. 'Martin Cane was een vriend van me, sheriff. Het spijt me oprecht dat hij dood is.'

Het haar van de geestelijke lag in vochtige krullen op zijn voorhoofd en hij had een blos op zijn wangen. Truitt stond zichzelf een licht glimlachje toe. 'Hij was ook een vriend van mij, dominee.'

Teller maakte een wuivend gebaar met zijn hand. 'Alsje-blieft, zeg maar Ryan,' zei hij. 'Weet je, ik werk nu bijna een jaar als predikant hier in Statlers Cross en heb tot nu toe vijf begrafenissen geleid, voornamelijk oudere leden van de ge-meenschap, dat begrijp je. Maar dit... ik moet je bekennen, sheriff, ik weet niet of ik dit wel aankan.'

'Dat is begrijpelijk, Ryan. Ik zou zeggen dat iedere geestelij-ke zijn carrière liever zou afsluiten zonder een dood als deze.' Truitt wachtte even. 'Waar zat je voordat je naar Statlers Cross kwam?'

'Nergens. Niet bij een kerk, in elk geval. Ik was zakenman in Atlanta. Maar de Heer heeft me geroepen. Hij heeft me hier-naartoe gestuurd.'

'Ah.' Truitt sloeg zijn notitieboekje open en bekeek de eerste bladzijde. 'Het is maar goed dat sommigen van ons zo'n goed gehoor hebben, zeg ik altijd.'

Teller grinnikte. 'De Heer kan onze aandacht trekken wan-neer Hij dat wil.'

'O ja? Nou, míjn aandacht heeft Hij op dit ogenblik in elk geval. Ik probeer erachter te komen wat er in godsnaam in die slaapkamer is gebeurd. Mijn brigadier heeft me verteld dat jij een van de eersten was die naar binnen is gegaan. Kun je me daar iets over vertellen?'

Teller kneep zijn ogen tot spleetjes en keek naar het plafond. 'Ja. Ik stond in de tuin, vlak bij de achterdeur, te luisteren naar de gospelzangers, die zich aan het opwarmen waren. Ik hoorde het schot. Het was duidelijk dat het uit het huis kwam, dus rende ik naar binnen. Ik hoorde boven gegil en

geschreeuw en ben de trap op gerend. De deur van de slaapkamer was dicht.'

Toen de geestelijke zijn handen gevouwen op het tafelblad
legde, wierp de lamp aan het plafond een glans over zijn nagels. Gemanicuurd, dacht Truitt. Merkwaardig. Hij vroeg
zich af of de verstedelijking van Atlanta zich zo ver in ooste-
lijke richting had doorgezet dat de weinige schoonheidssalons van Calwyn County nu manicurebehandelingen voor
mannen aanboden. Hij betwijfelde het. Het was waarschijnlijker dat de dominee er een rit van een uur naar Athens voor
over had, of, wat nog waarschijnlijker was, het zelf deed.

Truitt tikte zachtjes met zijn pen op het tafelblad. 'Ga door.'

'Nou, ik probeerde die deur open te doen, maar hij zat op
slot. Ze waren aan het gillen daarbinnen, Cammy schreeuwde Martins naam, en ik bonsde op de deur, riep dat ze me
binnen moesten laten, maar dat deden ze niet. Ik nam aan
dat ze me niet hoorden.'

'Hoe wist je dat er meer dan één persoon in die kamer was?'

'Ik kon ze horen. Ze huilden en gilden en iemand riep: "O,
God, o, God", steeds weer opnieuw, en toen: "Hou op, hou
alsjeblieft op".'

'Nog iets anders?'

'Ik herkende Ella's stem. Zij bleef er bij iedereen op aandrin-
gen dat ze moesten kalmeren. "Rustig, rustig, laten we kijken
wat we kunnen doen".'

'Dat waren haar exacte woorden?'

'Zo ongeveer. Maar het was voornamelijk Cammy, die Martins naam stond te schreeuwen.'

'Heb je Sill iets horen roepen?'

Teller fronste zijn wenkbrauwen. 'Ik wist pas dat Sill in de
kamer was toen de deur eindelijk openging,' zei hij. 'Maar ik
had haar nog maar één keer eerder ontmoet, dus ik weet niet
zeker of ik haar stem wel herkend zou hebben.'

'Heb je nog andere geluiden gehoord?'

Teller schudde zijn hoofd. 'Gebons misschien, of gestamp. Ik
weet het niet. Het was niet goed te horen. Ik herinner me alleen het gegil en geschreeuw. En dat gevoel van machteloos-
heid omdat ik die deur niet open kreeg.'

'En hoe ging die uiteindelijk open?'

'Er waren al meer mensen het huis binnengekomen. We stonden met z'n allen op die deur te bonken. Uiteindelijk deed Ella open, maar toen kon niemand meer iets doen.'

'Hoe lang duurde het voordat ze jullie binnenliet?'

Teller nam even tijd om diep in te ademen. 'Nogal lang, eigenlijk. Ik weet nog wel dat iemand zei dat hij een schroevendraaier ging halen om die deurknop eraf te halen.'

'O ja? Dus hoeveel minuten?'

'Een minuut of vijf, maar het kunnen er ook meer zijn geweest. Het leek in elk geval een eeuwigheid.'

'Is tien mogelijk?'

'Misschien tien, maar niet meer.'

'En wat zag je toen je die kamer binnenkwam?'

Teller deed zijn ogen dicht. Bij zijn linkerooghoek trok een spiertje. 'Martin op het bed. Cammy en Sill die over hem heen stonden gebogen. Ella's dochter, Maralyn, met het geweer in haar handen. Overal bloed.'

'Maralyn had het geweer vast?'

'Ja. Ik wist op dat moment niet wie ze was, want ik had haar nog nooit ontmoet. Ze zat helemaal onder het bloed en stond alleen maar naar dat geweer te kijken, alsof ze verbaasd was.'

'Heb je gezien wat ze deed met dat geweer?'

'Nee. Ik rende naar het bed om naar Martin te kijken en... nou ja, sheriff, je bent er zelf geweest. Er bestond geen twijfel over dat hij dood was. Ik herinner me dat ik Cammy beetpakte en probeerde om haar naar buiten te loodsen, maar ze wilde niet. Ze had Martins overhemd vastgepakt en probeerde zich aan hem vast te klampen.' Hij keek Truitt aan en zijn ogen werden groter. 'Ik had nog nooit zoiets gezien. De man had geen hoofd meer. Zijn vrouw probeerde zich aan hem vast te klampen en hij had niet eens een hoofd!'

Truitt keek hem zwijgend aan en ging langzaam met de duim van zijn nagel langs de zijkant van zijn notitieboekje. 'Vertel me eens, dominee, hoe vaak zagen Martin en jij elkaar?'

'Vrij vaak. Minstens twee keer per week. Soms elke dag, afhankelijk van wat we voor de kerk aan het doen waren.'

'En heb je in zijn gedrag van de laatste tijd iets bijzonders opgemerkt?'

Teller keek hem wezenloos aan. 'Iets bijzonders?'
'Ja. Gedroeg hij zich anders dan anders? Was hij afwezig of werd hij door iets in beslag genomen?'
'Nee, dat kan ik niet zeggen. Hij was dezelfde oude Martin die hij altijd was en die zoveel plezier had in zijn werk voor de Heer.'
Truitt streek zijn wenkbrauw glad. 'Toen je daar bij die vrouwen was, heeft een van hen toen gezegd wat er gebeurd was?'
'Dat Martin zijn geweer schoonmaakte en dat het afging.'
'En vroegen ze zich niet af waarom hij tijdens een kerkbarbecue zijn geweer zat schoon te maken?'
Teller knipperde met zijn ogen. 'Ik heb dat aan Ella gevraagd. Ik denk dat ze het een slecht moment vond voor die vraag, of dat ze me tactloos vond of zoiets. Weet je, geestelijken horen een zesde zintuig te hebben voor wat ze tijdens een crisis wel en niet moeten zeggen, maar dat lukt ons ook niet altijd. Hoe dan ook, ik geloof dat mijn vraag haar boos maakte.'
'Hoezo dat?'
Teller legde zijn handen geopend op tafel, een gebaar waarvan de bedoeling Truitt ontging. 'Toen ik het haar vroeg, keek ze me recht in de ogen en zei ze dat Martin altijd zijn geweer schoonmaakte als er gospelzangers in de buurt waren.'

5

Vertrouw nooit een vrouw met bloed op haar tanden.

Reb Falcon,

in een gesprek tijdens het vissen in Meanlick Creek, 1941

Katie Pru kreunde in haar slaap en schopte met haar benen. De nachtelijke warmte had haar haar vochtig gemaakt en toen Gale zich over de picknicktafel boog om haar dochter een kus te geven, rook ze de vertrouwde geur van kinderzweet. Rondom het vishuis verlichtten de slingers met lampjes het terrein alsof er een nachtelijke uitverkoop werd gehouden. Af en toe kwamen er mensen voorbij en werd hun zachter wordende gemompel gevolgd door het gekuch van een startende auto. Eindelijk ging iedereen weg.

Boven hen kletterden de regendruppels als muntstukken op het zinken dak. Gale legde haar hand op het voorhoofd van haar dochter. Vanaf het moment dat het geluid had geklonken, had ze geweten dat het een geweerschot was. Ze was te vertrouwd met het geluid en had te veel nachten wakker gelegen en er met een bonkend hart en een gloeiende huid aan liggen denken om het verkeerd te interpreteren. Haar reactie was instinctief geweest. Met Katie Pru in haar armen was ze van het vishuis over de met gras begroeide helling naar de oever van het meer gerend. Eerst waren ze doodstil aan de waterkant blijven zitten terwijl Gale keek naar de mensen boven haar, die onzeker in het rond liepen. Daarna, toen het gekreun van de massa hoorbaar werd, had ze haar dochter op de grond gezet en haar handje vastgepakt. Tegen de tijd dat de sheriff arriveerde, waren ze over de rode klei weggewandeld en aan de andere kant van het meer terechtgekomen.

Drie keer waren ze om het meer gelopen voordat Gale met Katie Pru het lege vishuis was binnengegaan. Ze had haar dochter boven op de picknicktafel neergezet en overdreven zorgvuldig haar gezichtje schoongemaakt. Katie Pru was stil, maar niet stiller dan anders. Gale bleef maar met haar hand door haar haar strijken en vroeg keer op keer: 'Kindje, hoe gaat het met je?' Ze wist niet precies wat voor antwoord ze verwachtte; misschien dat Katie Pru haar met verdrietige donkere ogen zou aankijken en zou zeggen: 'Ik ken dat geluid. Het maakt me bang. Waarom lukt het je nooit om me goed te beschermen?' Maar in plaats daarvan had Katie Pru alleen maar haar handje opgestoken en zachtjes door haar moeders haar gestreken. Toen had ze zich opgerold en was ze boven op de tafel in slaap gevallen.

Ze waren hier nu al meer dan een uur. Door het gaas zag Gale de grillige takken van de eik huiveren in de regen. Als tiener had ze vaak met Sill onder die boom gezeten en hadden ze elkaar spookverhalen verteld: over eeuwig voortdurende diners en huilende beelden op de begraafplaats, en natuurlijk over Linnie, die zich lang geleden had opgehangen en daarna blijkbaar van gedachten was veranderd. Er waren talloze verhalen over Linnie: Linnie in witte gewaden op een zwart paard, Linnie die inbrak in schuren en hele kippen verslond. Sill, die haar magere benen had opgetrokken tegen haar borst, vouwde dan haar handen achter haar hoofd en perste haar armen stijf tegen haar oren. 'Hou op, Gale, hou op. Ik wil er niets meer over horen.' Gale had haar toen niet kunnen vertellen wat ze nu wist: dat spookverhalen altijd overal doorheen drongen en dat zelfs handen op oren, huilen in de nacht en uitgeschreeuwde smeekbeden ze niet konden tegenhouden.

Gale veegde een kruimel van Katie Pru's wang. Nou, Sill zou er zelf wel achter komen. De recentste doden maakten de opdringerigste geesten.

Zonder waarschuwing ging de deur van het vishuis open en kwam er een hulpsheriff binnen. In één hoofdbeweging nam hij de lege klapstoelen en de lange picknicktafel met het geruite kleed in zich op en toen richtte hij zijn troebele blik op Gale.

'Mevrouw,' zei hij, 'we verzoeken iedereen naar huis te gaan. Niemand kan vanavond nog iets doen voor de familie. Het is beter om morgenochtend bij ze langs te gaan.'

'Mijn familie is in dat huis. Mijn grootmoeder en mijn tante. Ik wacht op ze.'

De hulpsheriff nam haar zwijgend op. 'Ik begrijp het. Bent u vanavond in het huis geweest, mevrouw?'

Een hete blos kleurde Gale's wangen. 'Niet sinds... Ik was in het huis voordat de barbecue begon.'

'Was u op het perceel toen het geweer afging?'

'Ja.'

'En hebben we uw naam genoteerd?'

Gale aarzelde. 'Nee.'

'O nee? Bent u de hele avond hier geweest? Hebben we u over het hoofd gezien?'

'Ik ben niet gebleven toen het geweer afging. Ik ben met mijn dochter om het meer gewandeld.'

De hulpsheriff duwde de hordeur verder open tot tegen de houten wand en bleef er met zijn schouder tegenaan staan leunen.

'U hoorde een geweer afgaan in een huis vol familieleden en bent langs het meer gaan wandelen? U moet wel een heel koele kikker zijn.'

Gale voelde de druk op haar keel toenemen. 'Zoiets kunt u niet zeggen. Ik heb een klein kind. Wat er ook is gebeurd in dat huis, ik wilde niet dat zij het zou zien.' Ze wachtte even. 'Niet zo'n heel vreemde gedachtegang, lijkt me.'

De hulpsheriff kneep zijn lippen op elkaar. In het licht van het vishuis zag zijn donkere haar eruit als zeewier. Grote waterdruppels dropen van zijn bruine uniform. Terwijl hij haar recht in de ogen bleef kijken, duwde hij zijn achterhoofd enkele keren tegen het gaas van de hordeur.

'Dat lijkt mij ook,' zei hij rustig. Hij haalde een notitieboekje uit zijn borstzak en sloeg het open. 'Mag ik uw naam, alstublieft?'

'Gale Grayson.'

Hij staarde haar aan terwijl hij in zijn zak naar een pen zocht. Zijn ogen keken eerst naar haar borsten, gingen langzaam omhoog naar haar mond en toen weer naar beneden.

'Ik heb over u gehoord,' zei hij uiteindelijk. 'U bent niet wat ik me van u had voorgesteld.'

Ze kon wel raden hoe hij zich haar had voorgesteld. Groot

en grijnzend, met vuurrood haar en zwarte kleren. De ironie van roddels was dat ze hun slachtoffers, door deze in de grond te trappen, juist op een voetstuk zetten. Ze had mensen vrees moeten aanjagen, een mythische figuur moeten zijn. Maar in plaats daarvan had de weduwe van de terrorist zich lafhartig teruggetrokken in een stinkend vishuis, waar het licht een groene glans over haar gezicht wierp terwijl haar vingers nerveus plukten aan de schoenveter van haar kind.

Ze schraapte haar keel. 'Wanneer kan ik met mijn grootmoeder praten? Wordt ze nog steeds ondervraagd?'

De hulpsheriff haalde zijn schouders op. 'Dat is mijn taak niet. Alstublieft, komt u met me mee.'

Hij bleef stil tegen de open hordeur staan terwijl Gale de slapende Katie Pru in haar armen nam en het vishuis uit liep. Grote regendruppels sloegen in haar gezicht toen ze met kwieke passen in de richting van de zwak verlichte achterveranda liep. Geërgerd veegde Katie Pru de waterdruppels uit haar gezicht.

'Hou op, mama,' mompelde ze. 'Hou op met me natspuiten.'

'Het is oké, kindje. We zijn zo weer binnen.'

Na de vage stank van het vishuis gaf de keuken, met haar aroma van gebraden vlees en kruiden, haar in eerste instantie een geruststellend gevoel. Maar algauw bespeurde Gale de geur van transpirerende mannen in katoenen uniformen en een penetrante, nog onaangenamere geur. Ze draaide zich om naar de hulpsheriff, die achter haar de keuken in kwam.

'Ik blijf hier niet.' Ze zei het op vlakke toon. 'Mijn dochter en ik zijn hier te voet naartoe gekomen en ik ben niet van plan om haar helemaal naar huis te dragen terwijl het donker is en het regent. Ik zou het waarderen als u iemand opzoekt die ons naar huis kan rijden.'

De hulpsheriff opende zijn mond en deed hem toen weer dicht. Hij wrong zich langs haar heen, liep de keuken uit en verdween in de smalle gang die naar de voorkant van het huis leidde.

Katie Pru bewoog zich en schopte met haar voet tegen Gale's dij. Met een van pijn vertrokken gezicht begon Gale heen en weer te deinen en zachtjes te zingen. De wanden van het huis waren gemaakt van met de hand gehakte dennenstammen, dertig centimeter dik en afgewerkt met geschaafde planken, die de kamers klein maakten en de geluiden dempten. Gale zong bijna fluisterend door terwijl ze zich concentreerde op het doffe gemompel dat haar vanaf de voorkant van het huis bereikte. Ze had verwacht gehuil te horen, maar hoorde in plaats daarvan alleen een laag, dreunend geluid. Het geluid van zoemende mannen. Er vindt een gewelddadige dood plaats en mannen veranderen in bijen die om elkaar heen cirkelen en het probleem proberen op te lossen met hun monotone gezoem.

'Hallo, Gale.'

Met een ruk draaide ze zich om en ze drukte Katie Pru steviger tegen zich aan. Alby Truitt was niet uitgegroeid tot een grote kerel, en toen hij naar haar toe kwam lopen, bewoog de houten vloer niet. 'Dat is lang geleden,' zei hij. Zijn stem klonk schor. 'Het is gebruikelijk om te zeggen: "Ik hoorde dat je terug was en wilde je bellen", maar de waarheid is dat ik ervan uitging dat ik je uiteindelijk toch wel tegen het lijf zou lopen. Hoewel ik niet had gedacht dat het in een situatie als deze zou zijn.'

Gale knikte. De laatste keer dat ze Alby Truitt had gezien, stond hij bij het zwembad van de enige YMCA van Calwyn County op zijn fluit te blazen en tegen haar te roepen dat ze haar ogen open moest doen en moest ophouden met rondjes zwemmen. Ze was toen zeven geweest en hij bijna twintig, een student die zijn zomervakantie thuis doorbracht en een paar dollar bijverdiende als badmeester. Ze was uit het zwembad geklommen en naar de douches gerend, gekwetst in haar kindertrots door het beeld van zichzelf als een spartelend hondje in het water. Nog jaren daarna had Ella haar er elke zomer mee geplaagd. 'Ik kwam Alby Truitt vandaag tegen in de bank, Gale. Hij zei dat ik tegen je moest zeggen dat hij gisteravond naar een film met Esther Williams heeft zitten kijken...'

Voor een zevenjarig meisje had hij eruitgezien als een reus met natte benen en een bruine rug. In werkelijkheid was hij compact gebouwd, hoewel hij nog steeds twintig centimeter langer was dan zij. Zijn bruine haar, dat bovenop vrij lang was, was lichter geworden na de komst van zijn eerste grijze haren. Lange lijnen tekenden zich af in zijn wangen en een scherpere lijn boven zijn neus scheidde zijn wenkbrauwen van elkaar. Als Gale hem op straat was tegengekomen, zou ze hem nooit hebben herkend als de tienerjongen uit haar jeugd, afgezien van zijn mond, die nog steeds, net als toen, een jongensachtig trekje had.

Ze schoof Katie Pru hoger op haar schouder. 'Het is moeilijk te zeggen wat je in een situatie als deze moet doen. Hoe is het met Cammy?'

'Ongeveer zoals je zou verwachten. Je grootmoeder neemt haar en Sill vanavond mee naar huis. Het zal een moeilijke tijd voor haar worden.'

Gale deed haar ogen dicht. Jezus. Waar konden ze anders naartoe dan naar Ella? Maar het idee dat die vrouwen zaten weg te kwijnen in afgesloten kamers verderop in de gang...

Toen ze haar ogen weer opendeed, zag ze dat Truitt haar stond op te nemen.

'Het spijt me,' zei ze. 'Ik stond aan Katie Pru te denken. Die heeft hier geen behoefte aan.' Ze wachtte even. 'Ik ook niet, trouwens.'

'Dat kan ik begrijpen.' Hij stak zijn arm uit en trok een met geel kunstleer beklede stoel bij de tafel weg. 'Sorry. Ik had je een stoel moeten aanbieden. Ze is nog maar klein, maar na een tijdje moet ze loodzwaar worden.'

Gale liet zich op de stoel zakken en Katie Pru's hoofd kwam tot rust in het dal tussen haar borsten. Gale had niet lang willen blijven. Ze had willen eisen dat iemand haar naar huis bracht. Maar nu had ze ineens geen zin meer om weg te gaan. Ze keek om zich heen naar de vuile borden en al die gebruikte potten en pannen. Iemand zal deze rommel op moeten ruimen, dacht ze. Ella zal de boezembrigade weer moeten mobiliseren, gewapend met hun Brillo-sponsjes en flessen afwasmiddel, en hun opdragen om de keuken weer op orde te brengen. En daarna zullen ze naar boven moeten marcheren...

Haar stem bleef steken in haar keel. 'Iemand zal het boven op moeten ruimen,' zei ze.

Truitt trok een tweede stoel bij en ging zitten. 'Ik stel voor dat we een schoonmaakbedrijf bellen,' zei hij zachtjes.

Ze knikte. Wat moest je beginnen tegen bloed in de vloerbe-dekking en bloed op de muren? Goddank was Tom op een altaar gestorven, waar men gewend was om met bloed en li-chamen om te gaan. Een opborrelend lachje bleef in haar keel steken. Ze slikte moeizaam en voelde dat ze begon te blozen.

Om haar zelfbeheersing terug te vinden, concentreerde ze zich op de gele stof van de gordijnen voor het raam boven het aanrecht. Ze begonnen een beetje te verkleuren en rond-om de plooien waren de contouren van een bruine vlek zicht-baar. Ze dacht terug aan de zomer waarin Cammy ze had opgehangen. Gale had aan de keukentafel sandwiches met pindakaas en banaan zitten eten en het overtollige broodbe-leg op de giechelende Sill zitten smeren. Cammy zat tegen-over hen en werkte met naald en draad de bovenkant van het gele gordijn af.

'Ik wil iets zonnigs,' zei ze. Ze knipte de draad af en hield het gordijn in de lucht. 'Je vader zegt dat we het ons niet kunnen veroorloven, Sill, maar er is niets meer aan deze oude keuken gedaan sinds je grootvader hier in de jaren vijftig de waterlei-ding heeft aangelegd, dus ik denk dat het wel een keertje tijd wordt. Trouwens, je vader hoeft hier het grootste deel van de dag niet door te brengen, hè? Ik wil alles in wit en geel. Wat denk jij, Sill? Denk je dat het er leuk uit zal zien?'

Sill gaf Gale een schop onder de tafel en spuugde een stuk fijngekauwde banaan op haar bord. 'Dat klinkt prima, mama, als je tenminste van douchegordijnen houdt.'

Sill lachte met haar mond wijdopen. De restanten van haar sandwich kleefden aan haar verhemelte. Cammy boog zich over de tafel en gaf haar een tik.

'Zulke dingen zeg je niet in mijn huis, Sillena Anne Cane.' Cammy's ogen waren rood geweest en haar dunne lippen zo smal als nietjes toen ze haar dochter nog een tik gaf. 'Altijd die brutale mond van jou. Ik geef je een pak rammel als je daar niet mee ophoudt.'

Gale richtte haar blik weer op Truitt. 'Is Faith hier nog?'

Er kwamen rimpels in zijn voorhoofd. 'Faith?'

'Faith Baskins. Ze is een vriendin van Sill.' Gale aarzelde. 'In feite hebben ze een liefdesrelatie. Dit zal heel moeilijk zijn

voor Sill, dus hoort Faith hier bij haar te zijn.'
Truitt schoof zijn handen in zijn zakken en zat haar op te nemen. Ondanks haar pogingen om rustig te blijven voelde ze dat ze begon te blozen. 'Wist Martin dat ze een relatie hadden?'
'Ja.'
'Vóór vandaag?'
'Ja.'
'En hij vond het goed dat ze naar de barbecue kwamen?'
'Daar heb ik het niet met hem over gehad.'
Zijn ogen waren grijs met gele vlekjes en pupillen die zo donker waren, dat Gale nog wist dat hij naar haar zat te kijken nadat ze haar blik had afgewend. 'Er is me verteld dat je buiten was toen het geweer afging,' zei hij.
'Dat klopt. Ik stond in de rij bij de barbecue. Katie Pru was verderop, bij de hondenhokken.'
Truitt streek met zijn vinger langs de rand van de tafel en gaf er toen plotseling een klap op. 'Weet je, het is drie jaar geleden dat ik Martin voor het laatst heb gezien, en zes maanden dat ik hem over de telefoon heb gesproken. Ik kan niet geloven dat ik hem zo uit het oog heb kunnen verliezen. Op een zeker moment kom je op een punt dat je alleen nog maar werkt en al het andere bijzaak is geworden.' Hij zweeg even. 'Jij bent hier nu ongeveer een halfjaar terug, is het niet, Gale? Heb je in die periode veranderingen bij Martin bespeurd?'
'Nee. Geen veranderingen.'
'En Cammy?'
Katie Pru's hoofdje was warm en Gale voelde een zweetdruppel langs haar zij glijden. Ze verdrong haar boosheid. Ze had dit verdomme allemaal achter zich gelaten. Ze was niet teruggekomen om in een benauwde gele keuken onder helwit licht ondervraagd te worden. Ze probeerde rustig te blijven, maar ze voelde haar gelaatstrekken verharden toen ze Truitt aankeek.
'Nee.'
'Heb je veel met Sill gesproken? Komt ze vaak naar huis?'
'Dat zul je aan haar moeten vragen.'
Ze keken elkaar enige tijd recht in de ogen. Toen verscheen er een grijns op zijn gezicht en tikte hij bijna vrolijk op het

tafelblad. 'Ik heb je boek gekocht. Ik moest het in Engeland bestellen, maar ik dacht, ach wat, ik heb dat meisje praktisch leren zwemmen, dus ik wil wel eens zien wat er van haar terecht is gekomen.'

Ik denk eerder dat je wilde zien wat er van de weduwe van een terrorist terecht is gekomen, dacht Gale. 'Echt? Hoe lang is het geleden dat je het hebt gelezen?'

Hij glimlachte droog. 'Een jaar of twee. Lang voordat je hier terugkwam, Gale. Hoewel ik natuurlijk een waardeloze politieman zou zijn als ik het niet nog een keer had gelezen toen je hier terugkeerde. Ik durf te wedden dat je niet weet dat geschiedenis mijn bijvak was op de middelbare school. Maar ik heb nooit veel aangekund met de geschiedenis van het Zuiden, sociologisch, bedoel ik, maar jouw kijk op de dingen beviel me wel. Je kijkt verder dan het voor de hand liggende. Wat de reden is dat ik morgen nog eens met je wil praten.'

Gale kreeg een droge mond. 'Waarom in godsnaam?'

Truitt haalde zijn schouders op. 'Om te horen wat jíj van de zaak denkt.'

Gale hoorde dat haar stem een hogere klank kreeg. 'Waar ben je op uit, Alby? Het was een ongeluk. Martin zat altijd aan die verdomde geweren te rotzooien.'

Hij boog zich opzij en streek voorzichtig een lok haar uit Katie Pru's gezicht. 'Dit kleine meisje is een echte schoonheid, Gale. Ze lijkt sprekend op haar moeder. Ik zal een van mijn mannen roepen, want ze moet nodig naar bed.'

Zilah Greene had zich gekleed voor de nacht in een eenvoudig blauw katoenen nachthemd, zonder kant om het boord en de manchetten, dat haar huid kon irriteren. Ze was daar de laatste tijd op gaan letten, omdat zelfs haar fijnste kanten nachthemden ervoor zorgden dat ze de volgende ochtend rode plekken op haar hals en armen had. Ze wist niet of haar huid gevoeliger was geworden of dat ze zo onrustig sliep dat de stof langs haar huid schaafde als ze lag te woelen en te draaien in bed. Als ze mocht kiezen, zou het voor het laatste zijn. Ze gaf de voorkeur aan het idee dat haar geest langzaam maar zeker aftakelde en dat het niet haar lichaam was, dat de laatste tijd steeds vermoeider aanvoelde, dat tekenen van slijtage begon te vertonen.

Maar vannacht kon ze niet slapen. De lucht was te drukkend en het zag ernaaruit dat de depressie voorlopig zou blijven. De druk in haar hoofd zorgde voor een ritmisch stekende pijn boven haar rechteroog die verdween als ze volmaakt stil bleef liggen. Als ze tenminste volmaakt stil kon blijven liggen. De matras onder haar voelde heet aan tegen haar kuiten en rug. Onze hemelse Vader, bad ze. Luistert U alstublieft naar Uw nederige dienaar...

In de woonkamer was het koeler. Ze liep heen en weer over het beige kleed dat zacht aanvoelde onder haar blote voeten. Ze tilde haar armen op om te zien of het kant rode vlekken op haar huid had achtergelaten en was verbaasd dat ze geen kant zag. Ze zag zelfs geen nachthemd: ze was spiernaakt. Haar haar kriebelde op haar blote schouders, maar toen ze het weg wilde strijken, bleven haar vingers steken in blonde krullen. Ze was al jaren niet blond meer en had zich nog nooit naakt buiten de slaapkamer of badkamer begeven. Ze liet haar vingertoppen langs haar bovenlichaam gaan en genoot van de lichte huivering die volgde op die aanraking. Barry streelde haar vroeger op deze manier. Dan ging hij met zijn nagel over haar buik, van boven naar beneden, en volgde hij de roze lijntjes van haar geboortestriemen. Ik hou van mijn kinderen, fluisterde hij dan, en van jou omdat jij ze gebaard hebt. Dan zou hij haar bestijgen en zou ze vervuld raken van zoetheid. En nadat de duisternis haar had omhuld en verder was getrokken, zou ze haar bezwete billen in de warme glooiing van zijn kruis drukken en zouden ze gaan slapen.

'We sliepen als blokken in die tijd, miss Linnie,' zei ze. 'Barry was niet zo'n man die geen aandacht had voor zijn vrouw. Barry wilde dat ik gelukkig was, en dat was ik ook.'

Het leek zo natuurlijk dat miss Linnie in de woonkamer stond alsof ze net was teruggekeerd van een wandelingetje. En uit de manier waarop ze haar hoofd schuin hield maakte Zilah op dat ze begreep wat ze zei. Het leek niet helemaal juist dat miss Linnie begreep wat geluk was, gezien de manier waarop ze dat touw om haar nek had gedaan, maar Zi-

lah was niet van plan om het haar te vragen. Het licht rondom miss Linnies hoofd gloeide te fel om haar gelaatstrekken
te zien, maar toch meende Zilah een glimlach op het gezicht
van de vrouw te zien.

Zilah glimlachte terug. Ze wilde haar bedanken voor al die
jaren dat ze hier was, zelfs in de decennia dat Zilah te blind
was en het te druk had om haar te kunnen zien. Langzaam
liep ze op de vrouw toe, zo breed glimlachend als ze kon.

Miss Linnie bracht haar hand naar haar gezicht en drukte
haar duim en wijsvinger tegen haar lippen. Toen kneep ze
heel kalm haar vingers op elkaar en rukte ze haar lippen van
haar gezicht.

Vol afschuw deinsde Zilah achteruit. Miss Linnies ogen, die
nog steeds vriendelijk stonden, bleven in de hare kijken terwijl haar slanke, mooi gevormde handen veranderden in nijdige klauwen die aan haar eigen armen, borsten en dijen begonnen te plukken en gaten maakten in zowel de stof van
haar jurk als haar huid. Het bloed stroomde van haar gezicht
en haar bruine jurk kleefde als een vochtig rood laken om
haar benen.

Toen Zilah wakker werd, was haar nachthemd doorweekt.
De huid van haar hals en armen zat vol brandende rode
striemen.

6

De oude mannen hadden het weer over miss Linnie. Ik vraag me af wat er van ons terechtgekomen zou zijn als ze gewoon in haar bed was gestorven.

Becky Lawrence,

in een brief aan haar kraakverse echtgenoot Clarence,
door hem ontvangen in Frankrijk, 1944

Het was half twaalf toen de patrouillewagen van de sheriff langs de rij afgesloten winkelpuien gleed en bij de katoenfabriek vaart minderde. Lange, spitse regendruppels tikten fel tegen de ruiten van de auto. De hemel was zonder sterren en het enige licht in dit deel van de stad was afkomstig van de koplampen van de patrouillewagen en het eenzame geknipper van de richtingaanwijzer.

Gale leunde zwaar tegen het achterportier. De afgebrokkelde muren van de katoenfabriek, zwart als kraaien en gegeseld door de regen, gleden langs haar heen. Ze wist niet wat voor dak er vroeger op de fabriek had gezeten: op de enige nog bestaande foto's van de fabriek stonden ernstig kijkende mensen bij de ingang, leunend tegen een façade van steen die in hun ruggen drukte alsof zij hen overeind moest houden. Het dak was niet zichtbaar op de foto's: alleen maar de ruwe stenen muren met witte deurposten. Het was een incomplete foto die haar al vanaf haar jeugd had geïntrigeerd. 'Het was gewoon een dak, Gale Lynn,' had haar tante Nora gezegd, 'een doodgewoon dak dat je droog hield. Wat kan jou dat dak nou schelen?'

Omdat ik niet kan begrijpen hoe je je hele leven recht tegenover iets kunt wonen en het je niet kunt herinneren, had ze ertegenin willen brengen. Het was een frustratie die was uitgegroeid tot een tienerfascinatie. Soms, als Sill bleef slapen, slopen ze 's nachts de trap af en door de achterdeur naar buiten. De ene keer was het volle maan en konden ze hun weg gemakkelijk vinden, maar de andere keer was het aardedonker en moesten ze het op de tast doen: langs het gaashek van Greene's, de ijzeren jaguar en het bleke grind van de oprit. Ze staken de spoorbaan over en haastten zich door de open deuren de fabriek in, geen acht slaand op de grote, grillige leegte die was ontstaan door het instorten van de muren aan de oost- en zuidkant. Je kon de fabriek eigenlijk geen gebouw meer noemen, die paar afgebrokkelde granieten muren waaruit hier en daar een stuk raamkozijn stak. Binnen was de grond bedekt met brokken steen, puin en onkruid. De meisjes gingen altijd in de hoek van de twee resterende muren zitten en dan begonnen Sills ogen te fonkelen.

'Die oude Deak Motts zegt dat je het geluid van de weefgetouwen nog steeds kunt horen. En dat de kinderen die zich ooit hebben geprikt aan de spinmachines, het soms nu nog 's nachts uitschreeuwen van de pijn.'

Aan de andere kant van de ruïne glommen de lichtjes van het fabrieksdorp als vuurtjes in de verte. In de gloriejaren van de fabriek stonden er vijftig huizen: kabouterhuisjes met maar één kamer en witte buitenmuren. Het aantal was in de loop der jaren afgenomen en de huisjes zelf waren wat groter gemaakt, totdat er uiteindelijk eenentwintig waren overgebleven. Gale staarde ernaar totdat de lichtjes vervaagden.

'Ja,' fluisterde ze. 'Ik kan ze horen.'

Het was een vaag geluid: het geschuifel van versleten zolen over de houten vloer en het ritmische gezuig van de spinmachines. Dan deed Gale haar ogen dicht en hoorde ze een stoel kraken, of een draad in een weefgetouw breken. 'Ik kan ze horen, Sill. Luister maar.'

Elke keer gaf Sill haar dan een klap op haar arm, begon ze te lachen en sloeg het geluid dood op de brokken steen. 'Godverdomme, Gale. Maffe Atlanta-griet. Je hoort helemaal niets.' En dan hurkte ze neer op een stuk muur en stak ze een sigaret op.

Sill had gelijk gehad: ze hoorde niets. Maar de aantrekkingskracht van de ruïne was groot genoeg om Gale in de luren te leggen. In Engeland was het spinnewiel haar redding geweest. Nu lag dat gedemonteerd en onaangeraakt in een verhuiskist. Tot zover de troost van het verleden. Toen de patrouillewagen een bocht maakte om hobbelend over de spoorbaan te rijden, zwaaiden de koplampen opzij en verdween het silhouet van de muren van de fabriek uit beeld.

Grind kraakte onder de banden toen het voertuig langzaam de oprit van Ella's huis opreed. Vanuit de vouw van haar moeders arm mompelde de slapende Katie Pru: 'Die man gooit stenen naar de jakkuwaar, mama. Laat hem daarmee ophouden.'

Gale keek naar het achterhoofd van de politieman en het blonde haar dat onder zijn hoed uitstak. 'Dat is hulpsheriff Ruch, meisje. En hij gooit geen stenen: dat doet de auto. Oma Ella's auto doet dat ook.'

'De jakkuwaar kent oma Ella's auto. Een politieauto maakt hem bang.'

Kinderpraat, dacht Gale. 'Nou, ik weet zeker dat de jaguar niet meer bang zal zijn als hij ons ziet. Je moet wakker worden, dan kunnen we naar binnen gaan.'

'Je moet me dragen. Kleine meisjes mogen 's nachts niet over straat lopen.'

Ruch bracht de auto tot stilstand en draaide zich om. Hij was jonger dan de hulpsheriffs die Gale in Martins huis had gezien en had een wat pafferig gezicht met een ronde neus. Zijn oogkassen leken hol in het nachtelijke duister. Hij draaide nerveus aan het stuur en knikte met zijn hoofd in de richting van het huis.

'Het ziet er akelig donker uit, mevrouw. Zal ik even met u meelopen naar binnen?'

Gale keek langs hem heen naar de donkere contouren van het huis.

'Graag,' zei ze. 'Het probleem is dat ik alleen een sleutel van de voordeur heb, en toen er in de jaren veertig elektriciteit in het huis werd aangelegd, heeft mijn oudtante er niet aan gedacht om een lichtschakelaar bij de voordeur te laten zetten. Ik neem aan dat ze ervan uitging dat iedereen die iets in het huis te zoeken had via de achterdeur binnenkwam.'

'Hoe lang duurt het nog voordat u een sleutel van de achterdeur hebt verdiend?' vroeg hij glimlachend.

'Ik heb mijn aanvraag al ingediend. Hoe dan ook, zou je het

erg vinden om in de gang te blijven wachten terwijl ik naar achteren loop om het licht aan te doen?'

'Geen probleem.' Hij boog zich opzij, deed het handschoenenkastje open en haalde er een zaklantaarn uit. 'Als ik alleen maar mensen naar de voordeur van hun huis hoefde te begeleiden, zou ik een gelukkig mens zijn.'

Een merkwaardig onverschillige uitspraak, dacht Gale, gezien de omstandigheden. Als ze het zich goed herinnerde, waren er in het jaar dat ze naar Engeland vertrok in Atlanta tweehonderdvijftig moorden gepleegd. Waarvan twee in Calwyn County. Het was moeilijk te geloven dat de onveiligheid in deze landelijke streek in zes jaar tijd zo sterk was toegenomen dat plaatselijke gezagshandhavers nostalgische ideeën koesterden over een wandelingetje naar de voordeur.

Ze keek naar Ruchs gezicht toen hij het achterportier voor haar openhield. Hij kon niet ouder dan vijfentwintig zijn. Gale stapte uit de auto en stak haar hand uit naar Katie Pru. Ze dacht terug aan de drukte in Martins huis, de merkwaardige geuren. Misschien was het meer berusting dan bravoure geweest die had doorgeklonken in de woorden van de jongeman.

De regen was afgenomen tot een loom gedruppel. Ruch haalde Katie Pru's wagen uit de kofferbak. Gale pakte Katie Pru's handje vast en samen liepen ze over het grind van de oprit naar de siertegels die langs de voorkant van het huis waren gelegd. Ruch kwam naast hen lopen en de lichtstraal van zijn zaklantaarn danste over de tegels.

'Weet u,' zei hij. 'Ik ben een stuk verderop opgegroeid, helemaal in Praterton, maar zelfs daar werd er gepraat over dit huis. Bij de padvinders werden er altijd verhalen over verteld.'

Gale keek hem belangstellend aan. 'Echt?'

'Echt waar. Nou ja, als ik zeg "dit huis", dan bedoel ik eigenlijk de mensen die hier woonden. Of de mensen die hier lang geleden woonden.'

'Miss Linnie.'

Ondanks het duister voelde Gale zijn verbazing. 'Ja. Ik neem aan dat u de verhalen kent.'

'O ja,' zei ze. 'Miss Linnie en de koeien, miss Linnie in de boom...'

'Mijn favoriet was "Miss Linnie en de bezette buiten-wc".'
Hij grinnikte. 'We deden altijd wie het hardst kon krijsen,
net als de oude man die daar zat toen ze binnenkwam.'
Gale verlengde haar pas om de volgende siertegel te bereiken
en hielp Katie Pru over de plas te springen. 'Dat verhaal ken
ik niet,' zei ze.
'Een prachtverhaal. Ziet u, het is midden in de nacht en deze
oude man hoort de roep van de natuur...'
Het licht streek over de kop van de jaguar en het pleitte voor
Ruch dat zijn schrik maar kort duurde: de lichtstraal schoot
even opzij en kwam toen tot rust op de grommende bek van
het beest. Achter de jaguar stond een grote pecannotenboom
te huiveren in de wind en schraapten de uiteinden van de takken langs de bakstenen muur van het huis.
'Weet je,' zei Gale plotseling, 'daar heeft ze het gedaan.'
De lichtstraal kwam weer tot stilstand en Ruch liet de wagen
met een klap op de grond vallen. Hij richtte het licht op haar
bovenlichaam. 'Waar?'
Ze wees naar de pecannotenboom. 'De tak is weg. Haar man
heeft hem afgezaagd en verbrand.'
Ze kneep in Katie Pru's handje en liep door naar het huis terwijl Ruch achterbleef en zijn lichtstraal over de boom liet
gaan.
Bij de treden voor de deur bleef ze staan. Ze wist niet waarom ze het had gezegd. Het was een onuitgesproken regel dat
er binnen de familie wel over miss Linnie mocht worden gesproken, maar nooit buiten die kring. Als buitenstaanders
een soort magie wilden toedichten aan haar dood, dan deden
ze dat maar. Maar het kon buitenstaanders niet worden toegestaan dat ze zich Linnie Glynn Cane toe-eigenden. Het
was uiteindelijk een zaak van de familie.
'Hé,' riep Ruch. 'Er zit een ketting om die boom. Ik meen me
een verhaal over deze ketting te herinneren, maar ik kan het
me niet voor de geest halen.'
'IJzer geeft de boom kracht.'
'Het was iets anders. Een of ander verhaal... Weet u wat ik
bedoel?'
Gale gaf geen antwoord. Ze deed haar tas open en zocht
luidruchtig naar haar sleutels.

De lichtstraal gleed over de voorgevel van het huis toen Ruch naar hen toe kwam rennen.

'Ik heb nooit geweten waar het precies gebeurd is.' Zijn stem had een jongensachtige klank gekregen. 'Ik heb altijd aangenomen dat ze gewoon in huis was gestorven. Ik wou dat ik het had geweten toen ik bij de padvinders zat. Dan had ik alle anderen kunnen aftroeven.'

'Nou, vertel het alsjeblieft niet door, anders krijgen we hier op zondagmiddagen rijen auto's voor de deur. Ik denk niet dat Alby Truitt al te blij zal zijn als hij hier het verkeer moet komen regelen.'

'Ach, u weet dat ik dat niet zal doen. Trouwens, ik denk dat er nog maar weinig mensen zijn die het zich nog herinneren. Maar bedankt, mevrouw. Dat was heel interessant.'

Hij richtte zijn licht op de deurknop terwijl Gale met haar sleutel stond te worstelen. Ze moest een paar keer duwen voordat hij in het slot gleed en ze de deurknop kon omdraaien.

Ze stapten de hal in en Gale hoorde Ruch naar adem happen van schrik. Hij liet zijn lichtstraal van de ene muur naar de andere gaan. 'Godallemachtig,' fluisterde hij. 'Wat moet dit in godsnaam...'

'Rustig maar, agent,' zei ze. 'Het zijn maar dode vissen.'

Het licht kwam tot stilstand. 'Godverdomme,' zei hij, waarna hij haar onmiddellijk beschaamd aankeek. 'Neem me niet kwalijk, mevrouw, maar ik heb zoiets nog nooit gezien.'

'Dan heb je de rest van het huis nog niet gezien.'

In het schemerige licht keek hij haar wezenloos aan. 'Het moeten er honderden zijn.'

'Om en nabij de vijfhonderdvijftig. Ik heb ooit het exacte aantal geweten. De zomers kunnen hier knap saai zijn.'

'Wie heeft die in godsnaam allemaal gevangen?'

'Mijn grootvader.'

'Jezus Christus.'

De lichtvlek gleed als een transparante voetbal door de hal. Onder de plaquettes waren de muren wit. Er moest ooit een tijd zijn geweest, dacht Gale, dat deze entree op een andere manier adembenemend was, met haar brede witte vloerplanken en glimmend gepoetste trap in het midden, die nu alleen nog maar een secundaire plaats innam. De vissen aan de muren waren gevangen in een periode van dertig jaar en op het oudste koperen plaatje stond 2 AUGUSTUS 1935 te lezen. Ze waren aan de haak geslagen in stroompjes, rivieren en meren in alle staten van de Verenigde Staten en enkele Canadese provincies. Sommige waren ongetwijfeld in verboden wateren gevangen en andere moeten al tot de bedreigde soorten hebben behoord op het moment dat Gerry Alden zijn lijn in het water wierp. Ze waren allemaal met schellak behandeld om hun natuurlijke kleuren te behouden.

Gale draaide zich om naar Katie Pru. 'Schat, ik ga even het licht aandoen. Jij blijft hier bij agent Ruch staan, oké?'

In het schemerlicht zag ze Katie Pru's hoofd op en neer gaan. Gale liep de gang naar de keuken in. Het kostte haar maar een paar seconden om zich op de tast langs de tafel te werken en de dubbele lichtschakelaar bij de achterdeur te vinden.

Een zwak licht scheen vanuit de keuken de gang in. Toen ze terugkwam in de hal had Ruch zijn zaklantaarn in zijn zak gestoken en stond hij de inscriptie onder een karper te lezen.

'Ely, Minnesota, 22 juli 1956.' Hij schudde zijn hoofd. 'Wat deed uw grootvader in hemelsnaam voor de kost?'

'Effectenmakelaar, of zoiets. Hij was geen beroepsvisser.' Ze wachtte even. 'Mijn grootmoeder wilde niet dat hij zijn trofeeën in hun huis in Atlanta bewaarde. Toen heeft mijn tante hem gezegd dat hij ze hier mocht ophangen.'

'De geluksvogel. De meesten van ons hebben geen extra huis voor dat soort dingen. Die moeten alles opeten wat ze vangen.' Hij keek haar verbaasd aan. 'En u zegt dat er nog meer is in de rest van het huis?'

'Geen vissen. Wel andere wezens. Mijn grootvader was een kei van een jager.'

'Dat zal best.'

Gale liep naar de open voordeur en pakte de deurknop vast. 'Nou, agent Ruch. Bedankt voor het thuisbrengen.'

'Graag gedaan. Wilt u dat ik de rest van het huis ook even controleer?'

'We redden ons wel.'

Hij knikte. 'Hartelijk bedankt, mevrouw Grayson.'

Op de bovenste trede draaide hij zich om. 'Weet u, het is maar goed dat we niet wisten hoe het huis er vanbinnen uitzag toen ik bij de padvinders zat. Dat zou te verleidelijk zijn geweest. Ik zou waarschijnlijk aan de andere kant van de wet terecht zijn gekomen als ik het had geweten.'

Alby Truitt stond in de verste hoek van de veranda aan de voorkant van het huis van de Canes en keek naar Ryan Teller, die onder een slinger van kale gloeilampen door liep en ten slotte in het duister verdween. Er stonden nog maar een paar auto's op het geïmproviseerde parkeerterrein en Truitt vermoedde dat deze hier tijdelijk waren achtergelaten door bezoekers die te zeer van streek waren om alleen naar huis te rijden.

Aan de uiterste rand van het terrein werd een auto gestart en een paar seconden later reed er sputterend een blauwe sedan voorbij. Bijna een uur lang had Teller zich opgedrongen bij Truitt en zijn mannen, zwevend van de een naar de ander als een mug die op zoek is naar een sappig stukje vlees. 'Ik kán niet naar huis gaan, sheriff. Die vrouwen hier zijn leden van mijn kudde. Ze hebben mijn troost nodig. Ik kan hen voorgaan in het gebed.'

Ella had Truitt met een matte blik aangekeken toen hij haar vroeg of ze de dominee wilden zien.

'Wat kan die man tegen ons zeggen, Alby? Zeg hem dat hij naar huis gaat en bij de telefoon gaat zitten. Er zullen mensen genoeg in de stad zijn die behoefte hebben aan zijn "troost", maar die zitten niet in deze kamer.'

Voor Truitt had Ella's weigering de zaken minder gecompliceerd gemaakt. Hij keerde terug bij de geestelijke met een beleefd geformuleerd bevel: 'Ga naar huis, dominee, of bereid u voor op een nachtelijke dienst in de gevangenis.' Teller was met tegenzin vertrokken en had nijdig getoeterd toen hij langsreed.

De hordeur ging piepend open, een van zijn hulpsheriffs kwam de veranda op en hield de deur achter zich open.

'Ze komen eraan, sheriff.'

Truitt knikte en liep het huis in. Het doffe geschuifel van rubber op hout klonk op vanachter de studeerkamer. Hij benijdde de ploeg van de lijkschouwer niet als ze die smalle trap af moesten.

John Bingham, de lijkschouwer van Calwyn County, kwam puffend de hal in lopen en grijnsde naar Truitt. Hij trok een zakdoek uit zijn broekzak en veegde een film van zweet van zijn dikke gezicht. 'Het enige wat ik kan zeggen is dat ik hoop dat je goed hebt opgelet tijdens je sheriffopleiding.'

Truitt gebaarde Bingham dat hij het lichaam naar buiten moest volgen. Toen de brancard de treden van de veranda bereikte, gleed de eerste man weg op het vochtige hout. Truitt schoot naar voren, bang dat de ingepakte last onder de riemen uit zou schieten en op afstotelijke wijze door het gras zou rollen. De man vloekte en vond zijn evenwicht terug. Martins lichaam was maar een stukje verschoven onder de strakgespannen riemen, maar toch bonkte Truitts hart in zijn keel toen de mannen de brancard over het grasveld naar het wachtende busje reden.

Hij wendde zich tot Bingham. 'Laat jouw theorieën eens horen.'

Bingham schudde zijn hoofd. 'Ik weet niet wat ik je moet vertellen, Alby. Ik zal het papierwerk klaar laten maken zodat we het lijk vanavond kunnen doorsturen naar het gerechtelijk laboratorium.'

Truitt nam de lijkschouwer kritisch op. 'Laat ik het dan anders formuleren. Waar denk je dat ík hier mee te maken heb, Johnny?'

Bingham haalde zijn schouders op. 'Alles wat ik kan zeggen is dat ik je weinig te bieden heb op grond van wat ik zonet heb gezien. Luister, Alby, een geweerschot is geen doorgesneden pols of een garage vol koolmonoxide. Als je de kop van een man eraf knalt, dan wordt een groot deel van je forensische materiaal verspreid door de hele verdomde kamer. Voeg daar de schade aan toe die is toegebracht aan het bewijsmateriaal in de kamer...' Hij liet een laag gefluit horen. 'We sturen het lichaam naar de jongens in Atlanta, maar nogmaals, erg veel antwoorden zul je niet krijgen. Ik kan ongeveer wel raden wat ze je zullen vertellen: een kaliber .308 kogel, afgevuurd op korte afstand van het gezicht, met als gevolg dat de dood onmiddellijk intrad en er een grandioze puinhoop in de kamer werd aangericht. Heeft Martin de trekker zelf overgehaald of heeft iemand anders dat gedaan? Shit, er is meer dan een medisch onderzoek voor nodig om die vraag te beantwoorden. Ik heb gezocht naar de indruk die de trekker op zijn vinger kan hebben achtergelaten. Die heb ik niet gevonden, maar dat bewijst niets. Heb je een kruitresidutest op zijn handen gedaan?'

'Ja. Negatief, maar dat zegt weinig met een geweer. Jezus, Johnny, hoeveel verschil is er forensisch gezien tussen iemand die een geweer bij zijn gezicht houdt en de trekker overhaalt en de situatie dat een ander dat laatste voor hem doet?'

Bingham schudde zijn enorme hoofd, waardoor zijn zorgvuldig gekamde grijze haar in de war raakte. 'Maar één ding kan ik je wel zeggen: geen enkel geweer gaat vanzelf af. Heeft iemand je verteld waarom hij dat geweer tevoorschijn had gehaald?'

'Cammy zegt dat hij het aan het schoonmaken was; iets wat hij wel vaker deed als hij erg onder druk stond.'

'Tuurlijk. En ik wandel graag door het drijfzand...'

'Ja. Dat weet ik.' Truitt nam hem kritisch op. 'Dus je sluit zelfmoord niet uit?'

'Nee.'

'En moord?'

'Ik ken niet veel mensen die een geweer vlak bij hun gezicht houden en in de loop kijken voordat ze de trekker overhalen. Bij de meeste zelfmoorden wordt het wapen tegen het hoofd gedrukt op een plek waar ze het niet kunnen zien, en tot nu toe heb ik geen sporen van een contactwond gevonden. En gezien de staat waarin de kamer verkeerde...' Bingham veegde met zijn zakdoek over zijn voorhoofd. 'Het is me opgevallen dat je de vrouwen niet naar het bureau hebt laten brengen voor ondervraging.'

'Het leek me niet nodig om ze daar helemaal naartoe te rijden. Ella is al wat ouder, en we kunnen het hier ook doen.' Hij staarde enige tijd naar de vloer van de veranda en slaakte een diepe zucht. 'Godverdomme, Johnny. Ik moet je zeggen dat ik allesbehalve blij ben met deze zaak. Martin was een zeer gerespecteerd man in deze omgeving: projectontwikkelaar voor het landbouwdepartement, voormalig lid van de staatscommissie, de gewezen voorzitter van de Kamer van Koophandel. Om nog maar te zwijgen over zijn werk voor de Kerk. Dit is een slechte zaak, hoe je het ook wendt of keert. En ik zit hier met vier vrouwen die allemaal familie van hem zijn en die van hun kruin tot hun tenen onder het bloed zitten. Nu kan het zijn dat ze het slachtoffer zijn van een afschuwelijk ongeluk...'

'Of ze zijn dat niet. Ik ga jou niet vertellen hoe je je werk moet doen, Alby, maar als ze geen slachtoffers van een ongeluk zijn, dan zou ik hun kleren maar eens goed bekijken. Zaten er vingerafdrukken op het geweer?'

'Diverse.' Truitt perste zijn duim in zijn handpalm totdat hij de gewenste *knak* hoorde. 'In principe heb ik drie opties. Ik kan dit behandelen als zelfmoord en de ondervraging op rustige, vriendelijke wijze voortzetten. Ik kan dit behandelen als moord en ze alle vier opsluiten omdat ze het bewijsmateriaal hebben verprutst. Of ik kan dit behandelen als een ongeluk en ze tot morgen naar huis sturen.'

'Je voorganger zou een heer zijn geweest en ze naar huis hebben gestuurd.'

'Shit. Mijn voorganger zou ze eerst een kleine "lening" afpersen en ze dán naar huis sturen.'

'Het leven in het Zuiden, Alby. Toen je een gooi deed naar de post van sheriff wist je dat Andy Taylor een legende was, en dat je als sheriff niet iedereen te vriend kan houden. Niet dat hij deugde, trouwens.'

Bingham wachtte even, alsof hem plotseling iets dwarszat. Toen hij weer begon te praten, klonk zijn stem zachter. 'Hoor eens, Alby, je weet dat Haskell een goede politieman is. Hij zou deze zaak kunnen doen.'

Truitt verstijfde. 'Waarom zeg je dat?'

'Je weet waarom ik dat zeg, Alby. Martin Cane was een vriend van je. Kun je dan wel objectief blijven?'

'Ik ben een betere sheriff dan wat je daar suggereert, Johnny.'

'Oké. Laat me je dan iets anders vragen. Ella Alden heeft je moeder thuis verpleegd totdat ze stierf. Wat niet meer dan vier jaar geleden was? Hoeveel is men iemand schuldig voor zoiets?'

Truitt voelde de druk op zijn borst toenemen. 'Ik blijf bij mijn laatste statement, lijkschouwer.'

Bingham stak zijn handen op. 'Prima. Ik zeg je alleen maar: wees voorzichtig. Je bent tot sheriff gekozen, Alby, omdat de mensen die gerechtshofkliek zat waren en behoefte hadden aan een frisse wind. Dat is een tamelijk kwetsbare positie, als je het mij vraagt. De mensen hier hebben een wat scheve soort loyaliteit ten opzichte van Ella Alden en haar familie. Ze is excentriek, ze heeft macht en men vertrouwt dat niet altijd. Maar ze zit elke zondag op haar gereserveerde plekje in de methodistenkerk en haar lippen bewegen mee als de Leer wordt verkondigd. Ze zullen haar eerder geloven dan jou.'

'Waarom denk je dat ik op eieren loop?'

Bingham pakte even Truitts schouder vast voordat hij de treden van de veranda afliep. 'Misschien kunnen de staatsjongens een beetje vaart in de zaak brengen.'

De lijkschouwer perste zijn omvangrijke lichaam achter het stuur van zijn Ford Escort en draaide de contactsleutel om. Terwijl Truitt toekeek, reed het busje van het mortuarium de oprit af, gevolgd door het minuscule autootje met zijn reusachtige bestuurder.

Hij draaide zich om naar het huis en keek naar zijn hulpsheriff, die in de deuropening stond.

'Zorg dat je Ruch te pakken krijgt,' zei Truitt. 'Zeg hem dat hij teruggaat naar het Alden-huis en mevrouw Grayson vraagt om schone kleren voor haar grootmoeder.'

In de zwakke gloed van het verandalicht zag hij de hoek van het gordijn van de woonkamer bewegen, waarna het stil bleef hangen.

'Het kan me niet schelen dat je lippen bewegen als de Leer wordt verkondigd, miss Ella,' zei hij zachtjes. 'Ik weet niet wat je deed in die kamer, maar de bijbel lezen was het niet.'

Gale kwam haar slaapkamer uit en trok de deur achter zich dicht totdat het licht alleen nog op de zijkant van het bed viel en Katie Pru in schaduw werd gehuld. Normaliter zou Katie Pru in de kleine logeerkamer aan de andere kant van de gang slapen, maar Gale verwachtte vanavond andere logees. Ze wierp een snelle blik in de overige drie kamers: die van Ella

71

aan het eind van de gang en de twee extra slaapkamers tegenover de hare. Ze hoopte alleen, heel egoïstisch, dat Ruchs verzoek om schone kleren betekende dat ze pas de volgende ochtend zouden komen.

Ze trok de ceintuur van haar badjas vast, liep half glijdend over de eikenhouten vloer en daalde de trap af. Deze kwam uit op twee gangen: de ene met de vissen, die naar de eetkamer en de keuken leidde, en een smalle gang met een laag plafond en kale muren die zo dicht bij elkaar stonden, dat Gale, die niet al te groot was, er maar nauwelijks doorheen kon lopen zonder zich te bukken of scheef te lopen. Sill had de doorgang de 'pygmeeënpas' gedoopt omdat ze er zelfs als één meter tweeënzestig lange tiener al werd gedwongen om voorovergebogen te lopen. Niemand had een verklaring voor het merkwaardige formaat van de gang. Nathan Glynn, de bouwer van het huis, was een vrij grote man geweest, te oordelen naar zijn legeruniform dat ze op zolder hadden gevonden, en hij had dus op zijn hurken door zijn eigen gang moeten lopen.

Pas als je het vertrek aan het eind van de gang binnenging, begreep je iets van de mogelijke motivatie van Nathan Glynn. Ondanks haar vermoeidheid voelde Gale zich opgelucht toen ze de studeerkamer binnenging en het plafondlicht aanknipte. Een vriendelijk licht viel over de versleten *pied-de-poule*-bank, de dekenkist die midden in de kamer stond, en het krakkemikkige schrijfbureau in de hoek. Sinds haar kindertijd was dit Gale's favoriete schuilplek geweest. In vergelijking met de rest van het huis, dat was gebouwd met de verbittering van de soldaat die uit de oorlog was teruggekeerd, was dit vertrek een architectonisch lichtpuntje. Vanaf de deur vormden de muren een zeshoek en bij het plafond liep over de hele omtrek van de kamer een melkwitte band van dertig centimeter hoge ramen van geëtst glas met voorstellingen van zomervruchten. Eén van de zes wanden bestond uit twee grote openslaande deuren waarvan de dunne vitrage het glas er deed uitzien alsof het beslagen was.

Langs de overige vijf muren had Glynn boekenkasten gebouwd die zo volgepakt stonden dat Gale gedwongen was om haar nieuwe boeken onder de bank te bewaren. Erbovenop stonden potten met hangplanten. Gedroogde slangenhuiden hingen als dunne, geruite boomstammen over de hele lengte van de verticale panelen die de kasten van elkaar scheidden, zodat Gale elke keer als ze de studeerkamer binnenkwam het gevoel had alsof ze een 'woud van kennis' binnenwandelde. Het effect was bijna sterk genoeg om ervoor te zorgen dat ze geen aandacht schonk aan de opgezette eekhoorn op de dekenkist en de gluiperige kraaien met hun zwarte jasjes en monocles, die op de rand van het vloerkleed zaten te wachten als doodgravers die aan het werk wilden. "'Wie zich verheugt in afzondering, is of een wild beest of een god,'" mompelde ze. In haar jeugd was ze begonnen met het borduren van deze spreuk van Francis Bacon, maar ze was ermee opgehouden om te gaan weven. Het werken met naald en draad was haar te pietepeuterig, en voor het weefgetouw kon ze haar hele lichaam gebruiken.

Ze liet haar blik langs de boeken gaan, waarvan er sommige al zo lang rug aan rug in de kast stonden, dat ze in tweeën zouden vallen als je ze eruit haalde. Haar man Tom had haar uitgelachen toen ze hem over het vertrek vertelde.

'Idiote Amerikanen. Al die zeeën van ruimte en dan maken ze van die kleine kamertjes om zich van elkaar af te zonderen. Jij bent in een dorp opgegroeid, dus je zou dat moeten herkennen. Dorpen zijn vreselijke plekken om je eigen gedachten te hebben. Gedachten hebben ruimte nodig om te ademen.

Dat is de vrouw in jou, schat. "Een kamer voor jezelf" en dat soort dingen. Ik heb dat zelf nooit begrepen. Hoe kun je nu nadenken als al die prullaria je uitzicht belemmeren. Geef mij de vrije natuur maar.'

Gale drukte haar warme vingers tegen haar ogen. Ze had Tom niet gezien nadat hij zichzelf had doodgeschoten. Ze had beschrijvingen gehoord: dorpen waren ook vreselijke plekken als je onwetend wilde blijven. Maar woorden waren geen ogen en ondanks de details die ze had gehoord, was haar beeld van zijn dood een rein beeld geweest. Ze stelde zich voor dat hij doodstil op zijn zij lag, met de rug gebogen en de handen gevouwen bij zijn kin. In haar fantasie had hij een ontspannen trek om de lippen, pruilend bijna, wat na-

73

tuurlijk niet mogelijk was. Tijdens het gerechtelijk onderzoek had ze vernomen dat hij zichzelf in de mond had geschoten. Ze dacht aan de vier vrouwen die Martins geweer hadden horen afgaan en zijn lichaam hadden gevonden. Er moesten verscheidene seconden zijn verstreken voordat een van hen begon te gillen. Ze betwijfelde of zij in staat zou zijn geweest om adem te halen. Ze duwde haar vuisten in de zakken van haar badjas en liep de kamer door. Bij het bureau bleef ze staan. De klep was naar beneden, zodat er een werktafel was gevormd. Een notitieboekje lag geopend op haar recente onderzoeksmateriaal. De vrouw, een eenendertigjarige inwoonster van Morgan County, had haar dagboek in potlood geschreven in een reeks dunne groene boekjes die bewaard waren in het historisch archief van de universiteit van Georgia. Gale had ze woordelijk overgeschreven, ook in potlood en op papier dat zoveel mogelijk overeenkwam met het origineel.

22 september, 1919
Kleine Sam heeft de hele nacht wakker gelegen van de koorts. Ik heb geen oog dichtgedaan en bid dat de pijn in mijn benen wordt veroorzaakt door vermoeidheid en niet de eerste tekenen zijn van een ziekte. De Wilsons komen morgen uit Toccoa hiernaartoe en ik moet de lakens nog wassen en het vlees braden. Maar het kind wil niet ophouden met huilen en zijn gezichtje is zo warm. Ik ben moe, doodmoe, en ik heb Marcus erop uitgestuurd om dokter Allen te gaan halen. Maar dat duurt minstens een dag, en ik ben bang dat de schade onherstelbaar is.

We zijn allemaal onherstelbaar beschadigd, dacht Gale terwijl ze voorzichtig het notitieboekje sloot. Tom had ongelijk. Een vrouw had wel degelijk een eigen kamer nodig.
Ze liet zichzelf in de hoek van de bank vallen, met haar rug tegen de versleten fluwelen kussens, om onmiddellijk weer rechtop te gaan zitten omdat ze iets in haar nek voelde kriebelen. Ze keek achter zich en zag iets tussen de kussens uitsteken: Linnies sprei, die ze netjes in drieën had gevouwen. Ze had hem voordat ze naar de barbecue ging als een be-

74

schaamd kind tussen de kussens verstopt en hem vervolgens totaal vergeten. Het kon een seconde of een week duren voordat Ella ontdekte dat de sprei weg was: zulke perverse dingen deed iemand dood met de tijd. Ze drukte haar wang tegen de stof. De geur van bleekwater was eruit verdwenen. De basis van het ontwerp was de klassieke knoop, maar met lussen die zo waren verwerkt dat ze op gestileerde vlammen leken. Deze sprei trok een lange neus naar de stijl van de streek. Met haar vingertop volgde Gale de indigo lussen en ze verwonderde zich over de complexiteit en virtuositeit van het weefsel. Gale's eigen weefwerk was altijd meer rechttoe rechtaan geweest en ze had meer met kleuren dan met patronen gespeeld. Ze had het nummeren van ingewikkelde patronen te bewerkelijk gevonden en het tellen te frustrerend, en had zich daarom nooit gewaagd aan een eigen ontwerp. Voor haar zat de vreugde van het weven in de eenvoud van de handelingen: het voor- en achteruitglijden van de schietspoel en het herhalen van de bewegingen, waarmee een traditie werd voortgezet.

Linnie moet een andere roeping hebben gehad. Gale legde de sprei over haar knieën. De knopen hadden bijna een *paisley*-vorm, waarvan de lussen afliepen naar de randen van de sprei en daar helemaal verdwenen. Het was alsof Linnie zich had verzet tegen de technische beperkingen van haar weefgetouw en naar de randen toe had geprobeerd om de regelmaat van een jacquardweefsel te imiteren. Het moest een enorme hoeveelheid werk en geestelijke inspanning hebben gekost. Wat ook merkwaardig was omdat spreien in beide stijlen in de jaren twintig, toen Linnie volwassen werd, uit de tijd moeten zijn geweest. De enigen die die stijl toen nog beoefenden, waren de geïsoleerde bewoners van het Appalachen-gebied en de artistiekerige communetypes.

Aan de andere kant van het huis sloeg de deur van de achterveranda dicht. Gale legde de sprei over de armleuning van de bank, liep de kamer door en knipte het licht uit. Het was nog steeds nacht en het was uitgesloten dat er op dit uur ondervragingen zouden zijn gedaan.

Ze haastte zich door de dwerggang en liep de hal door. De keukendeur was dicht, wat een zelden voorkomend verschijnsel was in de op voedsel gebaseerde cultuur van de Alden-familie. Verbaasd liep ze naar de deur, ze legde haar hand ertegenaan en luisterde ingespannen. Ze hoorde niets. Langzaam draaide ze de deurknop om en deed de deur open. Het duurde even voordat ze besefte wat er mis was. Ella, Cammy en Sill zaten aan de keukentafel terwijl Maralyn in de koelkast rommelde. Ze hebben zeker honger, dacht Gale. Ze had wel eens gelezen dat sommige mensen uitgehongerd raken als ze de dood in de ogen hebben gezien. Ze zagen er bijna ontspannen uit in hun schone, kleurige zomerjurken. Toen zag ze het: bloed dat in klonters in hun haar zat en hun gezichten deed blozen.

'Sill,' zei Ella, 'ga jij eerst naar de badkamer.'

'Moeder,' vroeg Maralyn vanachter de koelkastdeur, 'waar heb je de koffie gelaten?'

'Nou, die staat...' Ella draaide zich om, zag Gale staan en zweeg abrupt. 'Wat doe jij hier? Het licht in je kamer was uit. Ik nam aan dat jij en Katie Pru sliepen.'

Gale bleef doodstil in de deuropening staan. 'Katie Pru slaapt. Ik was in de studeerkamer.'

Ella's blik was streng. 'Heb je het niet gehoord van je neef Martin? Weet je niet dat hij doodgeschoten is?'

'Nou... ja...' Hulpeloos en onzeker keek Gale naar de vrouwen. Cammy zat naar de vaas met roze zijden bloemen op de tafel te staren, met halfopen mond en haar lippen slap als elastiek. Sill zat met haar duimen te draaien. 'Ik was buiten toen het gebeurde,' stamelde Gale. 'Ik weet niet wat ik moet zeggen... Het spijt me zo. Maar wat in godsnaam...?'

De deur van de koelkast ging dicht. Maralyn drukte de kan ijskoffie tegen haar borst.

'Gale...' begon ze.

Ella knipte met haar vingers naar haar oudste dochter. Gale had het gebaar honderden keren gezien, het knippen van de vingers gevolgd door die snelle handbeweging. Het betekende 'stil' en onvoorwaardelijke gehoorzaamheid. Maralyn deed haar mond dicht. Ella pakte de rand van het tafelblad vast en stond op van haar stoel. Ze kwam naar de deuropening lopen en haar lichaamsgeur deed Gale kokhalzen.

'Ga naar bed, Gale,' zei Ella vastbesloten. 'Je bent hier niet

nodig. Wíj zorgen wel voor Cammy en Sill.'
'Maar Ella. In godsnaam...'
'Ga nu maar, Gale. Zorg jij voor Katie Pru. Ik regel de zaken hier wel.'
Ella's huid was bijna transparant onder het rode waas en haar ogen stonden zo hard als knikkers.
Gale deed een stap achteruit toen de deur voor haar neus werd dichtgedaan. Ze staarde er vol ongeloof naar terwijl de stank van Martins bloed doordrong tot op de gang.

7

Linnie Cane was een getrouwde vrouw
en een moeder evenwel,
Linnie Cane hing zichzelf op
en ging rechtstreeks naar de hel.

ballade, gezongen door het jongerenkoor van de
methodistenkerk in Statlers Cross, 1949

De jakkuwaar had een ochtendhumeur. Katie Pru wist het
zodra ze de treden bij de voordeur afrende, gevolgd door
haar moeder, die een kop koffie in haar hand hield. Aan
haar schouder hing een tas met papieren. Het was vroeg, zo
vroeg zelfs dat de lucht de kleur van een kwartje had en het
gras een rare kleur groen.
'Pas op voor het natte gras, K.P.,' zei haar moeder. 'Ga niet
op de grond zitten. Loop niet door de modderige stukken.
En eet je brood op, alsjeblieft, madame.'
Haar moeder had geen last van de nattigheid: zij ging in haar
spijkerrok op de middelste trede zitten, zette haar koffie
naast zich neer en zocht in haar tas met papieren. Katie Pru
fronste haar wenkbrauwen, keek naar de ingepakte boterham in haar hand en stapte op een siertegel. Ernaast liep een
pad van rode modder. Ze wierp een snelle blik op haar moeder en stak de neus van haar schoen erin.
'Katie Pru.' Het klonk als een waarschuwing. 'Als je met de
jaguar wilt spelen, blijf je op de tegels of op het gras. Anders
gaan we weer naar binnen.'
Katie Pru kon haar oren niet geloven. Ze was midden in de
nacht wakker geworden in een bed zo groot en een kamer
met zulke vreemde meubels, dat ze ervan moest huilen. Haar
moeder was haastig naar haar toe gekomen, had tegen haar
gefluisterd en over haar rug gewreven tot ze weer slaperig
werd. Toen was haar moeder opgestaan en was ze begonnen
de knoopjes van haar blouse los te maken, eerst langzaam,

maar algauw stond ze eraan te rukken totdat haar ellebogen door de lucht fladderden als de vleugels van een kip. Toen ze zich ten slotte op het bed had uitgestrekt, was Katie Pru een stukje naar haar toe gekropen en had ze zich als een bal in de holte van haar maag genesteld. Ze was in slaap gevallen zodra ze de warme, kruidige geur van haar moeders huid rook. Vanochtend had haar moeder haar en zichzelf eerst aangekleed voordat ze de deur van de slaapkamer opendeed. Het was stil in huis en de deur van oma Ella's kamer was dicht toen ze zachtjes de trap waren afgelopen en naar de keuken waren gegaan. Haar moeder had snel een boterham voor haar klaargemaakt, voor zichzelf in de magnetron een kop koffie gezet en toen waren ze naar buiten gegaan.

Met de wat klef geworden boterham in het servet in haar hand liep ze naar de chagrijnige jaguar. Zijn bek stond open en zijn ogen – het enige aan hem dat niet zwart was – waren geel en uitpuilend, zodat het erop leek dat ze elk moment uit zijn kop konden springen. Ze hield hem de boterham voor.

'Wil je een hapje?'

Hij gaf geen antwoord. Ze ging recht voor hem staan, waar de bodem zowel uit gras als uit modder bestond, en hield haar hand voor zijn bek. Zijn adem was koel.

'Oké,' zei ze. 'Wat wil je dan wel?'

'Ketchup.'

'Waarvoor?'

'Dat is lekker op tenen van kleine meisjes.'

'Hou op. Nou, vertel op, wat wil je?'

'Ik wil me bewegen.'

Ze deed een stap opzij, bleef aandachtig naar hem kijken, bukte zich en draaide haar hoofd zo dat ze kon zien waar hij naar keek. Daar was de oprit, natuurlijk, en de pecannotenboom met zijn dikke takken die als hondenstaarten kwispelden in de wind. Daarachter de smalle weg die voor het huis langsliep, en aan de overkant de brievenbus waaraan de plastic magnolia hing. Verder was er alleen maar de spoorbaan, lang en hoog en vol onkruid.

Ze ging rechtop staan en keek de jaguar aan. 'Kijk je naar de spoorbaan?' vroeg ze.

Hij knikte niet. Zijn gegrom werd wat dreigender en zijn stem klonk bars.

'De man is terug. Hij is op de spoorbaan.'

Katie Pru draaide zich om. Het was waar, de man was er: hij liep langs de rails als een reusachtige kever met een wandelstok. Ze keek om naar haar moeder, maar die zat in haar notitieboekje te schrijven, met in haar andere hand haar kop koffie, en ze had niets gezien.

'Ik mag die man niet,' fluisterde Katie Pru. 'Hij vertelt enge verhalen.'

'Ik mag die man ook niet,' gromde de jaguar. 'Hij spuugt naar me.'

De man liep met kleine pasjes en prikte met zijn stok tussen de bielzen. Aan zijn ene hand bengelde een witte doos aan een touwtje. De man kwam niet elke dag langs – als dat zo was, had de jakkuwaar hem allang opgegeten – maar hij kwam vaker dan Katie Pru prettig vond. Ze propte de boterham met servet en al in de bek van de jaguar en klom op zijn rug, waar ze de man tussen de oren van het beest door in de gaten kon houden.

'Juffie!' De oude man stak zijn stok omhoog. Haar moeder keek verrast op. De oude man zwaaide met zijn stok in de lucht en de witte doos sloeg tegen zijn pols. 'Ik dacht dat ik vandaag maar beter vroeg langs kon komen, voor de drukte begint!'

Hij praatte raar, zei 'docht' en 'vondoog'. Maar moeder zette langzaam haar koffiekop neer en streek haar haar achter haar oor.

'Kijk eens aan, meneer Deak Motts,' riep haar moeder. 'Ik ben bang dat je een beetje erg vroeg bent. Ella is nog niet op.'

'Ella! Waarom zou ik Ella willen zien?' Hij kwam bij de plek op de spoorbaan waar de auto's overheen reden en begon het heuveltje af te dalen. 'Ik wil die ouwe stokebrand helemaal niet zien. Dank je feestelijk.'

Haar moeder pakte haar koffie weer, nam een slokje en keek toe terwijl de man de voet van het heuveltje bereikte, de weg overstak en de oprit op kwam.

Toen hij bij de jaguar kwam, bleef hij staan. 'Juffie,' zei hij. 'Waarom verstop je je hoofd?'

Onder Katie Pru's benen bewoog de jaguar. 'Niet bijten,' waarschuwde ze hem fluisterend. 'Mama brengt je naar de dierentuin als je bijt.'

'Volgens mij heeft ze vandaag niet zo'n praatgrage bui, Deak,' zei haar moeder. 'Waarom kom je niet met mij praten?'

Hij tikte met zijn stok tegen de poten van de jaguar en draaide zich om naar haar moeder. 'Jammer van Martin. Hij was een goeie kerel.'

Onder haar oksel door zag Katie Pru dat haar moeder knikte. 'Dank je, Deak. Ik zal het doorgeven aan Cammy en Sill.'

'Weet je, ik was in het vishuis toen het geweer afging. Ik wist meteen dat het mis was. Er was geen mens in de hele stad die op dat moment een geweer zou afschieten. Niet legaal, althans.'

Haar moeder deed haar notitieboekje dicht. 'Ik denk dat je gelijk hebt. Het was een hele schok.'

'Hier.' Hij hobbelde van de ene tegel naar de volgende, waarbij zijn voeten weggleden in de rode modder, en zette de doos naast haar moeder neer. 'Mijn schoondochter heeft deze voor jullie gebakken. Courgette-cakejes. Ze zullen wel taai zijn.' Hij leunde op zijn stok. 'Ik hoop dat ze doorgaan met die barbecues. Ik zou het heel erg vinden als het ophield.'

'O, ik weet zeker dat iemand die voort zal zetten. Niemand laat dergelijke geldbedragen aan zijn neus voorbijgaan.'

'Wees daar maar niet zo zeker van. Er gebeurt iets en ineens willen de mensen er niets meer mee te maken hebben. Bijgeloof, dat is het. Net zoals het kwade een poeder is dat aan je handen blijft zitten.'

Haar moeder wachtte zo lang met antwoorden, dat Katie Pru opkeek. Haar moeder zat zwijgend op de trede en staarde naar de grond. Toen pakte ze haar kopje en gooide haar koffie weg, die als een bruin lint door de lucht vloog.

'Vertel me eens, Deak,' zei ze. 'Jij was in het vishuis toen het geweer afging. Was je daar ook toen Sill haar vriendin aan Martin voorstelde?'

'Dat mooie meisje met dat donkere haar. Ja, daar was ik bij.'

'Martin kwam woedend het vishuis uit. Weet je daar iets van?'

'Nou ja, Martin kan wel eens driftig zijn. Niet dat hij daar iets mee bedoelt. Sill is gewoon iemand die hem gemakkelijk op de kast krijgt, dat is alles.'
'Heb je gehoord waar die ruzie over ging?'
Deak wipte een steentje weg met zijn stok, dat met een harde *ping* tegen een poot van de jaguar vloog. 'Hij wilde die twee er niet bij hebben. Ik begreep niet precies waarom. Dat meisje zag er heel fatsoenlijk uit. Ze waren al een tijdje binnen en zaten naar ons geklets te luisteren. Toen Martin binnenkwam, leek hij eerst oké. Maar toen kreeg hij die blik in zijn ogen. Hij kon er verdomd gemeen uitzien als hij boos was.'
'Maar wat zeiden ze tegen elkaar?'
'Niet veel. Sill zei zoiets als: "Ik wil je voorstellen aan..." en toen zei Martin: "Je hoeft haar niet aan me voor te stellen. We hebben elkaar al gesproken." En dat was ongeveer alles. Hij werd gewoon ziedend en stormde de deur uit.'
'En Sill ging hem achterna.'
'Dat klopt.'
Haar moeder keek naar Katie Pru met een blik die dwars door haar heen leek te gaan. Katie Pru klemde zich steviger vast aan de jaguar. Ze vond het niet leuk als haar moeder zo naar haar keek. Dan kreeg ze het gevoel dat ze onzichtbaar was.
'Vertel me eens iets anders, Deak,' zei haar moeder uiteindelijk. 'Dat verhaal dat je aan het vertellen was, over die lynchpartij. Ik herinner me dat je dat al vertelde toen ik jong was. Is het waar?'
'Waar?' Deak draaide zich om naar Katie Pru. 'Juffie, je mama denkt dat ik sprookjes vertel.'
'Dat hoopte ik, eerlijk gezegd,' zei haar moeder.
Deak klakte met zijn tong. Hij greep het oor van de jaguar vast met zijn bobbelige paarse vingers en boog zich naar Katie Pru tot zijn gezicht vlak bij het hare was. Er lag een gekleurd vlies over zijn ogen.
'Weet je hoe oud ik ben, juffie?' Zijn stem was niet meer dan een gefluister. 'Ik ben achtentachtig. Ik maakte doodskisten voor mijn brood. En als je doodskisten maakt, hoor je verhalen. Ken je dat ene verhaal over je oudtante Linnie?'
Haar moeder sprong op. 'Deak!'

Hij prikte met zijn stok naar haar op een manier die er zowel boosaardig als stompzinnig uitzag. 'Rustig maar, juffrouw. Dit verhaal kan geen kwaad voor een kind.' Hij draaide zich weer naar Katie Pru. 'Je oudtante Linnie, die zou nu meer dan oudtante voor jou zijn, liep altijd langs de spoorbaan, zoals ik nu ook doe. Er reed ooit een trein over de rails, wist je dat? Die stopte precies voor de oude katoenfabriek. Hij kwam ruwe katoen brengen en de geweven stof ophalen, maar hij ging nooit verder dan tot hier, want dit was het einde van het traject.'

Zijn vingers frunnikten aan het oor van de jaguar. Zijn adem rook naar medicijnen. 'Nou, miss Linnie Cane werkte niet in de fabriek. O nee, die was veel te fijntjes om in een fabriek te werken. Die wilde geen pluis in haar haar. Ze werkte aan haar eigen weefgetouw. Ze maakte een sjaal en sloeg die om haar schouders en dan liep ze hier heel parmantig de weg op en neer alsof ze met niemand iets te maken had. Soms klom ze op de spoorbaan en sprong ze op de trein als die langsreed nadat hij de katoen had afgeleverd. Alleen gingen er geen treinen terug, zie je? De trein kwam hier maar twee keer per week. Dus kwam ze rond middernacht langs de spoorbaan weer naar huis lopen, helemaal vanaf het station van Oaktree, dat meer dan tien kilometer verderop lag.'

Hij grinnikte. Zijn grote tanden waren geel en hadden zwarte randen. Katie Pru greep haar moeders hand vast en sloeg haar armen om haar heen.

'Dit is geen eng verhaal, juffie. Miss Linnies man, Justin, was een vriend van me. Een tijd lang dacht hij dat ze een beetje gek aan het worden was, maar weet je wat? Dat was ze niet. Ze liet zich alleen maar de stad uit rijden om de stad weer in te kunnen paraderen.'

'Wat een verhaal is dat, Deak.' Haar moeders stem klonk vlak. 'Je doet net alsof Linnie geen dag in haar leven heeft gewerkt. De waarheid is dat ze een keuze had: ze kon op de farm blijven werken of in de fabriek gaan werken. Ze koos voor de farm van haar familie.'

'De meeste mensen hebben geen keus.'

'Misschien niet. Maar dat betekent niet dat ze niet net als de rest op het land aan het ploegen en zwoegen was. En het was

in die tijd hard werken op het land. En de farm van de Glynns leverde een redelijk groot deel van de katoen die de fabriek in bedrijf hield.' Ze trok zachtjes aan Katie Pru's handje. 'Kom op, meid. We gaan eens ergens anders kijken.' 'Ze werkte niet op het land als ze langs de spoorbaan banjerde.' De oude man sloeg met zijn stok tegen de borst van de jaguar. 'Sommige mensen zeggen dat er een tijd was dat ze zo langzaam liep, dat ze bang waren dat ze door de volgende trein overreden zou worden. Maar dat is nooit gebeurd. Dat was alleen maar gepraat van de mensen.'
'Oké, dametje.' Haar moeder tilde haar van de rug van de jaguar. 'Tijd om te gaan.'
'Hé, als je miss Cammy ziet, condoleer haar dan namens mij.'
'Dat zal ik doen, Deak. Het is bijna negen uur. Wordt het geen tijd om naar de kerk te gaan?'
De ogen van de oude man werden groot. 'De kerk?' zei hij. 'Mevrouw, ik heb maar een beperkte behoefte aan de kerk.' Hij draaide zich om en spuugde op de jaguar.

De eerste acht kilometer van de rit van Praterton naar Statlers Cross ging over een goed geasfalteerde vierbaansweg – de i-75 – met grappige borden erlangs waarop de toeristen perziken, pinda's en pecannoten te koop werden aangeboden. Achter een rij parkeerplaatsen langs de kant van de weg had de nieuwe congregationalistenkerk wortel geschoten, in een dubbelbrede trailer met een erkerraam waarachter een plastic voorstelling van bijbel en kruis te zien was. Een stukje voorbij de kerk werd tussen grind en zand een zijweg zichtbaar. Truitt draaide de ruwe tweebaansweg op en zette koers naar het noordwesten.
De weg begon redelijk en was aan beide kanten afgezet met draadhekken vol kamperfoelie met donkerrode trompetbloemen ertussen. Daarachter lagen de bontgekleurde weiden, het vertrouwde land waarnaar hij als jongen vanuit de cabine van Martins zwarte pick-up had zitten kijken.
'Luister. Als je een reebok schiet, zorg er dan voor dat je hem op de juiste plek raakt. Laat dat arme beest niet lijden door maar wat in het wilde weg te schieten.'

De eerste keer waren ze gaan jagen in de bossen rondom Stack Mountain in de noordoostelijke hoek van de provincie. Ze waren met z'n tweeën geweest: Martin in zijn afgedragen jack waar een patina van modder en oude haren overheen lag, Alby ongemakkelijk in zijn splinternieuwe, feloranje vest dat nog naar polyester rook. Hoewel Alby met zijn zestien jaar er de leeftijd voor had, voelde het geweer in zijn handen net zo onvertrouwd aan als een meisje.

Het was een kille novemberochtend met een loodgrijze lucht die de dennen legergroen kleurde en de naalden onder hun voeten onzichtbaar maakte. Zwijgend liep hij achter Martin aan, licht voorovergebogen en trekkend aan het vest dat onder zijn oksels knelde. Shit, wat is het koud, dacht hij. Waar vind ik verdomme iets om te schieten? Martin liep voor hem uit en draaide zijn hoofd van de ene kant naar de andere.

'Waar zoek je naar?' vroeg Alby.

Martin gebaarde dat hij zijn mond moest houden. 'Stil, jongen. Mond dicht en opletten. We zijn er bijna.'

Alby volgde Martins blik en probeerde te ontdekken waar hij naar zocht. Zowel links als rechts van hem zag hij niets anders dan boomstammen en dennennaalden. Zijn feloranje vest trok op zijn rug en knelde onder zijn oksels. Hij haalde zijn schouders op en wrong zijn bovenlichaam heen en weer, boos op zijn moeder omdat ze niet had opgelet toen ze het voor hem kocht. Als zijn vader nog had geleefd...

Plotseling bleef Martin staan.

'Knul,' zei hij langzaam. 'Waar ben jíj verdomme mee bezig?'

Alby keek op. De loop van zijn geweer prikte in het midden van Martins rug. Hij keek naar zijn hand. Zijn gezicht begon te gloeien. Op een zeker moment – hij wist niet wanneer – moest hij zijn vinger om de trekker hebben laten glijden.

'Mijn god, Martin,' fluisterde hij. 'Jezus.'

'Doe die loop naar beneden, Alby. En dan leg je het geweer op de grond.'

Hij liet het geweer op de grond vallen, deed een stap achteruit en wreef over zijn hand alsof hij zich had gebrand. Martin pakte het geweer op en liep zonder een woord te zeggen naar de rand van het bos. Het was ongelofelijk, maar het weekend daarna had Martin hem weer mee uit jagen genomen en waren ze net zo lang in de bossen gebleven tot Alby een hert had geschoten. Het was niet groot, meer een reekalf eigenlijk, maar hij had zijn geweer op het beest gericht met de bedoeling het te doden en had dat uiteindelijk ook bewust gedaan.

Een kuil met de vorm van de staat Alaska werd zichtbaar in de weg. Truitt stuurde zijn groene Dodge eerst naar rechts en toen naar links.

Plotseling lag Statlers Cross voor hem, zoals dat altijd gebeurde als hij bij dat heuveltje van de spoorbaan kwam. Hij minderde vaart en reed langs de methodistenkerk. Het parkeerterrein stond vol auto's en de deuren van de kerk stonden wijdopen. In de hal verdrongen de gelovigen zich om te kunnen zien wat zich binnen afspeelde. Het was half tien en te vroeg voor een gewone dienst. Ongetwijfeld had broeder Teller, die gisteravond geen kans had gekregen om de familie te troosten, de vroege ochtend aangegrepen om een spontane dienst ter vertroosting van zijn kudde te houden.

Truitt trapte het gaspedaal in. De zes winkels die het commerciële centrum van Statlers Cross vormden, straalden een hoopvol optimisme uit. Twintig jaar geleden waren de winkels langzaam maar zeker op hun faillissement afgestevend, maar nu was alleen nog de oude fotostudio permanent gesloten. Hij reed er langzaam voorbij, keek naar de kersenhouten kast in de etalage van de antiekzaak, de uitstalling van gehaakte lapjes met kruizen en manden met linten voor de deur van de geschenkenwinkel van de Kerk, en de ramen van Greene's ijzerhandel, die waren verduisterd sinds de dood van de eigenaar. Toen hij aan het eind van de rij winkels kwam, zag hij tot zijn verbazing dat ondanks het vroege uur op zondagochtend de neonlampen in Langleys drugstore brandden. Koele lucht streek langs zijn gezicht zodra hij de winkel was binnengestapt. Cooper Langleys gebruikelijke zakenoutfit, die bestond uit een spijkerbroek en een geruit overhemd, was vervangen door een ruimvallend zwart pak. Met zijn rode haar achterovergekamd en de magere polsen die uit de mouwen van zijn jasje staken, leek hij sprekend op een schurk uit een stripverhaal van de jaren dertig. Hij stond over de toonbank gebogen en praatte zachtjes met een man die Truitt niet

kende. Hij keek op toen de sheriff op hen toe kwam lopen.
'Alby. Hoe gaat het? Pak maar een cola, als je wilt.'
'Dank je, Coop. En ik heb nog niet ontbeten. Dus sla ook
maar zo'n pakje kaascrackers aan.'
Langley sloeg het bedrag aan op de kassa en stootte met zijn
elleboog tegen een kartonnen doos die op de toonbank
stond. 'Slechte zaak met Martin,' zei hij. 'We hadden het er
net over hoe hij gisteren in topvorm was.'
'Hoezo?' vroeg Truitt, terwijl hij een cracker in zijn mond
propte. 'Die topvorm, bedoel ik?'
Langley pakte het geld dat Truitt op de toonbank had gelegd
en liet de muntstukken in de la van de kassa vallen. 'Weet je,
alles en iedereen was in bedrijf, en alles verliep gladjes. Het
vergt maanden om dat te plannen, tientallen mensen, maar
uiteindelijk komt het allemaal neer op één man. Ik zal je zeggen dat deze stad al jaren geleden in een spookstad zou zijn
veranderd als we Martin en die barbecues niet hadden gehad. Grappig hoe één zo'n ding een stad tot bloei kan brengen.'
De vreemdeling schudde zijn hoofd. 'Het zal niet meevallen
voor de familie. Ik neem aan dat je teruggaat om te kijken
hoe het met ze is?'
Truitt draaide zich om naar de man. Hij was lang, een jaar of
vijftig, en was gekleed voor de kerk. Hij zag er opvallend netjes uit en niet als iemand van wie je zou verwachten dat hij in
Langleys drugstore rondhing. Zijn blauwe pak was te goed
gesneden, zijn schoenen te glimmend gepoetst. Zelfs zijn grijze haar boven zijn gebruinde gezicht zat te netjes, en Truitt
geloofde dan ook niet dat hij hier geboren was. Een piloot,
besloot Truitt, een van de velen die naar Calwyn County waren verhuisd omdat het ver genoeg van Atlanta lag om buiten het bereik van de meeste forensen te liggen, maar toch
niet zo ver dat de ex-stedeling niet terug kon naar de bescha-
ving als hij daar behoefte aan had.
Truitt hield zijn hoofd schuin. 'Ken je de Canes goed?'
'Niet allemaal. Mijn vrouw en ik gingen wel eens met Cammy en Martin naar de kerk. Maar ik vrees dat dat niet al te
vaak was, door mijn werk. Toch, als je lid bent van de Statlers Cross' methodistenkerk, dan ken je Martin. Hij was bij

zoveel dingen betrokken. Ik had veel respect voor hem.' Hij wachtte even. 'Martin was een echte man Gods.'

De man had het accent van een verstedelijkte zuiderling, iemand die het dialect lang geleden had afgeleerd en het nu met moeite sprak. 'Sorry,' zei Truitt. 'Vroeger dacht ik dat ik iedereen hier kende, maar het wordt hier verdorie steeds voller. Ik ben sheriff Alby Truitt.'

De man pakte Truitts uitgestoken hand aan. 'Mal Robertson. Ik neem aan dat ik een nieuwkomer ben. We zijn hier nu ongeveer een jaar, hoewel mijn familiebanden veel verder teruggaan. Ik vlieg voor Delta Airlines.'

Truitt glimlachte. 'Aangenaam kennis te maken. Ik herken je naam van de verklaring die mijn hulpsheriff heeft opgenomen. Jullie zaten allebei in de groep die als eerste de kamer is binnengegaan, is het niet? Jullie zijn hier toch niet zo vroeg bijeen om jullie verhalen te vergelijken, hè?'

'Grote genade, nee, sheriff,' zei Robertson. 'Ik heb morgenochtend vroeg een vlucht en mijn vrouw vroeg me om wat geneesmiddelen op te halen voordat ik vertrok.' Hij wees naar de doos. 'Ze zit tegenwoordig in de verpleging. Cooper hier was zo aardig om zijn winkel voor me te openen.'

'Hé, Mal, niet liegen tegen de sheriff.' Cooper boog zich over de toonbank en ging zachter praten. 'De waarheid is dat we allebei in de kerk zaten. Maar toen Ryan Teller begon te verkondigen dat alle talkshows in de hemel Martin als gast zouden uitnodigen, zijn we ervandoor gegaan. Ik kan niet tegen kleffe preken.'

Truitt grinnikte. 'Talkshows in de hemel?'

'Ja, nou ja, je moet onze voorganger kennen. Maar soms zou je bijna wensen dat hij in gesprek was geweest toen God hem belde.'

Robertson liet een bevestigend gekreun horen. 'Ik zei net tegen Coop dat ik op de barbecue een vrouw zag die foto's nam. Waarschijnlijk voor de een of andere krant. Iemand zou moeten uitzoeken wie ze is en een paar afdrukken voor de familie bij haar bestellen. Zoals Coop al zei, was Martin in topvorm. Het zou een leuk aandenken aan hem zijn.'

'Weet je van welke krant ze was, Coop?' vroeg Truitt. 'Ik kan me niet herinneren dat er in de verklaringen melding

werd gemaakt van iemand van de media.'
Langley schudde zijn hoofd. 'Ik heb haar niet gezien. Maar
ik zou wel willen weten wie ze is. Ik zou zelf ook wel een paar
afdrukken willen hebben.' Hij veegde met zijn hand over de
toonbank. 'Alby, we vroegen ons af wanneer de begrafenis
zou zijn. Ik bedoel: jullie hebben het lichaam nog steeds, hè?'
'Over een dag of wat, denk ik. Als het gerechtelijk laboratorium klaar is met de tests, geven we het vrij aan de familie.
En dan is het aan Cammy om de regelingen te treffen.'
Langley bleef zwijgen en sloeg zachtjes met zijn vuist op de
toonbank.
'Het was toch een ongeluk, niet?' vroeg hij. 'Jullie zoeken
toch niet naar iets anders, is het wel?'
'Je weet hoe het gaat, Coop. We moeten alle puntjes op de i
zetten.'
'Natuurlijk, dat begrijp ik. Het is alleen... nou ja, je weet hoe
het gaat in kleine stadjes. Hoe eerder de zaken afgehandeld
zijn, hoe minder de mensen praten.'
Truitt bleef beleefd glimlachen. 'Praten waarover?'
'Ach, shit, dat weet je wel, Alby.' Langleys stem sloeg over.
'Wat denk je dat die vrouwen daar deden, mama? Als ze
niets verkeerds deden, waarom zegt de sheriff dan niet gewoon dat het een ongeluk was? Je weet hoe de mensen zijn.'
Truitt haalde nog een cracker uit zijn pakje. 'Je verbaast me,
Coop. Je weet dat ik me aan de procedure moet houden. En
je weet ook dat ik niets buiten de regels om zal doen.'
'Ik zeg ook niet dat je dat moet doen. Ik zeg alleen maar dat
de mensen zullen praten. En Cammy is een goed mens, maar
erg sterk is ze niet, dat weet je.'
'Ik moet mijn feiten op papier hebben, Coop.'
'O, natuurlijk, Alby. Ik hoop alleen dat de mensen zullen begrijpen dat dat het enige is waar je mee bezig bent.'
Robertson schraapte zijn keel. 'Hoor eens, sheriff, Coop hier
kletst maar wat uit zijn nek, maar ik denk dat ik zijn bezorgdheid wel wat duidelijker kan formuleren, als de ene
prof tegenover de andere. Soms kunnen goede bedoelingen
een juiste beoordeling in de weg staan. Coop vertelde me net
hoe Martin jou onder zijn hoede had genomen toen je vader...'

Langley onderbrak hem. 'Ik roddelde niet over je, hoor, Alby. Het is alleen dat ik weet hoe het is. Mijn broer kwam om in een auto-ongeluk en het heeft me twee jaar gekost om te bewijzen dat het de fout van die ander was...'

Truitt voelde het bloed naar zijn hoofd stijgen. Hij keek van Langley naar Robertson, boos genoeg om zowel de kruiperigheid van de een als de gewichtigdoenerij van de ander te verachten. 'Dank je, Coop,' onderbrak hij hem. 'Ik zal proberen mijn verstand te volgen in plaats van mijn hart.'

'Luister, Alby...'

Truitt wendde zich tot Robertson. 'Nu we het daar toch over hebben, zou ik graag je verklaring nog eens met je doornemen.'

'Natuurlijk. Wat wil je weten?'

'Als ik het goed heb, stond er in het rapport dat je op zoek was naar Martin toen je het schot hoorde. Waarom was dat?'

'Dat had Ryan me gevraagd. Hij moest Martin iets vragen.'

'Heeft hij gezegd wat?'

'Nee. En ik heb het niet gevraagd.'

'Waar heb je allemaal gezocht?'

Robertson haalde zijn schouders op. 'In de tuin, in het vishuis: op een zeker moment ben ik zelfs de keuken binnengegaan, maar Ella joeg me weer naar buiten. Ze zei dat ze ijsthee aan het zetten was en niet voor de voeten gelopen wilde worden door mannen met modderschoenen.'

'Was er nog iemand anders in de keuken?'

'Cammy. En die grote vrouw van wie me werd verteld dat het Ella's dochter is.'

'Heb je hun gevraagd of ze Martin hadden gezien?'

'Natuurlijk. Ella zei dat hij op de veranda aan de voorkant was, maar de enige die ik daar vond was Zilah Greene, die op de schommel zat.'

'Hoe lang was je aan het zoeken voordat je het schot hoorde?'

'Geen idee. Niet meer dan een kwartier.'

'En hoeveel tijd zat er tussen het moment dat je de keuken verliet en het schot hoorde?'

Robertson trok zijn wenkbrauwen op. 'Dat kan niet meer dan vijf of tien minuten zijn geweest. Ik liep op de oprit toen ik het hoorde. Binnen een minuut was ik weer in het huis. Ik liep bijna Zilah omver toen ik kwam binnenstormen.'

'Ze was ín het huis?'

'Nee, op de veranda. Maar ik heb nog nooit een gezicht gezien waar zoveel angst van af te lezen was. Ze had haar rok opgetrokken en kwam de treden afrennen alsof de duivel haar op de hielen zat.'

'Ik wil langs de spoorbaan wandelen, net als Linnie.' Katie Pru trok de achterkant van haar blauwe T-shirt over haar schouders en huppelde de spoorbaan op. 'Ik wil een sjaal om en dan parmanteren.'

'Paraderen,' verbeterde Gale haar. 'Hoewel dat bijna hetzelfde is. Hoe dan ook, dat is niet iets wat vier jaar oude meisjes doen.'

'Doe jij het dan. Jij parmantert en ik kijk toe.'

'O, ja, dametje. Ik zie het al voor me, hoe jij zwaaiend met je bips naar oma Ella loopt en tegen haar zegt: "Kijk, mama heeft me geleerd hoe ik moet parmanteren!"' Gale bukte zich en kietelde Katie Pru's buikje. 'Dan zitten jij en ik voor het middaguur in een opvoedingsgesticht voor jongedames.'

Katie Pru proestte het uit en probeerde haar tengere bovenlichaampje los te wringen uit haar moeders handen. Lachend tilde Gale haar hoog in de lucht, liet haar weer zakken en gaf haar een stevige omhelzing waarbij ze haar gezicht tegen het magere nekje duwde. Mijn god, ze verbaasde zich over het lichaampje van haar kind: al die onverklaarbare botten, die parelmoeren huid, dat haar dat zo fijn was dat ze moeite moest doen om het te voelen. Katie Pru veranderde voortdurend, was nooit het kind dat ze de vorige dag was geweest. Gale voelde een vertrouwde pijn toen ze haar dochter smakkend op de wang kuste. Vergeet Linnie, dacht ze: kinderen hebben hun eigen geesten.

Na een laatste omhelzing zette ze het giechelende kind zachtjes op de grond. Ze stonden op de spoorbaan, met Ella's huis links van hen en rechts de ruïnes van de fabriek. De laatste keer dat Gale Deak zag, hobbelde hij de oprit van Zilah Greene's huis op en was het gekras van zijn stok in het grind op honderd meter afstand te horen. Ze waren nu alleen en het enige geluid dat ze hoorden was het klagerige refrein van *How Great Thou Are*, dat door de open kerkdeuren naar buiten kwam.

Katie Pru sloeg haar armen om Gale's dij en klemde zich vast. 'Laten we naar de ruïnes gaan, mama,' fluisterde ze. 'Het is tijd om naar de muziek te luisteren.'

Ze liepen de zuidelijke helling af en kwamen op het open terrein van de fabriek. Ze waren met dit ritueel begonnen op de eerste zondag in het voorjaar, toen Katie Pru de muziek door de open kerkramen naar buiten had horen komen en ernaartoe was gerend. Gale had haar ingehaald en ze waren uiteindelijk in de fabriek terechtgekomen, waar ze op een vlakke stenen verhoging waren gaan zitten en hadden geluisterd naar de stemmen die over de dakloze muren hun kant op zweefden. Vanaf de plek waar ze zaten, konden ze de lucht zien en de vreemd gevormde fabriekshuisjes die als rechthoekige telescopen uit de grond staken.

De bodem rook vochtig toen ze hun weg zochten naar de stenen verhoging. De kerkgemeente kreunde de eerste regels van *Sweet Hour of Prayer*. Er zou vandaag geen plaats zijn voor opgewekte gospelzang en inspirerende preken. Rouw was sober en ingetogen. Waarschijnlijk zouden ze de hele ochtend voor Martin zingen om zich op te maken voor hun bezoek aan de familie, dacht Gale. En zo hoorde het ook. Martin verdiende niet minder.

Ze waren tien meter van de stenen verhoging toen Gale abrupt bleef staan. Op de verhoging zat een vrouw en haar kleding had dezelfde kleur als het steen. Ze was zo goed gecamoufleerd dat ze gemakkelijk boven op haar hadden kunnen gaan zitten, dacht Gale glimlachend, ware het niet dat het rood van haar lippen haar aandacht had getrokken. Om haar nek hing de camera die ze tijdens de barbecue bij zich had gehad.

De vrouw keek op, schrok en duwde haar hand in de plooien van haar jurk. Ze was jong, ergens begin twintig, en droeg een lange grijze jurk die vanaf haar schouders recht omlaag viel. Als die iets anders gesneden was geweest, had hij door kunnen gaan voor een van die dure plattelandsmeisjesjurken die ze wel eens in de rekken van Macy's had zien hangen. De stof van deze jurk was versleten maar netjes gestreken, en de stijl was onopvallend. Haar havermoutkleurige haar was samengebonden in een paardenstaart en haar vaalblauwe ogen waren nauwelijks meer dan vlekken tussen de onopgemaakte wimpers.

'Hallo,' zei Gale. 'We wilden je niet aan het schrikken maken. We kwamen alleen maar naar de muziek luisteren.'

'Dat weet ik,' zei de vrouw. 'Ik zie jullie hier elke zondag. Ik dacht alleen niet dat jullie vandaag zouden komen.' De witte knokkels van haar hand wreven over de stof van haar jurk. 'Ik woon daar...' Ze wees naar een geel huis aan de rand van het fabrieksdorp. '... en ik kan de fabriek zien vanuit mijn slaapkamer.'

Haar stem klonk schor en door de combinatie van haar onopvallende verschijning en haar sterke Piedmont-accent besefte Gale dat het rood van haar lippen, waarvan ze gisteren had aangenomen dat het lipstick was, in feite haar natuurlijke tint moest zijn. Ze merkte dat ze naar de lippen van de vrouw stond te staren: die waren zo bijzonder, zo vol en kleurrijk als ze sprak, dat al haar andere gelaatstrekken erbij in het niet vielen.

Gale's stem klonk luchtig. 'Ik hoop dat we niet al te saai zijn om naar te kijken.'

De jonge vrouw begon te blozen en maakte verontschuldigende gebaren met haar handen. 'Zoiets was het niet, mevrouw. Ik keek op een ochtend uit het raam en daar zaten jullie. Ik vond gewoon dat jullie er zo mooi uitzagen te midden van die puinhoop.' Er verscheen een bezorgde trek op haar gezicht. 'Het was niet dat ik jullie bespioneerde of zoiets.'

'Ondanks de camera?'

De vrouw keek geërgerd naar haar camera. 'O, nee, mevrouw, die is alleen voor de lessen die ik volg aan de academie in Parterton. Het is niets, echt.'

Gale glimlachte en trok Katie Pru tegen zich aan. 'Ik plaag je alleen maar. Ik zag je gisteren bij de barbecue en dacht dat je journaliste was. Het is leuker om te weten dat je kunstenares bent. Ik ben Gale. En dit is mijn dochter, Katie Pru.'

'Mijn naam is Nadianna Jesup. Leuk je te ontmoeten, Katie Pru.'

Ze stak haar hand uit naar Katie Pru, die er verlegen naar keek en toen met haar billen tegen haar moeders benen begon te duwen. Nadianna trok haar jurk om haar benen en klopte op het steen naast haar. 'Ik moet je een geheimpje vertellen, Katie Pru,' fluisterde ze. Katie Pru liep behoedzaam op haar toe. 'Ken je die grote kat die in jullie tuin staat? Toen ik een klein meisje was, had ik een tijger verzonnen die mijn vriend was en die soms wegliep om met jullie kat te spelen. Dan zocht ik overal in huis en kon hem nergens vinden, maar als ik dan boven op de spoorbaan ging staan, dan kon ik hem zien, in jullie tuin, waar ze samen aan het spelen waren.'

Katie Pru had haar hand voor haar mond geslagen en haar woorden klonken dof. 'Waar is je tijger nu?'

Nadianna schudde berouwvol het hoofd. 'Ik heb hem al heel lang niet meer gezien. Als je hem ziet, wil je dan zeggen dat hij naar huis moet komen?'

Katie Pru knikte en haar ogen waren groot. Gale stond de vrouw zwijgend op te nemen.

'Je schijnt veel over ons te weten,' zei ze.

Nadianna's blik was helder toen ze Gale aankeek. 'Niet echt. Tenminste, niet meer dan anderen. Ik had vroeger alleen zelf zo graag een grote ijzeren tijger in mijn tuin gehad.'

'Jakkuwaar,' zei Katie Pru.

'Jaguar. Zie je wel? Blijkbaar ben ik toch niet zo slim.' Nadianna zette haar handen op haar heupen. Er klonk humor door in haar stem. 'Natuurlijk heb ik over u gehoord, mevrouw Grayson. Het zou in een stadje als dit raar zijn als dat niet zo was. Maar geloof me, er zat niets sinisters in. We hebben hier nog geen kabel.'

Tot haar verbazing moest Gale grinniken. 'Je hebt gelijk. Laten we opnieuw beginnen. Ik vind het leuk om je te ontmoeten. Ben je zo vroeg op pad om foto's te maken?'

'Ja. Ik moet me zo gaan omkleden voor de kerk, maar ik wilde de fabriek zien na de regen van vannacht.'

'Ga je naar de baptistenkerk?'

'De pinkstergemeente. Hoe dan ook, voor mijn studie moet ik foto's maken die een beeld geven van mijn cultuur. Mijn grootouders hebben in deze fabriek gewerkt. Mijn grootmoeder zei altijd: "Er is zo hard gewerkt in die fabriek, dat de bodem erdoor is verrijkt."' Plotseling stak ze haar hand uit en opende hem: er lag een glad stukje groen glas in. 'Ziet u? Stukjes als dit komen als edelstenen uit de aarde tevoorschijn. Ik kom hier zowel overdag als 's avonds om de perfecte foto te maken van licht dat op rommel weerkaatst.'

Gale wilde zeggen: 'Leuk idee', maar ze hield zichzelf in. Ze had haar twijfels over deze vrouw en ze was ook niet zeker van haar eigen reacties op haar. Er zat iets tegenstrijdigs in haar: wat moest je maken van iemand die eruitzag als het prototype van de vrouw uit het Zuiden, een echte Flannery O'Connor, die tegelijkertijd foto's maakte van haar 'eigen cultuur'? Je hebt een bekrompen geest, Gale Grayson, verweet ze zichzelf. Je bent een kortzichtige, bevooroordeelde stadsmadam.

'Ik begrijp wat je bedoelt,' zei ze. 'Ik bracht de zomers altijd door in Ella's huis, wat voor mij het symbool was van mijn eigen merkwaardige cultuur. Ik vond het heerlijk om te kijken naar alle verschillende manieren waarop de zon op het dak scheen.' Ze grinnikte. 'Natuurlijk, nu ik volwassen ben, zou ik er heel wat voor overhebben om de zon op mijn eigen dak te zien schijnen.'

Nadianna lachte. 'Ik ook. Het is zelfs zo dat ik op het ogenblik op zoek ben naar een eigen dak. Ik heb gewerkt in de kippenfokkerij totdat die gesloten werd. Daarvoor heb ik op kinderen gepast. Dat zou ik best weer willen doen.' Ze liep met haar vingers over Katie Pru's schouder en trok zachtjes aan haar oor. Katie Pru schrok op, dook weg en kwam toen weer voorzichtig dichterbij. Nadianna deed het nog een keer. 'Ik ben goed met kinderen,' zei ze. 'En ik heb goede referenties.'

Gale knikte vrijblijvend en besloot zo snel mogelijk van dat onderwerp af te stappen. 'En hoe is je camerawerk? Heb je gisteren nog wat goeds geschoten?'

Het kwam door Nadianna's scherpe blik dat Gale besefte wat ze had gezegd. Haar wangen begonnen te gloeien.

'Het spijt me,' mompelde ze. 'Het is afschuwelijk om zoiets te zeggen.'

'Lang niet zo afschuwelijk als wat er is gebeurd.' Nadianna

gooide het stukje glas hard tegen de muur. 'Ik had een video-camera bij me moeten hebben. Een kleinbeeldcamera was niet genoeg.'

Gale staarde haar aan. 'Waarom? Heb je iets gezien?'

Nadianna kwam onhandig overeind. Haar gezicht stond strak, de huid tussen haar wenkbrauwen was geplooid en wit. De klanken van *Nearer My God to Thee* waaiden over uit de kerk.

'Ik heb niets gezien, mevrouw Grayson. Maar ik kon de smerigheid voelen. Het was alsof de bodem ermee doordrenkt was.'

8

Ze was in de stallen, helemaal in het wit gekleed, en haar nagels waren langer dan klauwen. Haar hand ging naar de flank van die stier, ze zette haar nagels in de huid en trok haar hand naar zich toe. Ik kon het bloed eruit zien spuiten, maar de stier bewoog zich niet. Ze moest hem behekst hebben, want hij bleef gewoon doorslapen, alsof hij al dood was en wachtte op de slachter.

Deak Motts,

tijdens een VFW-diner, 1951

Sill werd wakker van telefoongerinkel in de verte. Het gedempte geluid klonk één, twee keer en werd halverwege de derde keer afgebroken. Vanuit het smalle bed keek ze naar het enige raam van haar kamer en zag door de smalle opening tussen de gordijnen een staalgrijze lucht die er weinig uitnodigend uitzag. Ze had geen idee hoe laat het was.

En toen herinnerde ze het zich weer. Hoe ze gisteravond als een dolle in het rond had gelopen in de slaapkamer van haar ouders, haar moeder die krijsend op de grond zat naast de roerloze gestalte van haar vader, Ella die schreeuwend vragen stelde. En Maralyn, die verbijsterd bij het nachtkastje stond, met haar grote handen geopend en hulpeloos voor haar lichaam.

Er werd zacht en kort op de deur geklopt.

'Sill?' Gale's fluisterende stem was maar net te horen. 'Ben je wakker?'

Sill bracht haar handen naar haar gezicht, wreef zich in de ogen en liet zich tussen de lakens uit glijden. Aan het voeteneind van het bed lag een gele chenille kamerjas. Die had Ella daar zeker neergelegd: een zorgzaam gebaar, gezien de omstandigheden en het feit dat ze onverwachte gasten waren.

'Kom binnen, Gale.' Sill trok de kamerjas aan en ritste hem

97

dicht tot aan haar hals. 'Ik hoop dat je koffie bij je hebt.'
De porseleinen deurknop draaide om en Gale kwam achteruitlopend de kamer in met een groot metalen dienblad.
'Nou, het is thee,' zei Gale. 'Ella verzekerde me dat je gisteravond wel genoeg koffie hebt gehad.' Ze was gekleed in een
gestreepte katoenen blouse en een lange spijkerrok, beter geschikt voor een brunch, dacht Sill, dan voor een dodenwake.
Ze zette het blad op het tafeltje dat voor de tot op de draad
versleten bank stond. Voorzichtig trok ze het blauwe servet
weg en er werd een mandje zichtbaar. 'Courgette-cakejes,
met dank aan Myra Motts.' Ze keek Sill aan. 'Het kan natuurlijk zijn dat je geen trek hebt. Als je liever koffie wilt,
dan ga ik die voor je halen. En ik weet dat hier twee kopjes
staan, maar als je geen behoefte hebt aan gezelschap...'
Sill maande haar nicht tot zwijgen en liep op haar blote voeten naar de bank. 'Hoe gaat het met moeder?'
'Ze ligt te slapen in Ella's slaapkamer. Ella en Maralyn lopen
er al de hele ochtend in en uit, maar háár heb ik nog niet gezien. Alles schijnt echter onder controle te zijn. Is ze gisteravond nog door een dokter onderzocht?'
Sill knikte. 'Dokter Bingham heeft naar haar gekeken. Hij
zei iets over kalmeringsmiddelen.' Ze wachtte even. 'Wie zijn
er allemaal?'
'Nog niemand. Ella is iedereen aan het bellen en zegt dat ze
thuis moeten blijven tot de begrafenis. Natuurlijk, als Cammy iemand wil zien... of jij...'
'Nee, niemand.' Ze forceerde een zwak glimlachje. 'Ik ben in
de capabele handen van de Alden-vrouwen.' Ze trok de pan-
den van haar kamerjas strakker om zich heen. 'Hoe laat is
het?'
Gale trok een schommelstoel uit de hoek van de kamer en
ging erin zitten. 'Een uur of tien. Ella zegt dat als Ryan Teller zich aan de traditie houdt, er vanochtend een vroege
dienst zal zijn, waarna iedereen deze kant op zal komen.
Daarom vroeg ze me om even te kijken hoe het met je ging.'
Sill keek omlaag naar het dienblad: een theepot, een suiker-
en roomstel, twee kop en schotels, twee lepeltjes, en een paar
overdreven dikke cakejes; alles prachtig uitgestald op het
blauwroze porselein en met het Francis I-tafelzilver dat had

toebehoord aan Ella's moeder, Jessie. Ze glimlachte spottend.
'Mijn god, wat zijn de vrouwen van deze familie toch koppig als het om moeilijke situaties gaat. Weet je waar dat me aan doet denken?' Gale knikte. 'Ik dacht eraan toen ik naar boven kwam. Aan het verhaal van Jessie. Of "Jessie pakt de dominee in", zoals jij het altijd noemde.'
'Laat me zien of ik het me nog goed herinner.' Sills stem kreeg de bekende lijzige, zuidelijke keelklank. 'Het was tijdens de crisis en Jessie zou de nieuwe dominee te gast krijgen. Ze had haar moeders prachtige kristallen servies, maar geen blaadje thee of korrel suiker om het water smaak te geven. Dus sleepte ze de stoel van de dominee naar het raam, waar de middagzon op zijn schoot viel. Op een dienblad bood ze hem een kristallen glas met koel water uit de put aan. Hij pakte het glas op en toen het zonlicht op de facetten viel, zag hij een feest van roze en blauwe lichtpuntjes op zijn hand. Later beweerde hij dat het de heerlijkste verfrissing was die hij ooit had geproefd. Dus vanaf die dag hield Jessie altijd vol dat hoe weinig je ook te eten of te drinken had...'
Gale haalde diep adem. '"... het was het servies dat telde." Heel goed. Ik heb geen enkele fout kunnen ontdekken.'
De rugleuning van de bank voelde hard aan tegen Sills rug en het vulsel knisperde toen ze heen en weer schoof. 'Nee,' zei ze zacht. 'Geen fouten. Ella heeft ons goed getraind.'
Gale gaf Sill een dampend kopje thee aan. 'Faith heeft vanochtend al een paar keer gebeld,' zei ze. 'Ze wil weten of ze hiernaartoe moet komen.'
'Wat heb je tegen haar gezegd?'
'Dat je nog sliep. En dat iemand haar later terug zou bellen.'
'Wil jij dat doen?'
'En haar wát zeggen?'
'Dat ze niet moet komen.'
Van Gale's gezicht was niets af te lezen. 'Goed,' zei ze ten slotte. 'Moet ik haar een reden geven?'
'Nee.'
Gale schommelde zwijgend in haar stoel, die een dreunend geluid maakte op de houten vloer. Het was altijd moeilijk te

zeggen wat Gale dacht, en Sill had vaak gemeend dat haar nicht onder andere omstandigheden een geweldige zakenvrouw zou zijn geweest, of in elk geval een dijk van een kaartspeelster. Wat haar gedachten ook waren, ze waren nooit zichtbaar op haar gezicht. En als ze ervoor koos om ze kenbaar te maken, dan was dat nooit direct. Ze benaderde haar gesprekspartners altijd zijdelings, als een krab. Dat deed ze nu ook, terwijl ze met haar vinger langs de rand van haar kopje ging.

'Toen ik in Engeland was,' zei Gale, 'dronk ik meestal alleen thee als iemand anders die voor me zette, wat niet vaak gebeurde. Vreemd, dat ik er nu juist zo'n trek in had.' Ze vouwde haar beide handen om het kopje, als een kind, en bracht het naar haar gezicht. 'Het komt door al die plassen buiten. Thee heeft iets troostends.'

'En dat is de reden dat je thee voor me hebt meegebracht? Je dacht dat ik behoefte had aan troost?'

'Heb je dat dan niet?'

'Nee.'

Sill boog zich voorover en deed een schep suiker in haar thee. Jessies zilveren lepeltje voelde onverwacht licht aan in haar hand. Het tafelzilver, wist Sill, had eigenlijk toebehoord aan haar eigen oud-oudtante Linnie, maar na haar zelfmoord waren alle bezittingen van de dode vrouw overgegaan naar haar zuster Jessie in plaats van naar het zoontje dat Linnie had achtergelaten. Sill had al lang geleden geaccepteerd dat Linnie, door zelfmoord te plegen, de familiebezittingen een andere bestemming had gegeven. Net zoals veel dingen die eigenlijk van Sill hadden moeten zijn, uiteindelijk bij Katie Pru terecht zouden komen.

Ze keek op naar de muur boven het bed. Een in een zwarte lijst gevatte verzameling van plukjes haar, die eruitzag als een reclame voor haarverven die je in schoonheidssalons tegenkwam. Blond haar, donker haar, gekruld haar en steil haar: van alle methodisten in Statlers Cross in 1925 was een plukje haar bewaard. Behalve van de bezoedelde mevrouw Linnie Glynn Cane. De plek waar haar haar had gehangen was leeg en er zat alleen nog een donkere lijmplek op het papier. Iemand had zelfs haar naam weggekrast. Sill had zich altijd afgevraagd wie het nodig had gevonden om zo ver te gaan.

Het was vreemd om naar die tere plukjes haar van lang geleden overleden mensen te kijken, en bijna heidens om te denken dat je door het bewaren van stukken van mensen hun ziel kon behouden. Dan kon je beter serviesgoed bewaren. Ze zag Gale's blik met een ruk van het aandenken naar haar gezicht gaan.

'Waar denk je aan?' vroeg Sill.

Gale schudde haar hoofd. 'Het is een indrukwekkend monument. We maakten het altijd belachelijk toen we nog jong waren. We konden zo kil zijn.'

'Dat zijn alle kinderen.'

'Misschien.' Het gekraak van de schommelstoel hield op toen Gale haar kop en schotel op het tafeltje zette. Ze pakte een cakeje uit het mandje, boorde haar vinger in het zachte deeg en trok er een stuk vanaf. Ze lachte zachtjes. 'Heb je je ooit afgevraagd hoe het mogelijk is dat twee blanke kinderen die zonder een enkele zorg zijn opgegroeid later zulke prikkelbare wezens zijn geworden?'

'Wat dacht je van "de appel valt niet ver van de boom"?'

Sill voelde het bloed naar haar hoofd stijgen. Ze wist niet waarom ze dit zei. Het was maar een dooddoener, maar ze had beter moeten weten dan die tegen haar nicht te gebruiken.

Gale verroerde zich niet. Ze zit over papa na te denken, dacht Sill. Er groeide een paniekgevoel in haar borst. Ze wil weten over gisteravond. Ze wil weten wat iedereen wil weten: waarom ik denk dat papa zijn geweer zat schoon te maken.

Sill bewoog zich ook niet: ze bleef doodstil zitten met haar theekopje in de handen en hoopte dat Gale het moment zou laten passeren. Misschien zou haar gevoel voor etiquette het winnen en zou ze zich houden aan de zuidelijke regel dat fijngevoeligheid belangrijker was dan duidelijkheid.

Na geruime tijd leunde Gale achterover in de schommelstoel en stak ze het stukje cake in haar mond.

'Ik sprak vanochtend met Deak Motts. God, wat een schoft is dat toch. Ik vraag me af wat voor geheimen híj heeft.'

Boosheid kleurde Sills borst alsof ze in brand stond. Godverdomme, dat rotwijf draaide om haar heen als een wilde kat. Waarom was ze niet direct en vroeg ze het? Waarom zei ze niet gewoon: vertel me wat er in die kamer is gebeurd, Sill. Je kunt me vertrouwen. Ik heb ook een misdaad in mijn verleden. Plotseling wilde ze niets meer met haar familie te maken hebben. Ze wilde Faith.

Ze bracht haar theekopje naar haar mond. 'Vertel me eens, nicht, hoe reageerde jij toen je hoorde dat Tom dood was?' Het bloed trok weg uit Gale's gezicht. 'Ik weet het niet. Ik was verbijsterd. Verlamd.'

'Weet je hoe ik me voel? Ik herinner me dat je me een keer vertelde hoe je je voelde meteen nadat Katie Pru was geboren. Het was een moeilijke bevalling, je was doodsbang en al die tijd alleen. Toen het uiteindelijk gebeurd was, voelde je je totaal uitgeput, zei je. De verpleegster liet je je kind zien en het enige wat je kon denken was: ziezo. Ik heb je gebaard. Nu is alles klaar. Herinner je je dat nog? En je vertelde dat het dagen had geduurd voordat je een sterkere emotionele band voelde met je kind dan bijvoorbeeld met een kamer die je opnieuw had geschilderd.'

Gale had Sill strak aan zitten kijken. 'De liefde kwam later,' zei ze. 'Maar je hebt gelijk. Het was niet meteen. De geboorte volgde praktisch rechtstreeks op Toms dood en het waren gewoon te veel emoties op hetzelfde moment.'

'Nou, zo voel ik me nu ook,' zei Sill. 'Het is allemaal te veel om het te kunnen voelen. Misschien heb ik later behoefte aan troost. Ik waardeer je gebaar, Gale, maar om Freud te citeren: soms is thee gewoon thee.'

Ella keek door het keukenraam en zag Zilah Greene door de zijtuin in de richting van het huis lopen. Ze doopte haar handen in het sop in de spoelbak en haalde er een witte aardewerken kom uit. Nou, dacht ze, het ziet er tenminste niet naar uit dat Zilah ons eten komt brengen. Als er één ding was met betrekking tot de dood waar ze een gruwelijke hekel aan had, dan was dat het ritueel van het voeden van de nabestaanden. Alsof het maïsbrood waarmee je werd volgepropt je verdriet kon absorberen. Of dat je door eten in de nabijheid van de dood een dolende ziel tot je kon nemen. Ella zette de kom ondersteboven in het afdruiprek. Martin kon best dolende zijn, dacht ze, maar of ze wilde eten voor zijn ziel betwijfelde ze ten zeerste. Een lichaam oogst wat een lichaam zaait. En Martin Cane's lichaam had een verdomde hoop meer gezaaid dan alleen een kogel in zijn kop.

Ze zag Zilah worstelen met het ijzerdraad van de poort in het hek dat de twee percelen van elkaar scheidde. Ella's kant had dat hek niet laten plaatsen; ze hadden er nooit de noodzaak van ingezien, en haar grootvader Nathan, die het huis had gebouwd, was gelukkig gestorven voordat het gebeurde. Het was Barry Greene geweest die dat hek had neergezet, omdat hij, zei hij, zich zorgen maakte over de grote honden van Ella's zuster Nora. Natuurlijk wist iedereen dat het niet de honden waren die hij buiten de deur wilde houden. Het was Zilah die hij bínnen wilde houden. Hij had voor zijn vrouw een kraal geconstrueerd, net zo netjes en bescheiden als de vrouw zelf.

Ella rukte een theedoek uit de la naast de spoelbak en keek naar de plotselinge schrik op Zilahs gezicht toen ze haar hand met een ruk terugtrok van de poort, ermee wapperde alsof hij pijn deed en hem vervolgens onder haar arm stak. Toen, met haar gewonde hand tegen haar zij geklemd, probeerde ze het opnieuw en draaide ze met nijdige bewegingen het ijzerdraad los.

Ella liet de theedoek op het aanrecht vallen en ging de deur van de achterveranda voor Zilah opendoen.

'Nou, kom binnen,' zei ze terwijl ze de hordeur openhield. 'Kijk eens hoe nat je voeten zijn geworden van dat gras. Het heeft gisteravond pijpenstelen geregend. Ik denk dat we een wilde zomer tegemoet gaan.'

Zilah beklom de stenen treden en kwam de veranda op. 'Ja nou, het heeft flink geregend gisteravond,' zei ze. 'Barry zei altijd dat we elke vijf jaar een heel natte zomer en daarna een bloedhete zomer konden verwachten. Ik durf te wedden, als we terugtellen...'

'Ik ben te oud om terug te tellen. Kom binnen, Zilah. Deze deur is zwaar.'

Zilahs zwarte schoenen en in kousen gehulde enkels zaten vol bruine grassprietjes, zag Ella, toen ze met haar armen om zich heen geslagen midden in de keuken stond. Met haar puntige schouderbladen en magere benen had Zilah Greene het stadium van ouderdom bereikt dat weer overeenkomsten begon te vertonen met jeugdige onvolgroeidheid. Mensen behoorden te sterven als ze dat punt hadden bereikt, vond Ella. Ze trok een stoel weg bij de keukentafel en gebaarde de oudere vrouw te gaan zitten.

'Ik zag dat je je daar buiten bezeerde,' zei ze. 'Zal ik er wat zalf op doen?'

'Goh, nee, Ella, ik ben oké.' Ze keek de keuken rond en liet haar blik over de met folie afgedekte stoofschotels op het aanrecht gaan. 'Ik wilde je niet lastigvallen op zo'n slecht moment als dit. Ik heb een grote salade in de koelkast staan, die ik je later zal brengen, maar ik wilde alleen even langskomen voordat de kerk uitging om te zien of Gale hier was. Ik heb een brief voor haar. Die is per ongeluk bij mij bezorgd.'

Ella deed het kastje boven het aanrecht open en haalde er een tube desinfecterende zalf en een verbanddoos uit. 'Waarom ben je zelf niet naar de kerk? Ik kan me niet herinneren dat Zilah Greene ooit een dienst heeft overgeslagen.'

'Het was me allemaal een beetje te veel na gisteravond, denk ik. Ik heb slecht geslapen. En ik moest Gale die brief geven.'

'Gale is hier. De laatste keer dat ik haar zag, ging ze naar boven om Sill te wekken. Geef die brief maar aan mij. Maar je moet echt iets op die schram doen, Zilah. Dat hek is verroest. Je wordt nog ziek als je niet oppast.'

'Nee, het is in orde, echt. En ik wil met Gale praten...'

'Doe niet zo gek. Je kunt je hand niet openhalen aan een roestig stuk ijzerdraad en net doen alsof er niets aan de hand is.' Ella ging op de stoel naast Zilah zitten en legde de verbandspullen op tafel. Ze boog zich opzij en pakte Zilahs arm vast. 'Nu dan, laat me eens kijken.'

Zilah balde haar hand tot een vuist. 'Nee, Ella.'

'Doe niet zo kinderachtig. Geef me je hand.'

Ze pakte de hand van de kleinere vrouw en was blij toen die eindelijk ontspannen tegen haar borst rustte. Ze pakte de tube zalf, draaide Zilahs hand om en haar adem stokte in haar keel.

De kwetsbare onderkant van Zilahs pols zat vol lange, rode

striemen, die van nagels afkomstig leken. Op de meeste ervan hadden zich al korstjes gevormd, maar de huid langs de randen was nog roze. De striemen waren nieuw, zo te zien nog geen dag geleden ontstaan.
'Mijn god,' fluisterde ze. 'Wat heb je gedaan?'
Zilah probeerde zich terug te trekken, maar Ella hield haar hand stevig vast. 'Niets,' mompelde Zilah. 'Ik moet met Gale praten. Is ze hier niet?'
Ella draaide de dop van de tube zalf. 'Ze is hier. Ze heeft natuurlijk van alles te doen. Ik zal haar zeggen dat je haar wilt spreken, als ze daar tijd voor heeft.'
Ze smeerde voorzichtig de zalf op de pols terwijl ze haar pink onder de manchet van Zilahs dunne witte trui liet glijden om te zien hoe ver de schrammen doorliepen. Zilah zat voorovergebogen op haar stoel en had haar ogen stijf dichtgeknepen. De blauwe adertjes op haar oogleden bewogen toen Ella haar andere hand wilde vastpakken.
'Wil je er met me over praten, Zilah?' zei Ella zachtjes. 'Wil je het me vertellen?'
Zilah deed haar ogen niet open. 'Ik wil met Gale praten. Ik ben voor Gale gekomen.'
Ella hield Zilahs handen nog lange tijd vast terwijl ze naar het trillende gezicht bleef kijken. De twee families woonden nu al meer dan zeventig jaar naast elkaar. In die periode had Ella haar op blote voeten achter haar kinderen aan zien rennen, met haar schort naar hen zien slaan alsof het kippen waren en ze met haar hoge, vibrerende stem horen naroepen. Die ene zomer had ze vanaf de veranda toegekeken toen Barry het hek plaatste. Ze had vochtige lakens over de stoelen op de veranda gehangen om ze te laten drogen en gezien hoe hij de gatengraver in de bodem dreef, de hendels uit elkaar rukte en de aarde op een hoopje naast het gat liet vallen. Probeer je ons van elkaar te scheiden, had ze gedacht. Alsof daar een hek voor nodig was.
'Ga naar huis,' zei ze, en ze liet Zilahs handen los. 'Ik zal tegen Gale zeggen dat je haar wilt spreken. En doe maar geen moeite om die salade hiernaartoe te brengen. Hou die maar voor jezelf. Echt.'
Toen Gale het geluid van knerpend grind hoorde, haastte ze

zich naar het raam van Sills slaapkamer en deed ze het gordijn opzij. De karavaan van schoongeregende pick-ups en bejaarde sedans begon bij de spoorwegovergang en eindigde op de oprit.
'Zeg maar niets,' kreunde Sill achter haar. 'Ze staan in de rij voor het "rouw- en weenbuffet".'
'Ik ben bang van wel. Ella zei altijd tegen me dat als we een miljoen op de aandelenmarkt wilden verdienen, we moesten investeren in Pyrex en aluminiumfolie.'
De zon stond helder en fel aan de hemel en verdampte de gevallen regen, zodat er een nevel boven de grond hing. De tuin stond vol plassen en toen de auto's achter elkaar tot stilstand kwamen langs het draadhek, zakten hun wielen weg in de modder. Portieren werden geopend: dikke, in kousen en wijde broekspijpen gehulde benen werden naar buiten gestoken en tastten aarzelend de bodem af.
'Ik hoop dat je honger hebt,' zei Gale. 'De hulptroepen zijn gearriveerd met hun eetbare giften.'
'Eetbaar? Shit, ik hoop dat iemand een fles wodka heeft meegebracht, en een rietje.'
Een blauwe sedan deelde de groep bezoekers in tweeën en stopte onder de pecannotenboom. Ryan Teller, in zijn kaki safarihemd en -broek, stapte uit de auto. In het nevelige ochtendlicht zag hij er merkwaardig naakt uit, als een niet te stuiten prediker die door het water naar zijn kudde waadde. Geen zwarte kleding die het doel van zijn komst verraadde, helemaal geen zwart aan hem, afgezien van de in zacht leer gebonden bijbel in zijn grote handen. Hij zwaaide naar zijn gemeenteleden die zich in de tuin hadden verzameld, maar bleef doorlopen. Hij wandelde naar de treden bij de voordeur en werkte zich breed glimlachend door het groepje dat zich daar had gevormd.
'Ryan is er om zijn domineesplichten te vervullen,' zei Gale.
'Hoe ben je van plan met dit alles om te gaan?'
Het doffe gerinkel van de deurbel klonk op van beneden, gevolgd door doelbewuste voetstappen en het gekraak van de voordeur. Er werden stemmen hoorbaar die troostend en dwingend tegelijk klonken. De troepen van de Heer waren gearriveerd.

'Dus, Sill?' Gale liet het gordijn terugvallen. 'Wil je je aankleden en naar beneden gaan?'

Toen ze zich omdraaide, zag ze Sill in elkaar gedoken op de groene bank zitten. Haar armen en benen vormden punten onder de gele stof van haar kamerjas, zodat ze deed denken aan een kapotte vlieger in het gras. Ze had haar ogen dicht en de huid van haar gezicht gloeide. Tussen haar oogleden sijpelden tranen door.

Gale ging op haar knieën naast haar zitten. Ze wilde de hand van haar nicht vastpakken, maar Sill hield haar beide vuisten onder haar oksels geklemd. Ze haalde gejaagd adem en beet zo hard op haar onderlip, dat Gale bang werd dat ze zou gaan hyperventileren. Ze nam Sills gezicht in haar handen, maar die aanraking moest haar aan het schrikken hebben gemaakt, want ze ging abrupt rechtop zitten, duwde Gale opzij en drukte haar voorhoofd tegen haar knieën.

'Ik ben oké,' zei ze hijgend. 'Geef me een momentje. Dan ben ik weer in orde.'

Ze zat daar met haar armen om haar knieën geklemd en haar blonde haar viel in lokken langs haar benen. Af en toe schokte haar lichaam. Gale probeerde haar niet nog eens aan te raken.

Toen Sill uiteindelijk opkeek, lag er een vochtig waas over haar gezicht, maar de tranen waren verdwenen.

'Ik ben weer in orde,' zei ze op vlakke toon. 'Ik wil me graag aankleden.'

'Hoor eens, waarom blijf je niet gewoon...'

'Ik ben oké.' Sills stem trilde maar klonk tegelijkertijd vastbesloten. 'Heb je iets wat ik aan kan trekken?'

Haar lippen vormden een dunne, rechte lijn en haar ogen stonden hard als knikkers. Er had een soort resoluutheid ingezet, maar of die haar verdriet moest camoufleren of dat die afkomstig was van haar plichtsbesef als nabestaande, kon Gale niet zeggen. En ze was niet van plan ernaar te raden.

Gale kwam overeind. 'Zoek maar wat uit in mijn kast,' zei ze. 'En roep maar als je me nodig hebt.'

Ze liep de kamer uit en trok de deur achter zich dicht. Ella's stem kwam over de trap omhoog. 'Alma, waarom zet je die bonen niet meteen in de keuken? Er is daar meer ruimte op het aanrecht dan hier in de eetkamer, en deze oude tafel kan niet zo goed tegen warme pannen: dan komen er witte kringen in de lak...'

Gale haastte zich de trap af. Ella, die gekleed was in een zwart linnen mantelpakje, stond voor de deur van de eetkamer en blokkeerde de ingang als een wachtpost.

'Dot, als jij nu naar de keuken gaat en de organisatie op je neemt, dat je alles netjes sorteert en zo. Borden en bestek pakken jullie zelf maar. Jullie kunnen in de eetkamer komen eten, dat is in orde, zolang jullie die warme schalen maar niet op de tafel zetten. BethAnn...'

Het verdelen van de taken ging door. Toen Gale onder aan de trap kwam, vond Ella een opening in de rij en liep ze de hal door. Ondanks de zorgvuldig aangebrachte make-up en poeder zag haar huid er bleek uit. Ella pakte haar kleindochter bij de elleboog en leidde haar weg uit de drukte.

'Hoe is het met Sill?'

Gale maakte haar arm rustig los uit Ella's greep. 'Redelijk oké. Ze is zich aan het aankleden. Ze zei dat ze zo naar beneden zou komen. Is Katie Pru nog steeds bij Maralyn?'

Ella knikte in de richting van de woonkamer. 'Ik zag die twee daar net achter elkaar aan naar binnen rennen. Het is goed dat Katie Pru hier is. Dat geeft de mensen iets anders om over te praten dan alleen het voor de hand liggende.'

Ze ging dichter bij Gale staan; haar adem rook naar koffie. 'Zilah was hier zonet. Ze heeft een brief voor je. Maar eerst, liefje, moet je iets voor me doen. Ryan Teller is in de studeerkamer. Hij wil met Cammy en Sill "praten". Tegen ze zeuren, zal het wel worden. Ik heb hem in de studeerkamer gelaten omdat hij een plek wilde waar hij rustig kon bidden. Waarom ga je hem niet even gezelschap houden?'

Gale huiverde. 'Ik alleen met Kid Pulpit? Nee, dank je. Ik ga Maralyn wel zoeken. Die is beter in dat soort dingen.'

Ella's nagels drongen in Gale's elleboog.

'Maralyn is bezig,' zei ze kalm. 'Ga nu maar naar de studeerkamer en hou die man gezelschap. Ik wil niet dat hij in huis gaat lopen rondsnuffelen.'

Ze nam Gale's huid stevig tussen haar nagels, draaide die met een ruk om en weg was ze, de hal in verdwenen, waar ze haar hand uitstak en met een lief stemmetje zei: 'Dorothy, ik had niet verwacht dat je zou komen, niet nu Joe zo ziek is...' Gale wreef over haar elleboog. Zelfs voor Ella was dit gedrag vreemd. Ze wierp nog een laatste blik op haar grootmoeder en liep de dwergengang naar de studeerkamer in. Het flauwe ochtendlicht drong nauwelijks door de vitrage en al helemaal niet door het geëtste glas van de raampjes langs het plafond. Niet dat het te donker was om iets te kunnen zien. Ryan Teller lag languit in een leunstoel, met zijn modderige schoenen op haar bureau. Geopend op zijn schoot lag een van haar boekjes met aantekeningen. Gale bleef in de deuropening staan met haar hand op de deurknop en staarde hem enige tijd aan voordat ze met haar voet de deur dichtschoof.

'O.' Geschrokken zette Teller zijn voeten op de grond en hij gooide het notitieboekje op het bureau. 'Ik besefte niet dat hier iemand was.' Hij richtte zich op en met zijn kaki kleding en gebruinde huid tegen de grasgroene bekleding van de leunstoel zag hij eruit als een bidsprinkhaan die van een blad springt. Hij nam zijn bijbel in de linkerhand en stak zijn rechter naar haar uit.

'Het spijt me.' Hij gebaarde met zijn hoofd naar het notitieboekje. 'Ik zag het op het bureau liggen en kon me niet beheersen.' Hij pakte haar hand vast en kneep erin. 'Jij moet Gale zijn. Ik heb je hier al eens eerder gezien. Ik wil al heel lang eens met je praten.'

'O ja?'

Zijn hand was vochtig. Ze boog haar vingers, als een subtiele hint om haar hand los te laten, maar hij verstevigde zijn greep.

'Ja, nou, ik herkende jou ook meteen,' zei Gale, en ze keek naar haar notitieboekje. 'Het is maar goed dat je geestelijke bent, want als je iets anders was geweest, had ik je misschien moeten slaan. Ik hou er niet van als mensen in mijn documenten snuffelen.'

'Documenten?' Hij liet een zacht gelach horen. 'Je kunt een notitieboekje nauwelijks documenten noemen. Als je documenten wilt zien, dan moet je een keer naar de pastorie komen.'

Haar hoofd reikte tot halverwege zijn borstkas. Zijn bovenste knoopje was los en er krulden kleine blonde haartjes over de stof van zijn overhemd heen. Hij verspreidde een zoete geur. Zijn huid had een onnatuurlijk bruine tint en zijn hand om de hare voelde onaangenaam warm aan. Zijn hazelnootbruine ogen keken haar een ogenblik strak aan voordat er een medelevende blik in verscheen.
'Het spijt me zo, Gale. Martin was een uniek en bijzonder mens. Ik beschouwde hem als mijn vriend.'
Gale klopte met haar vrije hand op de zijne en maakte zich voorzichtig los uit zijn greep. 'Dank je, Ryan. Het doet me plezier dat te horen.'
'Je moet erg van streek zijn.'
'Het is voor iedereen moeilijk.'
Hij zuchtte. 'Je mocht hem niet, hè?'
De uitdrukking op zijn gezicht was bijna vriendelijk te noemen. Hij drukte de bijbel tegen zijn borst en roffelde zachtjes met zijn vingers op de zwarte leren omslag.
'Waarom zeg je dat?'
Toen hij glimlachte, verschenen er lachrimpeltjes naast zijn ogen en een rimpel in zijn neus, alsof er een snee in zat, maar in zijn ogen was geen enkele emotie te zien.
'Hoor eens, Gale, ik weet dat je een ontwikkelde vrouw bent. Niet zoals de meeste mensen hier. Wij kunnen wel eens wat naïef zijn. Martin heeft me een keer verteld dat je een grote invloed had op Sill in haar jeugd, en dat hij de indruk had dat je niets om hem gaf. Maar ik kan best begrijpen dat een vrouw als jij moeite had met een man als hij.'
Gale beet op haar wang. 'Hoe dat zo?'
Hij tikte zachtjes op zijn lippen met de hoek van zijn bijbel. 'Toen ik hier zat te wachten, heb ik enkele van je commentaren in je notitieboekje gelezen. Ik schat je in als een historische revisionist.'
'Een interessante manier om het te formuleren.'
'O, ik bedoel er niets mee. Maar het valt me op dat je in je werk naar mijn idee gebruikmaakt van een revisionistische benadering.' Hij pakte haar notitieboekje weer op. 'Luister naar het volgende. "Vergelijk de werkdagen van de lokale plattelandsmannen en -vrouwen rond de eeuwwisseling. Kijk

naar de beschikbaarheid van artsen en tandartsen in Morgan County tot aan 1930. Ga de levensverwachting na van de zuidelijke plattelandsvrouw van 1900 tot 1930."' Hij prikte met zijn wijsvinger in het midden van de bladzijde. '"Doe opnieuw onderzoek naar het in die tijd standhoudende geloof in de superioriteit van het zuidelijke matriarchaat." Nou, dat vind ík dus heel interessant.'

Gale sloeg haar armen over elkaar. 'Waarom?'

Teller deed het notitieboekje dicht en drukte er aan weerszijden zijn handen plat tegenaan. 'Noem me maar een seksist, maar ik denk dat het matriarchaat nog steeds springlevend is. Het heeft nu alleen een andere naam: het feminisme.'

Gale keek omlaag naar Tellers zwarte loafers, die vol rode modder zaten. Ze duwde haar vuisten in de zakken van haar rok en liep naar de deur.

'Weet je wat, Ryan? Ik vind dit echt geen moment om dit soort zaken te bespreken. De familie heeft net een tragedie doorgemaakt, en...'

'Niet je eerste tragedie, is het wel, Gale?'

Ze bleef staan en draaide zich om naar Teller. 'En dat betekent?'

Ryan haalde zijn schouders op. 'Alleen maar wat geruchten die ik heb gehoord.'

'Oké, je hebt gelijk, Ryan. Dit is niet mijn eerste tragedie. Ik weet hoe feiten in een kleine stad soms verdraaid kunnen worden, dus hier is het verhaal, kort en duidelijk. Mijn echtgenoot heeft in Engeland een jurist vermoord. De politie geloofde dat hij ook deel uitmaakte van een terroristische groepering. Hij heeft zelfmoord gepleegd voordat ze hem konden arresteren. Dat is alles wat je hoeft te weten.'

'En jij wist daar niets van?' vroeg hij zacht.

'Ik wist niets. Maar men heeft me heel duidelijk gemaakt dat onwetendheid geen excuus is. En dat is alles wat ik erover wil zeggen.'

'Je had de tijd moeten nemen om Martin beter te leren kennen.'

'Waar wil je naartoe, Ryan?'

Hij drukte haar notitieboekje tegen zijn borst. 'Martin was de meest oprechte man die ik ooit heb ontmoet. Hij had een

111

gave. Je zette hem voor een massa mensen neer en ze gingen voor hem door de knieën. Hij besefte dat zelf niet, maar ík zag het. "Laat de Heer de mensen tot je brengen, Martin," zei ik tegen hem, "en jij kunt ze naar de waarheid leiden."'

In een poging enige koelte te bewaren in het drukbevolkte huis had Ella de airconditioning op volle kracht gezet. Gale kon de koude lucht die over de vloer van de studeerkamer werd geblazen op haar benen voelen. Maar Tellers gebruinde gezicht zat vol zweetdruppeltjes en onder zijn blonde krullen was zijn huid donker en vettig van het vocht.

'Je had wat meer tijd met hem moeten doorbrengen, Gale,' zei hij. 'Hij had jou ook de weg kunnen wijzen.'

Gale duwde haar gebalde vuisten zo diep mogelijk in de zakken van haar rok. 'Oké, Ryan,' zei ze. 'Ik zal eerlijk tegen je zijn. Martin behoorde niet tot het type man op wie ik bijzonder dol ben. Hij jaagde te veel, hij praatte te veel en hij bad te veel. Hij hield van zijn gezin en deed alles om hen te steunen. Maar hij was ronduit hard voor Sill en Cammy. Daar bestaat geen enkele twijfel over.'

'Soms is dat wat God van een vader en echtgenoot vraagt.'

'Dat geloof je zelf niet.'

Hij hield haar zijn bijbel voor. 'Gale, heb je de behoefte om te bidden?'

Ze keek naar het donkere boek en richtte haar blik toen op zijn gezicht.

'Ik weet niet of jij wel de man bent met wie ik zou willen bidden.'

Teller gooide zijn hoofd achterover en lachte. Het was een vettig geluid dat nog holler werd gemaakt door de beperkte afmetingen van de kamer.

'Martin zei al dat je een geval apart was. Ik weet nu waar hij het over had.' Hij raakte even haar bovenarm aan. 'Vat wat ik zei niet te persoonlijk op. Een man sterft en dat zet je gewoon aan het denken. Martin maakte zich veel zorgen over Sill, over haar vrienden, de mensen naar wie ze luisterde. Hij zei dat ze zich had afgekeerd van het Woord. Ik probeerde alleen te weten te komen met wie ik te maken had.' Er verscheen een quasi-beschaamde glimlach op zijn gezicht. 'Ik neem aan dat ik daarvoor een gepaster moment had moeten uitkiezen. Maar jouw notitieboekje stimuleerde mijn hersenen, dat is alles.'

Gale sloeg haar armen over elkaar. 'Nou, we zitten hier met een huis vol mensen, Ryan. Ik laat je hier achter en ga kijken of ik ze ergens mee kan helpen.'

'Natuurlijk. Als Sill beneden komt...'

Gale liep naar het bureau, pakte haar notitieboekje en liep de studeerkamer uit zonder te wachten op zijn reactie. Ze kwam bij de trap. De hal was nog steeds vol bezoekers. Sommigen zaten in groepjes bijeen op de traptreden, anderen stonden ongemakkelijk bij de muren, omdat de vissen het hen onmogelijk maakten om ertegenaan te leunen. Vanaf de andere kant van de hal klonk een krassende stem uit de eetkamer.

'Linnie Cane was de onvriendelijkste vrouw van heel Calwyn County. Ze hing zichzelf liever op dan dat ze iemand goedemorgen wenste.'

Gale keek door de open deuren de eetkamer in. Deak Motts zat aan tafel met een leeg bord voor zich en werd omringd door een zestal vrouwen die ongeïnteresseerd in hun eten zaten te prikken. Deak zwaaide met zijn vork in de lucht terwijl hij sprak.

'Die middag waste ze het gezicht en de handen van haar vijf jaar oude zoontje, ze trok hem zijn mooiste kleren aan en sloot hem op in zijn kamertje. Daarna ging ze naar de schuur, pakte een stuk stevig touw en zette een krukje onder de grootste pecannotenboom. Ze slingerde het touw over de onderste tak, ging op die kruk staan...'

Gale greep de onderkant van de trapleuning vast en werkte zich door de massa naar boven. Rouwenden met volle monden maakten meelevende geluiden toen ze hen passeerde.

Jezus Christus, dacht ze. In de Alden-familie was de dood een soort kijksport geworden.

'Kom hier bij me zitten, Katie Pru. Ik doe de deur dicht, zie je? Nu is al het lawaai weg en hebben we hier een beetje rust. Je mama zegt dat je dit een leuk boek vindt. Kom hier naast me op de bank zitten, dan zal ik je voorlezen.'

Katie Pru kneep haar ogen stijf dicht en legde haar wang op

het glazen blad van de salontafel. Ze wilde niet naast tante Maralyn zitten. Ze wilde niet luisteren naar het geknisper van tante Maralyns gele haar, die stijve krullen, als van een pop, of te dicht in de buurt komen van haar vingers, die naar ziekenhuizen roken. En ze wilde ook niet te dicht bij tante Maralyns poeder komen, die haar neus deed kriebelen en haar ogen deed wateren. Maar wat haar vooral niet beviel was de manier waarop tante Maralyn voorlas.

'Nu, kom hier zitten, Katie Pru. Ik weet dat je van sprookjes houdt. Je moeder hield vroeger ook van sprookjes. Kom naast me zitten, dan zal ik je vertellen over een grappig, klein mannetje.'

Katie Pru tilde haar hoofd precies genoeg op om het boek op de zitting van de bank te kunnen zien. Het was *Repelsteeltje*, haar favoriete boek. Als haar moeder het aan haar voorlas, dan kropen ze lekker tegen elkaar aan in het grote bed, met de dekens over zich heen. En als haar moeder dan even pauzeerde, dan schreeuwde Katie Pru de namen uit – Marsepein! Rimpelneusje! – en voelde ze zich gelukkig omdat ze op hetzelfde moment warm, veilig en moedig was.

Ze duwde haar hoofd weer tussen haar armen. 'Jij kunt dat boek niet voorlezen,' zei ze. 'Alleen mama kan dat. Zij kent de woorden.'

Tante Maralyn lachte. Haar haar knisperde. 'Ach-gut-ach-gut,' zei ze. 'Er is niets op deze wereld dat jouw moeder wel kan lezen en ik niet. Waar haal je die rare ideeën vandaan? Nou, kom hier, Katie Pru. Je maakt het glas van die tafel vies en ik kan je onderbroek zien. Ik weet dat je geen nukkig kind wilt zijn.'

Katie Pru wiegde haar bips heen en weer. Ze wilde wél een nukkig kind zijn. Met haar hoofd nog steeds naar beneden kroop ze om de tafel heen totdat tante Maralyn haar achterkant niet meer kon zien. Toen maakte ze heel voorzichtig, zodat tante Maralyn het niet zou zien, haar hoofd los uit haar armen en drukte ze haar neus tegen het glazen blad van de salontafel.

Zo bleef ze lange tijd zitten, want ze wist uit ervaring dat volwassenen er algauw genoeg van zouden krijgen en dan had zij gewonnen. Met haar hoofd boven de tafel luisterde ze naar tante Maralyns gezucht en het geknisper van haar haar, en genoot ze van de koelte van het glas tegen haar neus. En ja hoor, daar hoorde ze de bank kraken en het geruis van kleding. Tante Maralyn gaf het op. 'Goed dan, juffie,' zei ze. 'Ik ben te moe om ruzie te maken. Als jij geen boek wilt lezen, wil ik ook geen boek lezen. Ik ga kijken hoe het met je nicht Cammy is.' 'Mij best,' antwoordde Katie Pru, met haar lippen op het glas. 'Ik wil naar de plaatjes kijken.' Ze hoorde de plof van het boek dat naast haar hoofd werd neergelegd. 'Ga je gang. Ik zal tegen je moeder zeggen dat je hier bent.' Katie Pru wachtte totdat het stil was in de kamer en keek toen op. Ze was alleen met de foto's, zoals ze al vanaf het begin had willen zijn. Ze zette haar ellebogen op het tafelblad, legde haar kin op haar hand en duwde het boek weg.

Het was de jakkuwaar die haar over de foto's had verteld, kort nadat zij en haar moeder hier waren aangekomen. Oma Ella had de woonkamer tot streng verboden terrein verklaard, maar de jakkuwaar had gezegd dat het niet erg was. Op een ochtend, toen haar moeder aan het telefoneren was, was Katie Pru naar de woonkamer geslopen. Ze was de kamer binnengegaan, zo geruisloos als de jakkuwaar, en had haar hoofd van de ene kant naar de andere gedraaid, zoals hij ook gedaan zou hebben. Eerst wist ze niet wat hij haar wilde laten zien. De kamer had alleen maar kil en chic geleken, vol krullerig meubilair met gele bekleding. Ze sloop langs de lange, perzikkleurige gordijnen die tot op de grond reikten, en rook de citroengele armleuningen van de grote stoel. En toen zag ze het: de ronde tafel die voor de bank stond, met de honderden gezichten, allemaal in zwart-wit, die haar vanonder het glazen blad aanstaarden. Jongens in overalls en met vieze petten op hun hoofd, meisjes met lang krulhaar en grote schoenen. Sommige kinderen zagen eruit alsof ze tijdens het buiten spelen waren betrapt: ze stonden grijnzend naast hun fietsen of onder grote bomen vol bladeren. Maar de meeste kinderen hadden hun zondagse kleren aan en stonden met ongelukkige gezichten voor volwassenen, die haar ernstig aankeken.

Later had ze haar moeder naar de foto's gevraagd en waren ze samen naar de kamer gegaan.

'Deze mensen,' had haar moeder uitgelegd, 'waren oma Ella's familieleden en vrienden van lang geleden. Sommigen waren zelfs familie van háár moeder. Oma Ella heeft deze foto's onder het glas gestopt om ze te bewaren.'

Katie Pru wees naar een foto van een klein meisje dat op het strand speelde. 'Kijk! Dat ben ik!'

Haar moeder lachte zacht. 'Nee, schat. Dat is een foto van míjn moeder toen ze ongeveer zo oud was als jij. Maar ze lijkt veel op je, vind je niet?'

Katie Pru ging met haar nagel langs de omtrek van het gezicht van het meisje, toen naar beneden naar de onderkant van haar badpak en ten slotte weer naar boven, naar het korte, donkere haar. 'Waar woont ze nu?' vroeg ze.

Haar moeder, die op de bank zat, kruiste haar armen voor haar borst en fronste haar wenkbrauwen. Het was geen boze frons, maar het soort dat ze op haar gezicht kreeg als ze nadacht. Ze wiegde zwijgend heen en weer, en even dacht Katie Pru dat ze haar niet had gehoord.

'Woont ze op het strand?'

Haar moeder schudde haar hoofd. 'Ze leeft niet meer, Katie Pru,' zei ze. 'Ze is gestorven toen ik nog heel jong was. Oma Ella heeft voor me gezorgd tot ik groot was.'

Katie Pru had snel naar een andere foto gewezen, want ze wilde ineens niet meer naar het kleine meisje kijken.

Nu echter wreef ze met haar vingertop over het glas en poetste ze de vegen weg die de foto van het meisje bedekten. Vaak, als haar moeder bezig was, sloop ze naar de woonkamer om naar de foto van het meisje te kijken. Ze had het nooit aan iemand verteld, maar die foto maakte haar een beetje bang. Begraafplaatsen waren plekken voor mensen die heel oud of heel ziek waren geweest. Ze wist dat omdat haar moeder haar een keer had meegenomen naar het graf van haar vader. Het was daar niet eng en het deed geen pijn als ze aan haar vader dacht, omdat hij was gestorven voordat zij was geboren. Maar als ze dacht aan dit kleine meisje dat haar moeders moeder was, deed dat wel pijn. Moeders en kleine meisjes hoorden niet dood te gaan.

116

Ze zette haar duim op het gezicht van het meisje. Toen ze hem weer weghaalde, stond er een mooie duimafdruk op het glas. Nu had ze haar vies gemaakt en moest ze haar weer schoonmaken. Ze liet haar tong door haar mond gaan, boog zich over de foto en spuugde erop.

'Wat doe jij hier?'

Met een ruk keek ze op. Het was een mannenstem, maar er was geen man in de kamer. Ze keek door de open deur de gang in, maar ze kon niemand zien.

'Ik hoor hier te zijn. Ik behoor tot de nabestaanden.'

Tante Maralyns stem klonk raar, net zo raar als toen Katie Pru haar tas vol pindakaas had gesmeerd. Boos, maar te bang om te schreeuwen.

De man was ook te bang om te schreeuwen.

'Wat mag dat dan wel betekenen?'

Tante Maralyns gelach klonk als het geblaf van een hond.

'Dat wist je niet? Wou je me verdomme wijsmaken dat je gisteravond niet wist wie ik was? Nou, Martin heeft wel een paar zaken voor je achtergehouden.'

'Je bent een moordenares.'

'O nee. Ik blijf alleen uit de buurt van schorem als jij...'

'Je bent een moordenares,' herhaalde de man. 'Voel je de behoefte om te bidden?'

In het spuug op het gezicht van het meisje zaten kleine luchtbelletjes. Voorzichtig zette Katie Pru haar vinger er middenin en maakte ze er een rondje van.

'Bidden met iemand als jij? Ik dank je feestelijk. Ik zou niet willen dat God dacht dat ik me met zulk slecht gezelschap ophield.'

De kring van spuug werd groter en groter totdat hij het hele lichaam van het meisje bedekte. Katie Pru drukte haar hand erop en zag haar niet meer. Ze begreep niet waarom tante Maralyn zo boos was, maar ze nam aan dat haar tante spuug niet minder erg zou vinden dan pindakaas.

9

Nee.

Malcolm Hinsons reactie als men hem vroeg of hij Linnie Cane wel
eens zag rondhangen in de buurt van zijn fotostudio.

Alby Truitt zat ongemakkelijk op Zilah Greene's bruine, gebloemde bank en hield een bord met een grote berg salade in
evenwicht op zijn knie. Voorzichtig stak hij zijn vork in de
zijkant van de berg en trok er een met mayonaise bedekt
blaadje sla uit. Johnny Bingham kon zeggen wat hij wilde
over het niet bij iedereen geliefd zijn van sheriffs. Truitt had
in het afgelopen jaar één ding geleerd: dat sheriffs en dominees in de ogen van kleine, oude dametjes altijd ondervoed
waren.
Aan de overzijde van de esdoornhouten salontafel zat Zilah
in een doorgezakte leunstoel. Terwijl hij at, flitste haar blik
voortdurend heen en weer van zijn hand naar zijn mond.
Haar handen lagen in haar schoot en plukten aan een papieren zakdoekje. De snippers papier dwarrelden als sneeuw-
vlokken neer op haar gebloemde katoenen jurk. Om haar
linkerpols zat een schoon verband.
Hij stak zijn vork weer in een blaadje sla en glimlachte naar
haar.
'Dit is echt heerlijk, mevrouw Greene,' zei hij. 'U doet me
hier een groot plezier mee. Ik heb niet ontbeten vanochtend.'
Ze beantwoordde zijn glimlach. 'Nou, hij was niet zo moeilijk te maken,' zei ze. 'Ik had hem naar de Aldens willen
brengen, maar Ella zei dat ze niets nodig hadden.'
Truitt knikte en schoof een hapje erwten en kaas in zijn
mond. Hij twijfelde er geen seconde aan dat het waar was.
Nadat hij bij de drugstore was weggereden, had hij moeten
aansluiten achter de karavaan die op weg was naar het huis
van de Aldens. Hij had zijn Dodge moeten parkeren tussen

een witte Ford pick-up en een armzalig dennenboompje. Binnen een paar minuten waren er nog eens twintig auto's de oprit opgereden en langs het draadhek gestopt. Hij had over de bumper van een minibusje vol deuken moeten klimmen om bij de poort te komen. Truitt trok zijn servet onder zijn bord vandaan en veegde zijn mond af. 'Hoe heeft u zich bezeerd, mevrouw Greene?' Ze keek naar haar hand en maakte een wegwerpgebaar. 'Ach, dat stelt niets voor. Ik kreeg het hek niet open, dat is alles. De sluiting is kapot. Barry zou hem maken, maar hij had nooit tijd. Maar Ella heeft me heel goed verbonden.' 'Treurige zaak, daar,' zei hij. 'Ja,' antwoordde ze. 'We hebben zoveel aan Martin te danken.' 'Hoe dat zo?' Ze keek hem verbaasd aan. 'Nou, we zouden het nooit hebben gered zonder hem. Ik herinner me het jaar dat Barry thuiskwam en zei: "Het is gebeurd, Zilah. Ik ga die winkel sluiten, want hij levert geen cent op." Ik zei: "Dat kun je niet doen. We hebben niets anders." En toen zei hij: "Nou, dan zullen we het huis moeten verkopen en naar Atlanta gaan." Ik was zo bang. Ik wilde mijn huis niet achterlaten. Mijn vader heeft dit huis gebouwd.' De oude angst werd weer zichtbaar in haar ogen. Haar handen, waarvan de lichtblauwe aderen zichtbaar onder de huid lagen, trilden. Truitt zette zijn bord voorzichtig op de salontafel. Hij had de Greenes nooit erg goed gekend: de eigenaar van de ijzerwinkel en zijn muisachtige vrouw waren heel onopvallende figuren geweest op de jaarmarkten en kerkfeesten. Net zo onopvallend, dacht Truitt, als Martin en Cammy zouden zijn geweest als die barbecue geen eigen leven was gaan leiden. 'Het is een mooi huis, mevrouw Greene,' zei hij zacht. 'Ik ben blij dat alles voor u op zijn pootjes terecht is gekomen.' 'Dat is het zeker. Toen de mensen naar de barbecue begonnen te komen, was het net alsof de hele streek wakker werd geschud en iedereen zich weer herinnerde waar Statlers Cross lag. De mensen kwamen van heinde en verre naar onze ijzerwinkel. Ik heb een groot respect voor Martin Cane.'

'U was gisteren op de barbecue, nietwaar, mevrouw Greene?'
Haar vingers gingen naar het bergje papiersnippers op haar
schoot.
'Natuurlijk was ik er. Ik ging er altijd heen, zelfs vorig jaar,
toen Barry zo ziek was. Ik wilde hier bij hem blijven, maar
hij zei: nee, ik moest gaan, al was het alleen maar om onze
dankbaarheid te tonen.'
Truitt veegde met het servet over zijn mond, vouwde het op
en schoof het onder zijn bord. 'Weet u, mevrouw Greene, ik
moet Martins dood onderzoeken. De lijkschouwer schrijft
zijn rapport en dan moet ik zeggen wat ik denk dat er is gebeurd.'
'Dat weet ik,' zei ze.
'Dus moet ik er ook met u over praten. Ik heb mijn brigadier
vanochtend gesproken, maar kon nergens vinden of een van
mijn mannen al met u had gepraat.'
Ze speelde met de papiersnippers. 'Ik ben naar huis gegaan
voordat jullie hier waren.'
Truitt deed alsof hij verbaasd was. 'Waarom?'
'Ik was moe. En ik hoefde daar niet meer te zijn. Ik had niets
gezien.'
'Maar u begrijpt dat ik u toch een paar vragen moet stellen?'
'Ja, meneer.'
Hij haalde zijn notitieboekje uit zijn zak. 'Dit hoeft maar een
paar minuten te duren, mevrouw Greene. Kunt u me zeggen
waar u was toen het geweer afging?'
'Op de veranda aan de voorkant. Op de schommel.'
Truitt glimlachte. 'Ik heb Martin nog geholpen met het op-
hangen van die schommel. Het was een verjaardagscadeau
voor Cammy. Was u daar al lang toen u het schot hoor-
de?'
'Dat weet ik niet. Ik had niet echt honger: ik heb de laatste
tijd helemaal niet veel trek, en soms doet de aanblik van eten
me geen goed.'
'Dus u bent op de schommel gaan zitten totdat u zich beter
voelde?'
'Ja.'
'Kunt u zich herinneren of de voordeur open was?'
'Ik weet het niet. Ik geloof het niet.'

'Hoorde u geluiden uit het huis komen: pratende mensen, of voetstappen misschien?'
Ze pakte een papiersnipper uit het bergje en draaide er met duim en wijsvinger een balletje van. 'Nee, dat geloof ik niet.' Truitt streek met zijn vinger langs zijn wang. 'Ik moet ineens aan iets denken. Er is een raam bij die schommel, is het niet? Herinnert u zich of het openstond?'
Ze aarzelde. 'Dat weet ik niet meer.'
'Kwam er iemand de veranda op toen u daar zat?'
'Ja, meneer. Die piloot... meneer Robertson. Hij kwam het huis uit en vroeg of ik Martin had gezien.'
'En had u dat?'
Ze bleef enige tijd zwijgen, zat alleen maar kaarsrecht in haar stoel, met haar ogen dicht.
'Mevrouw Greene,' drong Truitt op vriendelijke toon aan, 'hebt u Martin gezien kort voordat het geweer afging?'
Haar ogen gingen weer open. 'Ik heb meneer Robertson verteld dat ik niet wist waar hij was.'
'Dat is geen antwoord op mijn vraag, mevrouw.'
'Nee. Ik heb hem niet gezien.'
'En na het schot? Hebt u na het schot iets gezien of gehoord?'
Ze stond op met een lenigheid die hem verbaasde. 'Ik heb u gezegd dat ik naar huis ben gegaan, meneer Truitt. U hoeft daar verder niets achter te zoeken.' Ze pakte zijn bord op. De restanten van de berg salade stortten in en de slablaadjes kwamen op de tafel terecht. 'Ik ga een glas ijsthee voor u halen,' mompelde ze. 'Blijft u hier maar even wachten.'
Ze verdween door een deur naar de achterkant van het huis. Truitt keek haar na met zijn notitieboekje in de hand. Toen liet hij dat op de bank vallen en terwijl hij een melodieloos deuntje floot, begon hij met zijn servet de gemorste salade bij elkaar te vegen. Vanuit de keuken klonk het geluid van een koelkast die dicht werd gedaan, een glas dat werd ingeschonken en het gekraak van ijsblokjes die uit het bakje werden gedrukt.
Hij voelde zich op een merkwaardige manier opgelucht. Zilah geloofde niet dat het een ongeluk was. Wat ze ook had gezien of gehoord op de veranda, ze was ervan overtuigd dat het van betekenis was.

Er werd hard op de hordeur getrommeld. Truitt draaide zich om en zag dat er ongeveer negentig centimeter van de onderkant een neus tegen het gaas werd geduwd.

'Als ik kinderklei was,' zei de neus, 'kon ik mezelf door deze gaatjes persen en lag ik nu als spaghetti op de grond.'

'Als jij kinderklei was,' antwoordde Truitt, 'dan kneedde ik een bal van je en plakte ik je op mijn voorhoofd.'

De neus giechelde en een kleine, roze tong probeerde zichzelf door de fijne mazen van het gaas te persen. Glimlachend liep Truitt naar de hordeur en deed hem open. Katie Pru Grayson, die een rood katoenen rugzakje om had, sprong achteruit en lachte naar hem.

'We komen een brief halen,' kondigde ze aan.

Vanaf de onderste trede van de veranda keek Gale hem verbaasd aan. 'Het spijt me, Alby. Ik wist niet dat Zilah bezoek had.'

De ochtendzon had de nevel verdampt en veroorzaakte een roze gloed op Gale's gezicht. Ondanks dat zag ze er koel uit; haar haar, met grijze strepen erin, was nonchalant achter haar oren geduwd en onder haar rok zag hij een paar blote benen die eindigden in opgerolde sportsokken en witte tennisschoenen.

'Geen probleem. Ik stond op het punt om weg te gaan.' Hij liep de veranda op en knikte naar het Alden-huis. 'Het is goed om te zien dat zoveel mensen hun medeleven betuigen.'

'En het ziet ernaar uit dat ze daar voorlopig nog niet mee klaar zijn.' Ze knipoogde naar Katie Pru, die van de veranda was gesprongen en rondjes rende in het hoge gras. 'We moesten er even tussenuit. We zijn er niet aan gewend om door horden mensen in onze tere wangetjes te worden geknepen.'

'Wie wel? Hoe gaat het met Cammy en Sill?'

Toen de hordeur piepte, draaide Truitt zich om en zag hij Zilah achteruitlopend de veranda op komen met een blad vol glazen in haar handen. Hij liep naar haar toe. 'Wacht, mevrouw Greene, laat mij...'

'Uit de weg jij, het lukt me wel.' Het ijs in de amberkleurige drank rinkelde toen ze de treden van de veranda afdaalde. 'O, Gale,' zei ze hijgend. 'Ik ben zo blij dat je gekomen bent.'

Hier, ik heb thee voor jullie meegebracht. Ik zag jullie al aankomen door de zijtuin. Gaan jullie alsjeblieft zitten, dan kunnen we wat praten. Ik weet zeker dat zowel jullie als de sheriff iets koels te drinken lusten.'

Truitt pakte een glas en gaf het aan Gale, terwijl hij zich verwonderde over de verandering die Zilah had ondergaan. Een paar minuten geleden was ze nog angstig en aarzelend geweest, maar nu leek ze nerveus en – hij probeerde de emotie vast te stellen – vol verwachting, leek het wel.

'Ik kan niet lang blijven,' zei Gale tegen haar. 'Ella kan elk moment haar hoofd om de hoek van de deur steken om te zeggen dat ik thuis moet komen. Toch, Alby, als je slim bent, sla je geen glas ijsthee van Zilah Greene af.'

Truitt knipoogde naar haar en pakte een glas voor zichzelf. 'Het doet de goden huilen, is het niet?'

'Zo ongeveer.'

Zilah zette het blad neer op de vloer van de veranda. 'Hoor jullie toch eens. Kom, Gale, gaan jullie zitten.' In de tuin deed Katie Pru een soort halve radslagen in het gras. 'Denk je dat je kleine meisje ook een glas lust?'

'Ze vindt ons wel als dat zo is.' Gale ging op de onderste trede van de veranda zitten. 'Zilah, voordat ik het vergeet, Ella zei dat je een brief voor me had.'

'O, ja, ik heb hem hier.' Ze stak haar hand in de zak van haar rok en haalde er een gekreukelde envelop uit. Nadat ze hem zorgvuldig had gladgestreken, liet ze hem aan Truitt zien. 'Hij komt uit Engeland. Dat kun je aan de postzegel zien.'

In de tuin hield Katie Pru op met buitelen. 'Staat Space Lucy erop?' riep ze.

'Space Lucy was de speelgoeddinosaurus die Katie Pru vroeger had,' legde Gale aan Truitt uit. 'We hebben een vriend in Engeland die hem altijd op zijn brieven tekent.'

Zilah straalde. 'Goh, ja, Katie Pru, er staat een dinosaurus op! Ik dacht al dat het een geheime boodschap voor jou was!'

Katie Pru kwam naar het huis rennen, maar Gale pakte de envelop uit Zilahs hand en stak hem in de zak van haar rok. 'We lezen die brief later wel, K.P. Ga jij maar een beetje spelen en laat mij even praten.'

Katie Pru stoof weer weg en Zilah en Truitt gingen met hun thee ook op de treden van de veranda zitten.

'Ik ben zo blij dat je gekomen bent,' herhaalde Zilah. 'Dat is een van de ergste dingen van het weduwe zijn. Er is niemand in de buurt die voor een beetje afleiding zorgt. Je kunt je de raarste dingen in je hoofd halen. En dat is de reden dat ik met je moet praten, Gale.'

'Natuurlijk, Zilah. Wat is er?'

Zilah legde haar hand op Gale's knie en boog zich naar haar toe. 'Denk alsjeblieft niet dat ik gek ben. Weet je, soms kunnen oude mensen dingen zeggen en dan denken de mensen dat ze gek zijn.'

'Dat zal ik niet doen, Zilah. Nou, vertel me wat er aan de hand is.'

'Ik wil met je praten over Linnie.'

Gale's wenkbrauwen gingen omhoog. 'Linnie Cane?'

'Ja. Ella's tante Linnie. Weet je over wie ik het heb?'

In het midden van de tuin was Katie Pru op haar hurken gaan zitten, zodat alleen nog haar rode rugzakje boven het gras te zien was.

'Natuurlijk,' zei Gale. 'Waarom wil je over haar praten?'

Zilah liet een kort, gespannen lachje horen. 'Nou, geloof het of niet, maar ik heb haar de afgelopen nacht gezien, of over haar gedroomd. Barry zei altijd tegen me dat dromen niets te betekenen hebben, maar ik denk dat hij het mis had. Ik denk dat ze heel veel betekenen.'

'Nou, dat denk ik ook,' zei Gale. 'Ze kunnen ons in elk geval laten weten wat ons dwarszit.' Ze zweeg even en streek met haar vinger langs de condens die zich op haar glas begon te vormen voordat ze Zilah bemoedigend toelachte. 'Dus Linnie kwam je lastigvallen?'

Katie Pru stond op en worstelde zich uit de banden van haar rugzak. Truitt zag haar mond bewegen maar hij hoorde geen geluid. Ze wierp haar rugzak hoog in de lucht en deed een paar reuzenpassen in de richting van het hek.

'Geloof je in bezoekers uit het dodenrijk?'

Zilah zei het op serieuze toon en hoewel ze Truitts belangstelling wekte, bleef hij haar met een neutrale blik aankijken. Gale slaagde daar minder goed in.

'Bezoekers uit het dodenrijk? Nou, nee, Zilah. Ik denk wel dat de doden zich in onze hoofden kunnen dringen zodat we denken dat...'

In de tuin had het meisje de rugzak weer opgepakt en deze keer dacht Truitt dat hij haar een liedje hoorde zingen, hoewel hij het wijsje en de woorden niet herkende. Opnieuw hurkte ze neer in het gras, sprong overeind, gooide de rugzak in de lucht en rende in grote sprongen naar het hek. Truitt stond op en liep weg bij de veranda, in de hoop dat zijn afwezigheid Zilah zou aanmoedigen om openlijk met Gale te praten. Geestverschijningen. Jezus, hij hoopte dat de oude vrouw niet seniel aan het worden was. Als ze inderdaad iets had gezien bij Martin, dan was het voor hem wel belangrijk dat ze bij zinnen was.

'Ik neem aan dat je gelijk hebt,' zei Zilah tegen Gale. 'Ik heb de laatste tijd veel aan haar gedacht, dat is alles. Weet je, ze was een beeldschone vrouw; lang, met een fijne botstructuur, en heel gracieus als ze zich bewoog.'

'Ik heb nooit een foto van haar gezien,' zei Gale. 'Je moet een heel goed geheugen hebben. Je kunt niet ouder dan... wat?... zijn geweest toen ze stierf?'

'Ik ben geboren in 1924.'

'Zilah, Linnie stierf in 1925. Je kunt haar onmogelijk gekend hebben.' Gale's stem klonk rustig en vriendelijk, alsof ze tegen een verward kind sprak.

Katie Pru was aan haar derde ronde begonnen en hurkte weer neer in het gras. Truitt kon haar gezang nu duidelijker horen. Het was een merkwaardig wijsje dat eindigde in een luide kreun als ze haar rugzak in de lucht gooide.

'Je denkt dat ik een dwaze, oude vrouw ben, hè, Gale? Ik zie het aan de blik in je ogen. Je probeert vriendelijk te blijven, maar diep in je hart lach je me uit.'

'O nee, Zilah. Echt, zoiets zou ik je nooit aandoen.'

'Dat zou je wel. Net zoals iedereen doet als het om geesten gaat. Ze vertellen verhalen om anderen bang te maken, maar in feite willen ze alleen maar dat men erom lacht.'

Het was een warme lentedag...

Het verhaal doemde in één stuk op in Truitts geest, als een afgeronde herinnering.

... en iedereen in Statlers Cross maakte zich op voor de première van het eerste toneelstuk dat ooit in de stad was opgevoerd. De zaak was serieus aangepakt: het stuk was speciaal voor deze gelegenheid geschreven door een toneelschrijver die uit het noorden naar Statlers Cross was gekomen om hier van het goede leven te proeven. Een krant uit Atlanta zou er een verslag van schrijven en de mensen zouden overal vandaan komen om het te zien. En Linnie Glynn Cane speelde de vrouwelijke hoofdrol. Nu was Linnie Cane de onvriendelijkste vrouw van heel Calwyn County. Ze hing zich liever op dan dat ze iemand goedemorgen wenste. Om een uur of drie 's middags trok ze haar vijf jaar oude zoontje zijn mooiste kleren aan en sloot hem op in zijn kamertje. Ze ging naar de schuur, pakte een eind touw en een krukje en nam die mee naar de pecannotenboom die naast het huis stond. Ze slingerde het touw over een tak, klom op het krukje en legde de strop om haar nek. Sindsdien heeft ze rondgespookt in de stad, wat het ergste was voor het zoontje dat ze achterliet.

Zilah heeft het mis, dacht Truitt. Hij had nog nooit naar dat verhaal geluisterd en erom gelachen.
Hij was al een heel eind de tuin in gelopen. Het heldere gezang van het kleine meisje was nu duidelijk hoorbaar.

*Verstop je in huis, molenaarszoon, molenaarszoon,
zingen alle engelen.
Ren wat je kan, molenaarszoon, molenaarszoon,
naar de plek waar je kousen hangen.*

Bij het laatste woord slingerde Katie Pru haar rugzak in de lucht en begon ze haar reuzenpassen te nemen. Bij elke stap die ze telde, klonk haar stem hard genoeg om tot de veranda te reiken.
'Eén, twee...' De rugzak landde met een plof in het gras. Ka-

tie Pru draaide zich om naar haar moeder. 'Twee maar, mama.'

'Blijven proberen.' Gale hield haar hand boven haar ogen en grinnikte toen ze Truitts verbaasde blik zag. 'Een spelletje dat Sill en ik vroeger speelden. Je gooide iets in de lucht en keek hoe ver je kon komen voordat het de grond raakte. En bij elke volgende keer moest je harder gaan zingen.' Ze draaide zich om naar Zilah. 'Heb jij ons ooit gezien...?'

Ze zweeg. Zelfs vanaf de plek waar hij stond kon Truitt de schrik op Zilahs gezicht zien. Haar lippen waren strak op elkaar geperst en haar ogen werden groot.

Katie Pru's gezang klonk nu bijna als geschreeuw. 'Verstop je in huis, molenaarszoon, molenaarszoon...'

Zilah legde haar hand op Gale's arm. 'Je laat haar dat liedje zingen?'

'Waarom niet? Ken je dat liedje, Zilah?'

'Natuurlijk ken ik het. En jij kent het ook, Gale. Je weet waar het vandaan komt.'

'Het is alleen maar een liedje dat we zongen toen we klein waren. Ik kan me niet eens herinneren wie het ons geleerd heeft.'

Zilah staarde naar Katie Pru. 'Ze zingt de woorden verkeerd. Het is "verstop je in huis, weverszoon, weverszoon".'

Truitt voelde een huivering over zijn rug trekken. Naast hem wreef Gale geschrokken met haar handen over haar blote benen.

'Dat deden de mensen vroeger: zelf liedjes verzinnen om bepaalde dingen niet te vergeten. Ik weet nog dat mijn moeder ze aan de lopende band verzon en ze uitdeelde alsof het recepten waren. Over Mary Phagan, de *Titanic*, overal waren ballades voor. En deze, die hier in Statlers Cross thuishoorde. Maar het meisje zingt de woorden verkeerd.'

Een laag gezang kwam uit de keel van de oude vrouw.

Verstop je in huis, weverszoon, weverszoon,
zingen alle engelen.
Ren wat je kan, weverszoon, weverszoon,
Weg van de plek waar je moeder hangt.

'Wat vreselijk,' fluisterde Gale.

Zilah knikte. 'Maar het is eerder raar dan vreselijk. Gister-avond sterft Martin en ik zie miss Linnie. Jouw kleine meisje komt vandaag hiernaartoe om even aan al die rouwende mensen te ontkomen en ze zingt een liedje waar ik meer dan vijftig jaar niet aan heb gedacht.' Ze verstevigde haar greep om Gale's arm. Truitt zag de huid van de jonge vrouw wit worden.

'Jij begrijpt het, hè, Gale? Dingen gebeuren niet zomaar. Er is een reden voor. Mijn vader geloofde het niet, maar het is waar. Geesten lopen geruisloos omdat ze ons tot luisteren willen verleiden.'

10

Jeb zegt dat hij haar in het oude schoolgebouw zag, toen het in brand stond. Ze rende van het ene raam naar het andere. Dat houdt hij nu al vijftien jaar vol, en tot de dag van vandaag zweert hij dat zij het was. Kort nadat we ons diploma hadden gehaald, werd de school gesloten omdat er te weinig kinderen waren. Jeb heeft altijd vermoed dat Linnie de brand heeft aangestoken uit boosheid omdat iedereen wegtrok.

Olive Pirtle tegen haar vriendin Martha Prescot
tijdens een lunch in Atlanta, 1962

Met Katie Pru's handje in de hare liep Gale door Zilahs verwilderde tuin naar de poort in het verroeste hek. Achter hen stond Zilah nog steeds naast Truitt op de veranda en keek toe hoe de twee door het lange gras liepen. Bij het hek rommelde Gale aan de geïmproviseerde sluiting en opende ze de poort voor Katie Pru. Pas toen viel achter hen de hordeur met een klap dicht. Gale wachtte totdat Katie Pru door de achterdeur Ella's huis was binnengegaan voordat ze de sluiting van het hek weer vastmaakte. Ze begreep niet waarom Zilah haar zo van streek had gemaakt. Ze had al lang geleden de kunst leren beheersen van het luisteren – en bepalen wat onzin was en wat niet – als het om de kletspraat van oudere vrouwen ging. Dat zat een meisje uit het Zuiden nu eenmaal in het bloed en het was altijd een bruikbaar wapen geweest. Maar deze keer had dat wapen niet gewerkt. Ze keek nog een keer door het hek naar de blauwe planken van het huis, die eindigden in te lang gras en waar verwaarloosde azalea's tegenop groeiden. Ze dacht terug aan de verhalen die ze vroeger aan Sill had verteld: Linnie die schuren leegroofde, Linnie die danste op de daken van brandende stallen. Volksvertellingen, stuk voor stuk, doorgegeven door de ene generatie aan de volgende, en net zo geloofwaardig als de verhalen over blauwe koeien en cowboys die paardreden op tornado's. En allemaal gecreëerd rondom die ene lange vrouw met dat donkere haar, die over haar weefgetouw gebogen zat en een stof produceerde die zo fijn was, dat ze zich geroepen voelde om langs de spoorbaan te paraderen en de mensen uit te nodigen tot hun stomme geroddel. Gale wrong het hek op zijn plaats en draaide zich om. Verdomme, waarom zat die rare vrouw haar zo dwars?

'Kom op, mama. De jakkuwaar zegt dat je loopt te lanterfanten.'

Katie Pru hing haar rugzak om de nek van de jaguar en zette haar handen op haar heupen alsof ze haar moeder een standje wilde geven. De zon stond hoog aan de hemel en weerkaatste op de weinige auto's die nog op de oprit stonden. Tot haar genoegen zag Gale dat Ryan Tellers blauwe sedan weg was. Op zijn plek stond een zwarte, gestroomlijnde Jeep Cherokee met een Fulton County-nummerbord waarop TAXNSPND te lezen stond en een bumpersticker die meldde dat de eigenaar voor de overheid werkte en daar nog trots op was ook. Gale trok haar wenkbrauwen op toen ze erlangs liep. Er moesten belangrijke mensen uit de grote stad over de vloer zijn.

'Kom op, dametje,' zei ze tegen Katie Pru. 'Wie het eerst bij de achterveranda is.'

'Jakkuwaars houden niet van rennen. Die sluipen liever.'

'Goed dan. Wie het eerst naar de achterveranda is geslopen.'

Katie Pru liet haar tanden zien, kromde haar handen tot klauwen en kwam in trage reuzenpassen naar haar moeder toe lopen. Samen slopen ze langs de pecannotenboom naar de achterkant van het huis. Gale liet zich voorbijkruipen door Katie Pru, liep op haar tenen de treden van de achterveranda op en was tegelijk met haar dochter bij de achterdeur.

Uit het huis kwam Sills stem, die gespannen en hoog klonk.

'Je had hier niet naartoe moeten komen. Ik vind het ronduit stom dat je dat toch hebt gedaan.'

'Het zou pas stom zijn als ik weg was gebleven. Wat verwacht je nu van me? Dat ik naast de telefoon blijf zitten tot jij je eindelijk geroepen voelt om me te vertellen wat hier verdomme aan de hand is?'

Een zwaar voorwerp werd met een klap op het aanrecht gezet. Een harde straal water stroomde in de spoelbak en hield even plotseling weer op.

'Ik was van plan je te bellen als ik de kans kreeg,' zei Sill. 'Je had beter moeten weten dan hiernaartoe te komen.'

De stem van de andere vrouw klonk dieper en had een mooie klarinetklank.

'Kom nou, Sill. Ik wilde hier bij je zijn. Wat er ook aan de hand is, ik hoor bij je. Dat weet je.'

Katie Pru, die gehurkt naast haar moeders benen zat, liet plotseling een luid gegrom horen, sprong overeind en greep de knop van de keukendeur vast. Gale trok een gezicht en duwde de deur open om haar kind binnen te laten.

Sill stond bij het aanrecht, met een afkeurende trek op haar gezicht. Gale herkende de vrouw die naast de keukentafel stond als de wat kleinere vrouw met het donkere haar die ze op de barbecue had gezien.

Gale glimlachte verontschuldigend toen Katie Pru de keuken in rende. 'We kunnen maar een beperkt aantal uren per dag menselijk zijn. En we hebben ons vandaag zelfs beter moeten gedragen dan we gewend zijn.' Ze deed de deur achter zich dicht en liep naar de vrouw toe. 'Ik ben Gale, Sills nicht.'

De handdruk van de vrouw was stevig en haar huid was aangenaam droog, ondanks de luchtvochtigheid. Zelfs op haar hooggehakte sandalen stak ze maar een paar centimeter boven Gale uit. Ze droeg een zwarte linnen broek met scherpe vouwen over de hele lengte en daaroverheen een ruimvallend wit overhemd met een zwarte leren ceintuur om haar middel. Haar groene ogen achter haar bril met het blauwe montuur stonden helder en fris.

'Ik ben Faith Baskins,' zei ze ontspannen. 'We hebben elkaar vanochtend over de telefoon gesproken. Ik zou je niet hebben herkend uit Sills beschrijving, maar wel door je katachtige metgezel. Maar weinig vrouwen in deze streek worden vergezeld door een leeuw.' Ze bukte zich en krabde Katie Pru zachtjes op haar hoofd. 'Ik ben gek op leeuwen.'

Katie Pru tuitte haar lippen. 'Ik ben geen leeuw. Ik ben een

jakkuwaar. Leeuwen hebben veel te veel haar.' Ze keek argwanend naar Faiths donkere krullen. 'Je bent zelf een leeuw,' zei ze. 'Daarom vind je leeuwen leuk.'
Faith kwam lachend overeind. 'Nou, daar zit waarschijnlijk meer waarheid in dan ik durf toe te geven.' Ze draaide zich om naar Gale. 'Sill vertelde me net dat ik weg had moeten blijven. Ik hoop niet dat ik iemand in de problemen breng, maar ik had het gevoel dat ik hier hoorde te zijn.'
Gale liep naar de koelkast en deed hem open. Talloze glazen schalen en schotels, boven op elkaar en afgedekt met plasticfolie, stonden op de planken. Achter een grote schaal vruchtensalade stond een pakje druivensap, dat Gale pakte. 'Ik denk dat dat iets tussen jou en Sill is,' zei ze. 'Maar als ze jou nodig heeft, dan hoor je hier te zijn.'
'Ze heeft me nodig.'
'Ik kom net bij Zilah vandaan,' zei Gale. 'Alby Truitt was er ook, en ik denk dat hij zo meteen deze kant op komt.'
Sill draaide zich met een ruk om. 'Wat had hij met Zilah te bespreken?'
'Dat weet ik niet. Ik neem aan dat hij met iedereen praat die hier is geweest.'
Faith keek op. 'Wie is Alby Truitt?'
'De sheriff.' Gale scheurde het plastic zakje met het rietje los en opende het met haar tanden. 'Hoor eens, Sill,' zei ze zacht, 'hij doet alleen maar zijn werk. Er zal een soort onderzoek gedaan moeten worden. Waarschijnlijk heeft hij gisteravond geen kans gehad om met Zilah te praten.'
Faith begon verwoed de glazen van haar bril schoon te poetsen met de onderkant van haar overhemd. 'Dat zou kunnen. Hij zal waarschijnlijk ook met mij willen praten.'
'Hoezo? Je bent weggegaan voordat...'
'Ja, Sill, maar ik was hier. En je kunt niet zeggen dat niemand me gezien heeft.'
'Dit heeft niets met jou te maken, Faith.' Sill gaf een klap op het aanrecht. 'Zie je nou wel? Je had weg moeten blijven totdat ik je belde...'
'Sill!' Faiths stem klonk gebiedend. 'Rustig aan,' vervolgde ze op vriendelijker toon. 'Er is niets aan de hand. Je hebt gewoon wat rust nodig.'

Sill legde haar hoofd even op Faiths schouder en keek haar toen aan. 'Je hebt gelijk. Ik ben oké.'

'Hoor eens, je bent bezorgd en vermoeid. Als het je echt hindert dat ik hier ben, dan neem ik een kamer in een motel in Praterton. Dan zit ik vlakbij en kun je me bellen als je me nodig hebt.'

'Dat zou me wel een prettiger gevoel geven.'

'Goed dan. Geef me het telefoonboek en ik ben weg.'

Gale keek achterom naar Katie Pru, die gehurkt bij de deur zat en zachtjes blies naar een kevertje dat in een spinnenweb gevangen zat. Gale hield het pakje druivensap van zich af en duwde het rietje in het gaatje. Het sap spoot uit het pakje en droop van haar vingers op de vloer.

'O, verdorie,' zei ze. 'Typisch een mannenuitvinding. Iemand die vloeren dweilt zal zoiets nooit uitvinden.'

Met een kreet dook Katie Pru langs haar moeders benen en begon ze het gemorste sap van de vloer te likken Gale slocg haar arm om haar middel en zette haar overeind. 'Kathleen Prudence, je likt geen dingen van de vloer. God weet dat ongeveer alle schoenen van Statlers Cross vandaag over deze vloer hebben gelopen.'

'Maar ik wil mijn sap!'

'Je kunt het sap in het pakje krijgen.'

'Jakkuwaars drinken niet uit dozen...'

'Katie Pru...'

'Ik wil mijn sap! Laat me los!'

Met haar voet trok Gale een stoel weg bij de keukentafel en ze zette Katie Pru erop. Ze ging op haar hurken voor haar zitten en pakte haar handjes vast.

'Je likt geen dingen van de vloer. Dat is een regel. En je krijgt een time-out.'

Katie Pru leunde achterover op de stoel en trok een gezicht. 'Ik hou niet van time-outs,' zei ze.

'Je hebt ze zelf verzonnen. Nu blijf je hier rustig zitten totdat je het belletje hoort. Sill, wil jij de ovenwekker alsjeblieft op vier minuten zetten?'

Katie Pru kneep haar ogen stijf dicht en begon tegen de stoelpoten te schoppen.

Sill zette de ovenwekker. 'Dat herinnert me aan iets, Gale. Er was hier vandaag een vrouw die zei dat ze jou vanochtend had ontmoet. Ze heeft me een telefoonnummer gegeven, voor het geval je ooit een oppas nodig had.'

Het geschop tegen de stoelpoten werd harder. Katie Pru sloeg haar armen over elkaar en haalde haar neus op.

'Ik ga pulken naar je gooien.'

Gale pakte het briefje aan dat Sill haar voorhield en stak het in haar zak. 'Als je haar nog eens spreekt, zeg haar dan dat ik haar aanbod waardeer, maar dat ik geen hulp nodig heb. Het ziet er misschien niet naar uit, maar ik kan mijn kind zelf wel opvoeden, ook al betekent dat dat ik met neusvuil word bekogeld.'

Truitt stampte met zijn voeten op de kokosmat voor Ella Aldens voordeur. De mat – een grote halve cirkel op het stenen stoepje – was zwart, met in de ene hoek handgeschilderde kornoeljebloesems waarvan de bladeren het woord 'welkom' vormden. Onder de bloesem stond in hoekige rode lijntjes de naam van de maker: E. ALDEN 1988.

Hij liet een kort, tevreden gesnuif horen en klopte op de deur. De mat zag er opvallend maagdelijk uit voor zijn leeftijd. Hij had altijd vermoed dat Ella diep in haar hart een kluizenaarster was. Hoe kon hij anders verklaren dat een vrouw als zij, die tegenover niemand verplichtingen had en vriendschappen onderhield die slechts tot een zekere hoogte reikten, erin had toegestemd om voor een ernstig zieke invalide te zorgen tot aan haar dood?

Toen zijn moeder had gehoord dat ze ziek was en aan leverkanker leed, had ze hem één verzoek gedaan: dat ze mocht sterven in het huis waar ze hem had grootgebracht. Truitt was diep geschokt geweest. Ondanks zijn beroep was hij van een generatie die geloofde dat een natuurlijke dood maar op één plek thuishoorde: in de koele, brandschone kamer van een ziekenhuis. Maar dat had ze niet gewild. Ze wilde sterven tussen haar eigen lakens en met haar eigen muren om zich heen. Ze belde Ella.

Truitt had het nooit begrepen; van beide vrouwen niet. Er was nooit een speciale band geweest tussen zijn moeder en Ella, afgezien van die paar jaar dat Ella haar had lesgegeven op de middelbare school. En Ella had geen medische opleiding. Toch was zíj het die zijn moeder wilde. En Truitt, die niet in staat was om haar zelf te verzorgen, had toegestemd.

Op zijn moeders begrafenis had hij Ella gevraagd naar het waarom.

'De dood beangstigt me niet zoals hij dat andere mensen doet, Alby. Ik heb de dood in de ogen gezien, ben er dichtbij geweest, al mijn hele leven lang. Ik heb er nooit vriendschap mee gesloten, maar ik laat me er niet meer door bang maken. Elk levend wezen verdient een waardige dood. En dat wilde je moeder. En ooit, op een dag, zul jij dat ook willen.' Misschien wel. Hij vroeg zich af hoeveel mensen die uiteindelijk kregen.

Plotseling ging de deur open. Maralyn Nash stond in de hal en zag er gehaast uit.

'Sorry, Alby,' zei ze. 'Ik was boven, bij Cammie. Wat kunnen we voor je doen?'

'Ik heb nog een paar dingen die ik even wil nagaan, Maralyn.' Hij keek langs haar heen naar de brede trap. 'Hoe gaat het met Cammy?'

'Ze heeft kalmerende middelen gehad, maar is nog steeds rusteloos. Dit gaat heel moeilijk voor haar worden. Ze heeft haar hele leven rondom die man opgebouwd.' Ze keek hem aan: onder haar linkeroog trilde een spiertje. 'Moet je binnenkomen?'

'Ik denk het.'

Ze deed een stap opzij en wachtte tot hij binnenkwam. Hij was maar één keer eerder in dit huis geweest, samen met Martin, toen hij een ladder kwam lenen, maar net als toen verbaasde het huis hem. Niet zozeer door de groteskheid ervan, hoewel God wist dat die in ruime mate aanwezig was, maar meer door het beeld dat het gaf van een geobsedeerd mens. Toen ze na dat eerste bezoek waren teruggereden, had hij aan Martin gevraagd waarom Ella's man al die vissen had opgehangen. 'Lust,' had Martin geantwoord. 'En macht. Ik denk dat die man aan de muur heeft gehangen wat hij in bed niet kon krijgen.'

Toen had Truitt geen snars begrepen van wat Martin bedoelde. Maar nu hij voor de tweede keer naar de vissen keek, kreeg hij een bittere smaak in zijn mond.

'Dus je hebt nog meer vragen voor ons, Alby?'

'Ja, die heb ik. En ik wilde met jou beginnen, Maralyn. Is er ergens een lege kamer?'

'Ze zijn praktisch allemaal leeg op dit moment. Moeder heeft iedereen verzocht om te vertrekken en dat hebben ze gedaan.' Ze wees naar een kamer direct links van haar. 'Laten we de woonkamer nemen.'

Hij liet zichzelf in een comfortabele, perzikkleurige fauteuil zakken terwijl Maralyn plaatsnam op het randje van de citroengele bank.

'Trouwens, Alby,' zei ze, 'ik moet nog een keer terug naar Cammy's huis. Ze vroeg vanochtend om haar tasje.'

Truitt haalde zijn notitieboekje uit zijn zak en bladerde het door. 'Dat kan ik voor je doen. Zeg maar hoe het eruitziet en dan laat ik het door een van mijn mannen hiernaartoe brengen.'

'Ik kan het niet beschrijven. Ik weet het pas als ik het zie.'

'Nou, het huis is nog steeds verzegeld, Maralyn. Ik kan je daar niet alleen naar binnen laten gaan. Misschien kan ik er later op de dag met je naartoe rijden.'

'Mij best. Aan de andere kant, als ze mascara wil, kan ze ook de mijne gebruiken.'

Hij keek naar haar op, verbaasd over het idee dat Cammy zich nu alweer zorgen maakte om haar uiterlijk. Of wat waarschijnlijker was, dacht Truitt, dat Maralyn dat voor haar deed. Hij moest het haar nageven: de vrouw had allure. Gisteravond hadden hij en zijn mannen zich voyeurs gevoeld toen ze haar betrapten op dat zeer pijnlijke moment met al dat bloed op haar benen en in haar haar. Vandaag echter, als hij naar haar messingkleurige kapsel en perfect aangebrachte make-up keek, had hij duidelijk de indruk dat ze hem had verwacht.

'Maralyn, ik wil Martin recht doen door alles wat er gisteravond is gebeurd boven tafel te krijgen. Nu, wanneer heb je Martin voor het laatst gezien voordat het schot viel?'

Ze legde haar gebruinde hand op de gele bekleding van de bank. Een trouwring met diamantjes glinsterde aan de vinger waarmee ze op het kussen tikte. 'Nou, dat moet geweest zijn toen hij en Sill woorden hadden. Daar heb je over gehoord, neem ik aan.'

'Ja, verscheidene mensen hebben ons erover verteld. Ik heb begrepen dat er wat wrijving was tussen Martin en Sill. Kun jij me daar iets over vertellen?'

'Dat moet je Sill vragen. Dat is mijn zaak niet.'

Ze was helemaal in het wit gekleed: een katoenen blouse die in een korte, linnen rok was gestopt, dikke sportsokken die waren opgerold tot op haar enkels, en brandschone, met veters dichtgestrikte tennisschoenen. Met haar gebruinde huid en gespierde ledematen leek ze klaar te zijn voor een middagje op de tennisbaan, hoewel niemand, dacht Truitt, behalve volslagen idioten en republikeinen, zich in deze vochtige hitte buiten zou wagen. Het was natuurlijk mogelijk dat ze een van tweeën was, want als Ella's oudste dochter was ze al naar Atlanta verhuisd tegen de tijd dat Truitt kennismaakte met de familie. Voor hem was ze altijd alleen maar een van Martins vrouwelijke familieleden geweest: een weduwe, kaarsrecht en koninklijk.

'Maralyn, ik zal eerlijk tegen je zijn. Ik tast in het duister. Ik heb met de lijkschouwer gesproken en die twijfelt of hij in zijn rapport kan zetten dat Martins dood een ongeluk was. Heeft Ella me niet verteld dat je verpleegster bent? Nou, jij was in die kamer. Je begrijpt natuurlijk hoe moeilijk het voor ons is om exact te bepalen wat daar is gebeurd. Als Martins vriend ben ik er erg op gebrand om alle feiten op papier te krijgen, het onderzoek naar zijn dood correct af te handelen en het boek te sluiten, zodat zijn familie en vrienden kunnen beginnen met het rouwproces waar zíj recht op hebben en wat Martin verdient. Ik kan dat niet als ik niet alles weet. Wil je me daar alsjeblieft bij helpen?'

Ze leunde ontspannen achterover op de bank. 'Sill en Martin hadden een meningsverschil tijdens de barbecue. Sill was zo buitengewoon tactloos om haar lesbische vriendin mee te brengen en Martin was overstuur. Ik neem het haar niet kwalijk en hem ook niet. Het is haar leven, maar het was zijn huis en zijn kerk en hij had het recht om te verwachten dat dat gerespecteerd zou worden.'

'Wist hij van tevoren dat Sills partner... Faith heet ze, geloof ik, mee zou komen?'

'Ja. Maar dat zijn allemaal zaken die je met Sill moet bespreken.'

'Dat zal ik ook doen. Vertel me eens precies wat je je van die ruzie herinnert. Waar was je?'

'In de keuken, bij het raam. Ik kon alles zien, hoewel ik het niet kon horen. Maar ik hoefde niet te horen wat er werd gezegd om te weten dat ze ruzie hadden.'

'O ja? Hoezo?'

'Ik ken Martin al mijn hele leven – we zijn samen opgegroeid, op nauwelijks een kilometer afstand van elkaar – en ik heb hem nog nooit zo boos gezien. Hij was woest en schaamde zich dood. Martin was niet bepaald een vrijdenker. Dat Sill uitkwam voor haar geaardheid kon hij niet gemakkelijk accepteren.'

Truitt keek omlaag naar de salontafel. Hij vond het nogal bizar, al die dode mensen die onder het glas werden bewaard. Hij vroeg zich af wie van de kinderen, met hun half dichtgeknepen ogen, gezonde appelwangen en kleding uit de jaren veertig, Maralyn was. Hij kon het niet zeggen. Er waren te veel jaren verstreken en deze atletisch gebouwde, oudere vrouw had te veel hardheid in zich toegelaten om voor hem als klein meisje herkenbaar te zijn.

'En,' zei hij vriendelijk, 'waar was je precies toen het geweer afging?'

'Nog steeds in de keuken,' zei ze. 'Met moeder, Cammy en Sill.'

'Sill was naar de keuken gekomen?'

'Ja. Na de ruzie was Martin het huis komen binnenstuiven...'

'Door welke deur?'

'De achterdeur. Hij kwam de keuken in en was vreselijk kwaad. Hij zag ons niet eens. Hij liep meteen door naar de hal.'

'Wanneer kwam Sill binnen?'

'Een paar seconden daarna. Ze wilde hem achternagaan, maar Ella zei dat ze hem beter even met rust kon laten. Dat maakte Sill weer woedend. Ik heb nog nooit iemand zo van streek gezien. Ze stond te schreeuwen tegen Ella en bleef maar zeggen dat Martin haar móest accepteren. Ik probeerde haar te kalmeren, maar ze duwde me opzij. Midden in deze drukte hoorden we het schot.'

'Wat deed Cammy al die tijd?'

Maralyn trok haar gezicht in een grimas. 'Cammy peinsde er niet over om zich in een ruzie tussen haar dochter en haar echtgenoot te mengen. Ze zou van beide kanten klappen krijgen als ze dat deed. Ze stond bij de tafel aan die stomme kamperfoelieslinger voor die big te prutsen.'

'Was er nog iemand anders in huis?'

'Niet dat ik weet.'

Truitt keek in zijn notitieboekje. 'Goed. Dus je hoort dat schot. En dan?'

'We rennen allemaal naar boven, naar de slaapkamer.'

'Is de deur open of dicht?'

'Dicht.'

'Op slot?'

'Nee.'

'En dan?'

'Sill doet de deur open en we gaan naar binnen.'

Truitt leunde achterover in de fauteuil en haalde een pen uit de borstzak van zijn overhemd.

'Vertel me zo precies mogelijk wat je zag.'

Achter de ronde glazen van haar metalen brilletje kneep ze even haar ogen dicht. 'Martin ligt op de grond, naast het bed. Bloed.' Ze wachtte even. 'De muren, de vloer, de kap van de lamp op het nachtkastje. Overal spetters en plassen bloed. Je weet het. Je hebt het gezien.'

'Wat ik heb gezien, Maralyn, was een kamer waar heel wat activiteit had plaatsgevonden. Jullie vrouwen hebben aanzienlijke schade aangericht in die kamer. Een heleboel bewijsmateriaal vernietigd.'

'Het was gewoon zo ongelofelijk.' Haar stem klonk zachter. 'Ik ben verpleegster, en bloed doet me niets. Daar heb ik in de kliniek dagelijks mee te maken, en met meer dan dat. Maar er was daar zoveel en het was zo onwaarschijnlijk.' Ze richtte haar blik op Truitt. 'Hij had geen gezicht meer, Alby. Hij lag daar op de grond, helemaal opgerold. Ik herkende het bovenlichaam, de armen en de benen. Shit, ik herkende die stomme laarzen die hij zelfs 's zomers bleef dragen. Het was zo onwerkelijk. Ik denk dat we een beetje gek werden en dachten dat als we de stukken bij elkaar zochten, we hem weer in elkaar konden zetten. Dat kon natuurlijk niet. Er waren te veel stukken. We wisten niet waar we moesten beginnen.'

Truitt bestudeerde de punt van zijn pen. 'Toen mijn moeder ziek was en ik bij haar ging kijken, werd ik vooral verrast door de geuren. Lichamen scheiden een bepaalde geur af als ze stervende zijn. Ik kon er niet tegen. Toch was je moeder er en zorgde ze voor haar, en zij had geen problemen met die geur. Ze had zich eraan aangepast, denk ik. Ik ben een beetje verbaasd over jouw reactie toen je Martins lijk zag. Ik stel me voor dat verpleegsters anders reageren in dergelijke situaties. Ik denk dat ik van je had verwacht dat je je beter had aangepast aan wat in principe een medische situatie was.'

Maralyn trok de zoom van haar witte rok strak over haar knieën. 'Dat is een interessante insinuatie, Alby. Maar ik handelde wel als verpleegster. Mijn eerste reactie was dat ik Martins leven wilde redden, niet jouw bewijsmateriaal veiligstellen. Als het daar nogal uit de hand is gelopen, dan spijt me dat. Maar de waarheid is dat die man de echtgenoot, de vader en de neef van ons vieren was. We waren niet in een onderzoekskamer maar in een slaapkamer. Dit was geen bloed dat in een reageerbuisje druppelt, maar bloed dat tegen de muren was gespat en in plassen op de vloer stond. Als je mijn vakkundigheid als verpleegster in twijfel wilt trekken, dan ga je je gang maar. Ik zal de eerste zijn die toegeeft dat ik op dat moment niet bezig was met mijn vak.'

'Maar hoe zit het met besmettingen door middel van bloed? Zei jouw verpleegstersinstinct je niet dat je die andere vrouwen moest beschermen tegen dat bloed?'

Haar antwoord klonk afgemeten. 'Martin was niet ziek, Alby. Hij was dood.'

Godverdomme, dacht Alby, ik had ze gisteravond niet moeten laten gaan. Bingham had nog geprobeerd hem te waarschuwen. Kijk naar de staat waarin die kamer verkeert, Alby. Ik zou moord zeker niet uitsluiten. Maar hij had naar Martins weduwe gekeken en medelijden met haar gekregen.

Hij had hun kleding gevorderd, maar hun de kans gegeven om met elkaar te praten. Hoeveel tijd hadden ze gehad? Veertien, vijftien uur om bij elkaar te gaan zitten en een verhaal te bedenken? Hij staarde naar Maralyns sterke handen en gespierde armen. Je liegt tegen me, dame, dacht hij. Mensen die bij zinnen zijn, doen niet wat jij hebt gedaan.

'Waar was het geweer voordat je het oppakte?'

'Ik heb het niet opgepakt. Dat deed moeder.'

'Ella gaf het geweer aan jou?'

'Dat klopt.'

'Heb je gezien waar het lag voordat ze het aan jou gaf?'

'Nee.'

'Hoe lag Martin?' vroeg hij.

'Op zijn zij.'

'Hoe ver van het bed?'

'Er vlak naast, als ik het me goed herinner.'

'En hoe lagen zijn handen?'

Maralyn haalde haar schouders op. 'Dat weet ik niet meer.'

'Maar toen je de houding van het lichaam beschreef, maakte je speciaal melding van de handen. Denk terug, Maralyn. Waar waren zijn handen? Hield hij ze tegen zijn lichaam? Lagen ze vlak bij elkaar? Hield hij er een boven zijn hoofd? Hoe zagen ze eruit?'

'Dat weet ik niet meer.'

Truitt zuchtte en leunde achterover in zijn stoel. 'Volgens de mensen van de technische dienst was er gerotzooid met zijn handen, waren ze schoongeveegd. Weet je daar iets van?'

'Als je met "gerotzooid" bedoelt dat iemand ze heeft aangeraakt, dan is het antwoord ja. Ik herinner me dat Cammy ze vastpakte, ze zelfs even heeft gestreeld, nadat we hem op het bed hadden gelegd.'

Hij staarde haar verbijsterd aan. 'En je hebt geen moment gedacht: we horen dit niet te doen, of: moeten we hem niet zo laten liggen totdat de sheriff er is? Heb je er zelfs niet in je achterhoofd aan gedacht, Maralyn, als professioneel verpleegster, dat er een mogelijkheid bestond dat je het bewijsmateriaal op de plaats van een misdaad verstoorde?'

Haar ogen knipperden niet één keer achter de glazen van haar bril. 'Ik denk dat je iets vergeet, Alby. Ten eerste was dit geen misdaad maar een ongeluk. En ten tweede: hoe kun je in godsnaam van ons verwachten dat we normaal handelden?' Ze bleef hem aankijken totdat hij zijn blik afwendde. Ze heeft hier heel goed over nagedacht, dacht hij. Ze heeft zich niet overgegeven aan haar verdriet, maar heeft zitten rekenen. Hij gooide zijn pen op de salontafel. 'Waar heb je die kleren vandaan die je aanhebt? Ben je vanochtend naar Atlanta gereden om ze op te halen?'

'Nee, ik ben hier vrijdagavond aangekomen en zou het hele weekend blijven. Ik had deze kleren gewoon in mijn koffer zitten.'

'Waarom denk jij dat Martin zijn geweer tevoorschijn had gehaald?'

Hij had de vraag zo getimed dat hij haar aan het schrikken zou maken, maar het werkte niet. 'Cammy heeft dat gisteravond al aan je mannen verteld. Dat geweer was voor hem een manier om spanning te ontladen. Als hij het moeilijk had, dan haalde hij het tevoorschijn om het schoon te maken en te oliën.'

'Er zijn geen lappen en olie gevonden, Maralyn. Hebben jullie die soms ook opgeruimd nadat jullie klaar waren met het lichaam?'

Het sarcasme drong niet door. Ze stak haar wijsvinger in haar haar en krabde zich even op het hoofd.

'Als jij zegt dat er geen lappen en olie waren,' zei ze langzaam, 'dan zal dat wel waar zijn. Misschien ging het geweer af voordat hij ze tevoorschijn had gehaald. Ik weet het niet. Maar wat jou dwarszit, is dat jij het ook niet weet. En je bent verrekte bang dat je het ook nooit te weten zult komen.'

Katie Pru stond op de onderste trede van de trap en grijnsde naar haar moeder. 'Als jij me op je schouders zet,' zei ze, 'dan kan ik naar de vissen kijken.'

'Als ik jou op mijn schouders zet, dan val ik om.'

'Als je mij op je schouders zet,' zei Katie Pru sluw, 'dan ben ik net een volwassene.'

Gale sloeg van schrik haar handen tegen haar wangen. 'Ik wil helemaal niet dat jij volwassen bent! Dan zet je me op de time-outstoel!'

Katie Pru sloeg dubbel van het lachen en sloeg toen haar armen om Gale's nek. Gale beantwoordde haar omhelzing, richtte zich toen op en wiegde haar dochter heen en weer. Faith kwam de hal in lopen en bleef staan bij de voordeur. 'Zie je, dat vind ik nu het leuke van kinderen,' zei ze. 'Je zet ze voor straf op een stoel en ze houden nog steeds van je.' Gale keek haar aan door een wirwar van bruin haar en probeerde het uit haar mond te blazen. 'O, ze kunnen misschien wel van je houden,' zei ze, 'maar ze blijven complotten tegen je smeden.'

De deur van de woonkamer ging open en Maralyn kwam naar buiten. 'De sheriff is er,' zei ze opgewekt. 'Ik ben grondig ondervraagd en vrijgelaten. Hij wil nu met moeder praten. Ik heb me niet als vrijwilliger gemeld om haar te gaan halen.' Ze liep langs hen heen en verdween de gang in. Gale keek naar Faith, die haar wenkbrauwen optrok en haar schouders ophaalde.

'Gale?'

Ze schrok. Truitt stond in de deuropening van de woonkamer en keek haar weglopende tante na.

'Gale,' herhaalde hij toen hij zijn aandacht op haar had gericht. 'Heb je een minuutje voor me? Ik wil even met je praten.'

Gale keek naar Faith, die begrijpend knikte. 'Ik wil wel op haar passen,' zei ze. 'Ze mag zelfs op mijn schouders zitten.'

Truitt wilde de woonkamer inlopen maar draaide zich weer om. 'Pardon, mevrouw,' zei hij, en hij stak zijn hand uit naar Faith. 'Ik ben sheriff Alby Truitt. En u bent...?'

Faiths glimlach was vriendelijk. 'Faith Baskins. Ik ben een vriendin van Sill.'

'Ah, ja. Ik heb over u gehoord. U was gisteravond op de barbecue, is het niet?'

'Ja, dat was ik. Eventjes.'

Truitt knikte. 'Ik geloof niet dat we de kans hebben gehad om met u te praten.'

'Ik was al vertrokken voordat het gebeurde.'

'Later op de dag misschien, of morgen?'

'Geen probleem. Ik logeer in de Creely House Inn in Prater-
ton.'
'Is dat uw Cherokee, buiten?'
'Ja, meneer, die is van mij.'
'Interessante nummerplaten.'
'Mijn persoonlijke filosofie. We betalen in dit land veel te
weinig belasting voor wat we ervoor terugkrijgen.'
Truitt grinnikte. 'U zult het vast erg goed doen tijdens diners
en feestjes.'
'Het kan slechter.'
'U hebt uw auto gewassen.'
Even viel Faiths mond open van verbazing en toen kreeg
haar stem een plagerige toon.
'Ja, sheriff, ik heb de neiging dat af en toe te doen.'
'Vrij kort geleden.'
'Vanochtend.'
'Voordat u hiernaartoe kwam?'
'Dat klopt.'
'Waarom?'
'Omdat hij smerig was. Ik wilde hier mijn hulp komen aan-
bieden en dacht dat als ik misschien iemand ergens naartoe
moest rijden, ze liever in een schone auto zouden willen zit-
ten.'
Truitt liet zijn blik over Faiths kleding gaan en Gale wist ze-
ker dat hij de glanzende leren ceintuur en netjes gestreken
linnen pantalon in zich opnam. Dit was absoluut geen vrouw
die in een vieze auto wilde rondrijden. Hij volgde met zijn
vingertop de lijn van zijn kaak en er verscheen een sceptisch
glimlachje om zijn mond.
'Zou u het erg vinden om me te vertellen waar?'
'Geen probleem. Bij Kennedy's Car Wash aan La Vista. Dat
is in Atlanta.'
Hij knikte. 'Ik ken La Vista. Dank u.'
Nog steeds glimlachend gebaarde hij Gale de kamer in te komen. Hij deed de deur achter haar dicht. Gale nam plaats op
de gele bank en Truitt ging tegenover haar in Ella's perzikkleurige oorfauteuil zitten. De fauteuil veerde toen hij zich
erin liet zakken.
'Ik durf te wedden dat er paardenhaar in zit.' Hij klopte

zachtjes op de armleuning. 'Je kunt een goeie stoel met paardenhaar altijd herkennen. Ze zien eruit alsof ze zo stijf zijn dat je je ruggengraat erop breekt, maar in werkelijkheid zijn ze ongelofelijk zacht.'

'Hij is goed ingezeten. Als ik er niet op sprong toen ik jong was, zat ik er lekker in te lezen.'

'Echt? Op de een of andere manier kan ik me in deze stoel geen lezend kind voorstellen.' Hij wees naar de glazen tafel. 'Hoe kon je je in godsnaam concentreren als al die mensen je lagen aan te kijken?'

Gale glimlachte. 'En in welke kamer waren er dan geen mensen die naar me keken, denk je? Dit was geen huis om je te concentreren, Alby.'

'Nee, dat geloof ik meteen. Iedereen wist vast precies wat de ander deed.' Hij bleef naar de salontafel kijken. 'Nu we het daar toch over hebben, vertel me eens over die Space Lucy? Dat is toch geen geheime code of zoiets?'

Gale lachte. 'Dat zou je beter aan Katie Pru kunnen vragen.' Truitt boog zich naar voren. 'Je zult waarschijnlijk gepikeerd zijn over mijn volgende vraag, maar wees dat niet. Ik moet gewoon alle kanten bekijken. Je hebt een verleden aan je kleven, Gale. Ik suggereer niets, ik wil het alleen maar weten. Van wie komt die brief?'

Gale wachtte, liet haar irritatie opkomen, maar beheerste zich toen. 'Geen gepikeerdheid hier,' zei ze op koele toon. 'Als je zoekt naar een verband tussen Martins dood en internationaal terrorisme, zul je dat in mijn brief niet vinden, Alby. Die komt van een hoofdinspecteur van politie. Een collega van je. Maar als ik hem lees, verwacht ik dat hij het zal hebben over het weer en over hoe hij heeft genoten van mijn laatste verhaal over Katie Pru.'

'O. Weet je, toen ik tiener was, wilde ik naar Engeland verhuizen en bij Scotland Yard gaan werken. Of als dat niet lukte, bij MI5. Ik heb te veel naar James Bond en *The Man from U.N.C.L.E.* gekeken, vrees ik. Het leek gewoon zo exotisch.'

'Het is leuker als het zich tot het tv-scherm blijft beperken.'

'Daar twijfel ik niet aan.' Hij duwde zijn duim achteruit totdat hij knakte. 'Het zal niet makkelijk zijn geweest om terug te komen. Ik weet het een en ander over de beperkte tolerantie in kleine stadjes.'

'Het was ook niet gemakkelijk om daar te blijven.'

'Nee, ik neem aan van niet.' Hij begon aan zijn middelvinger. 'De lijkschouwer is nog niet bereid om Martins dood af te doen als een ongeluk.'

Gale voelde een vertrouwde misselijkheid in haar maag en knikte zwijgend.

'Het idee van geweren die vanzelf afgaan bevalt hem niet,' vervolgde Truitt. 'En het idee dat Martin boven in zijn slaapkamer was met een geladen geweer terwijl de halve staat aanwezig is op zijn barbecue bevalt míj niet.'

Hij zweeg een ogenblik. Gale keek naar haar tennisschoenen. Hij zat te wachten tot ze het zei, totdat zíj zou zeggen wat er volgens haar in werkelijkheid in die kamer was gebeurd. Nou, waarom ook niet, dacht ze verbitterd. Als je een probleem hebt, schakel dan een expert in.

'Jij denkt dat het zelfmoord was.' Zelfs in haar eigen oren klonk haar stem ongewoon vlak.

Truitt trok zijn wenkbrauwen op. 'Zelfmoord? Zonder briefje? Zonder voorbereiding? Gewoon de trap oprennen en *bam*, klaar? Shit, nee, Gale. Zelfmoord wil er bij mij niet in.'

Boven haar hoorde Gale het gekraak van zelfbewuste voetstappen. Ella was in haar slaapkamer en liep heen en weer over de planken vloer om haar gewrichten los te maken.

'Wat dan?' Haar stem klonk schor.

'Vertel me wat jij denkt.'

Ze beet op de binnenkant van haar wang totdat haar tong werd geprikkeld door een zoute smaak.

'Het was een ongeluk. Of het was zelfmoord. Als je iets anders denkt, dan zit je er helemaal naast. Mannen plegen soms zelfmoord, Alby. Dan stoppen ze de loop van een wapen in hun mond en kan het ze geen barst schelen wie hen vindt en hoe.'

'Hij heeft de loop niet in zijn mond gestopt. Zoveel weet ik wel. Het geweer is van dichtbij afgevuurd, heel dichtbij, dat geef ik toe. Maar dit was geen zelfmoord. Ik ken de man al meer dan vijfentwintig jaar. Als Martin een probleem had,

dan loste hij dat op. Hij was niet het suïcidale type.'
'Het suïcidale type.' Haar handen waren koud. Haar vingers
voelden mager en droog aan en haar trouwring schoof gemakkelijk over de knokkel.
Truitt stond op en liep naar het raam. 'Ik heb een stuk of zes
getuigen, Gale, die zeggen dat er niet meer dan een minuut is
verstreken tussen het moment dat het geweer afging en ze
merkten dat de deur van de slaapkamer op slot zat en die
vrouwen zich in de kamer hadden opgesloten. Er verstreken
verscheidene minuten – misschien wel tien – voordat Ella iemand binnenliet, en toen dat uiteindelijk gebeurde, was al
het bewijsmateriaal naar de knoppen geholpen. Het spijt me,
maar ik weet dat er voldoende tv-series, films en boeken zijn
om het onmogelijk te maken dat geen van die vrouwen wist
dat het niet oké was dat ze de plaats van een mogelijk gewelddadige dood op die manier naar god hielpen. Dat is absoluut uitgesloten.'
'Dat weet je niet. Jij bent nooit in zo'n situatie geweest.'
Hij spreidde zijn armen. 'Ik zit lang genoeg bij de politie om
te weten wanneer er iets niet klopt. Ze moeten zo knettergek
zijn geworden...'
'En jij vindt dat onredelijk? Stel jezelf eens in hun plaats,
Alby. Zou jij het niet uitschreeuwen? Zou jij niet...'
'Hersenweefsel van de muren vegen en het weer in het hoofd
van een dode man scheppen? Nee, Gale, ik denk niet dat ik
dat zou doen. Tenzij...'
'Tenzij wat? Ik kan me niet voorstellen dat ik iets anders gedaan zou hebben. Als ik Tom had gevonden, zou ik alles geprobeerd hebben om hem te redden. God, Alby, hoe is het
mogelijk dat je dat niet inziet?'
'En hoe is het mogelijk dat jíj dat niet inziet. Hoe kun je verdomme verdragen dat...'
Truitt liet zich achterovervallen in zijn stoel, bracht zijn handen naar zijn gezicht en wreef er zo hard over, dat zijn ogen
begonnen te tranen. 'Verdomme,' zei hij zachtjes. 'Het spijt
me. Ik blijf maar vergeten dat dit jouw familie is. Ik denk
steeds dat jij... Godverdomme, Gale...'
Hij boog zich naar voren en stootte onhandig met zijn
knieën tegen de rand van de salontafel. De glasplaat ver-

schoof en er kwam een hoek van een foto onderuit. Hij staarde even naar het witte driehoekje en duwde het toen terug met de nagel van zijn duim.

'Ik probeer objectief te zijn.' Hij klonk vermoeid. 'Je kent het verhaal van mijn vader. Zijn lichaam werd gevonden in een brandend huis, vastgebonden aan een stoel. Cocaïnesmokkelaar: leuk detail voor een plattelandsjongen aan de rand van de wereld. Ik was vijftien, een slechte leeftijd om een paria te zijn. En dat zou ik gebleven zijn als Martin er niet was geweest. Hij nam me onder zijn hoede en zei tegen iedereen: "Kijk, deze jongen is oké."'

Hij keek haar aan. 'Hij maakte me tot zijn zoon, Gale. En toen ik hem niet meer nodig had, liet ik hem barsten. Ik was een jonge, ambitieuze sheriff en daar was hij met zijn kleffe kerkbarbecue en zijn heiligeboontjesnetwerk. Ik wilde niet dat de mensen zouden zeggen: "Zie je wel? Alby Truitt hoort bij die gerechtshofkliek. Hij is gewoon een wat slimmere versie van zijn ouweheer." Ik had contacten met de staat en op universiteiten en in Atlanta, en ik wilde niet dat díe mensen zouden denken dat ik de zoveelste naïeve plattelandssheriff van een of ander achterafgat was. De waarheid is, Gale, dat ik me voor Martin schaamde.'

Gale's handen lagen hulpeloos in haar schoot. 'Hij zou het begrepen hebben, Alby,' mompelde ze. 'Hij zou het je niet kwalijk hebben genomen.'

Truitt staarde haar aan. 'Ja, dat denk ik ook. Hij zou me hebben ingepeperd wat voor waardeloos stuk vreten ik was, maar hij zou wel aan mijn kant blijven staan. Hij was een beter mens dan ik ben. En ik ben hem iets schuldig.'

Ella stond bij het raam, keek naar buiten naar de donkere velden en ging afwezig met haar vinger langs de tailleband van haar zwarte rok. Even dacht ze dat ze het hoorde onweren, ver weg en grommend, maar zeker wist ze het niet. Al haar aandacht was gericht geweest op het verwarmingsrooster bij haar voeten en de stemmen uit de woonkamer die erdoor omhoogkwamen.

Achter haar bewoog Cammy zich in het bed.

'Sill?' Half fluisterend, half kreunend. 'Kindje?'

Ella draaide zich om. 'Ik ben het, Cammy, Ella. Ben je wakker?'

Geen antwoord. Cammy's hand gleed onder het kussen en duwde het omhoog tegen haar wang. In het halfduister van de kamer zag ze er met haar vooruitgestoken onderlip en stijf dichtgeknepen ogen uit als een pruilend kind. Ella liep naar het bed en legde haar hand voorzichtig op Cammy's hoofd. Een vreemd, zangerig geluid, als een hoge noot op een viool, kwam uit de mond van de jongere vrouw.

'Stil maar,' suste Ella. 'Ga maar weer slapen. Er is niets waarvoor je wakker zou moeten worden. Dus ga maar liever weer slapen.'

Het vreemde gezang stopte en Cammy's gesloten ogen ontspanden zich. Ella wachtte tot haar ademhaling weer regelmatig was en liep toen terug naar het rooster. Ze spande zich in om de stemmen te horen, maar het bleef stil.

Buiten had de hemel een felle paarse tint gekregen. Er was storm op komst. Het weer had een van die verontrustende zomerse patronen aangenomen, met drukkend hete dagen en onstuimige, stormachtige nachten. Zij en Nora hadden op zulke nachten vaak samen bij het raam gezeten en gekeken hoe bliksemschichten de hemel uiteenreten en de wind de takken van de pecannotenbomen deed buigen. Eén keer was er een tak finaal afgebroken, waardoor er plotseling een grillige, witte wond in de stam was ontstaan. Dat had haar nog het meest bang gemaakt, niet het licht van de bliksem en het gekraak van de donder, maar dat grillige wit van gebroken hout tegen het glanzende grijs van de stam.

Voor haar strekte het land van de Aldens zich uit: de gele velden die werden onderbroken door heuveltjes en door regen uitgesleten dalen, en hier en daar een pijnboom. In totaal had haar vader haar en Nora zeshonderdvijftig hectare nagelaten, waarvan ze een groot deel in percelen aan veeboeren hadden verpacht. Dat had toen heel wat geld opgeleverd, zelfs naar de normen van nu. Een hoop land voor een storm om te teisteren.

Cammy mompelde iets en Ella liep weer naar het bed. Een zweetdruppeltje rolde van het voorhoofd van de slapende vrouw, viel op het kussen en vormde een donker plekje op het zachtroze sloop. Ella voelde een golf van medelijden door zich heen trekken toen ze haar vinger op het donkere cirkeltje legde. Je bent in een diep gat terechtgekomen, Cammy, dacht ze. Een diepe put met een zwaar stenen deksel erop. En wanneer je er weer uit komt, is zelfs voor God de vraag.

Ze draaide zich om en keek naar het verwarmingsrooster. Gale en Alby hadden haar tot nadenken gestemd.

11

Ik heb geesten in ketenen betere ballen zien gooien dan wij.

Bob Hinson,

nadat zijn team een softbalwedstrijd
van de kerk had verloren, 1964

Zilah Greene had een bijzonder geheugen. Ze kon zich het geluid herinneren van de rammelaar die haar vader voor haar had gemaakt van een kalebas, en de smaak van de dekens van haar wiegje, als ze die kapot probeerde te kauwen. Ze herinnerde zich de schraalheid van haar billen als haar moeder te lang had gewacht met een schone luier, en de geur van smeerolie aan haar vaders handen als hij haar hoog in de lucht tilde. Barry zou zijn hoofd schudden en mopperen: 'Het is niet normaal dat iemand zich zulke dingen herinnert, Niemand herinnert zich dingen uit de periode van 0 tot 1 jaar.' Maar Zilah deed dat wel.
Aan de andere kant van de tuin zag ze het huis van de Aldens, de rode hoeken die afstaken tegen het dreigende paars van de lucht. Daarachter stonden de hoge pecannotenbomen te wiegen in de wind als reusachtige, oude buikdanseressen met bladeren in plaats van belletjes aan hun sluiers. Ze stond zwijgend bij het raam en keek hoe ze bewogen, met hun slappe armen en zware heupen. Plotseling begon haar maag op te spelen. Ze trok een stoel weg bij de keukentafel en liet zich erop zakken.
Haar moeder had het altijd leuk gevonden om bij het raam te zitten en naar de bomen te kijken. Dan sleepte ze de schommelstoel naar het raam, nam ze Zilah op schoot en keken ze samen naar de naderende storm en hoe de bomen zwaaiden in de wind. Meer dan eens gebeurde het dat Zilah dan in slaap viel door het geruststellende ritme van de schommel-

stoel en het zachte gezang van haar moeder. 'Zilah, Zilah, Zilah, mijn lief.'

Haar ouders hadden nooit veel gehad, niet op dezelfde manier als zij, toen Barry's ijzerwinkel na de oorlog begon op te bloeien. Haar vader werkte hiernaast, voor Steve Alden, waar hij op de katoenvelden werkte en voor de landbouwmachines zorgde. Daarvoor had hij hetzelfde gedaan voor Justin Cane, wiens vrouw, miss Linnie, het huis had geërfd van haar vader. Ik werk voor niemand, Zilah, had hij gezegd. Ik hoor gewoon bij het huis. Barry had altijd gezegd dat hij dat onzin vond, want een man behoorde toe aan zichzelf. Maar hoe ouder ze werd, hoe beter ze begreep wat haar vader had bedoeld. Als je iets lang genoeg zag, dan werd het van jou, en als je in de schaduw ervan woonde, werd je er een deel van. Zo dacht ze over het rode huis dat ze door haar keukenraam zag. De mensen die daar woonden stierven, verhuisden en keerden weer terug, maar het maakte allemaal niet uit, want zíj was de constante factor.

De donder klonk door de lucht als een geeuw, eerst hard en dan afnemend tot een donker gerommel in de verte. Ze stond op bij de tafel en liep naar het aanrecht. Het licht onder de pecannotenbomen was vleeskleurig en de wolken en schaduwen schiepen donkere holten onder de takken. Maar het was afdoende. Ze had geen licht nodig om de bruine lap te zien wapperen aan de grote pecannotenboom die naast het huis van de Aldens stond.

'Stil maar, kindje, stil maar. Mama zal er wel voor zorgen dat hij weggaat. Niets mag mijn kleine meisje bang maken.' En dan zong haar moeder: 'Zilah, Zilah, Zilah, mijn lief.' Haar moeders kin trilde als ze zong. De rest van haar gezicht was glad en strak, als het hoofd van een pop waar nog geen gelaatstrekken op waren genaaid. Dat was het enige wat ze nooit begreep: als ze zich zoveel kon herinneren, waarom kon ze zich haar moeders ogen dan niet voor de geest halen?

'Tijd voor je middagdutje.'
'Ik wil geen middagdutje.'
'Je wordt prikkelbaar als je geen dutje doet.'
'Nee, jíj wordt prikkelbaar als ik geen dutje doe.'

Gale sloeg de gewatteerde katoenen beddensprei terug tot onder het kussen. Als Katie Pru er op vierjarige leeftijd al zo'n onwankelbare logica op na hield, dacht ze, wat moest dat dan niet worden als ze een tiener was? Ze keek naar haar dochter, die haar armen over elkaar had geslagen voor haar witte T-shirt, en naar de rij waggelende ganzen langs de zoom van de pijpen van haar korte broek. Ze klopte op het koele witte laken onder de sprei.

'Ik heb het leven geschonken aan een wijze vrouw, K.P.,' zei ze. 'Goed dan. We worden allebei prikkelbaar als jij geen middagdutje doet. Bovendien is het grijs en onaangenaam buiten. Toen ik een klein meisje was, vond ik niets heerlijker dan op een regenachtige dag met mijn sokken aan onder de dekens te kruipen en te gaan slapen. Dus trek je schoenen uit en kom bij me.'

Katie Pru plofte op de grond en trok haar blauwe tennisschoentjes uit. Met gefronste wenkbrauwen wierp ze eerst een sceptische blik op haar afgezakte sokken die over haar tenen lubberden en vervolgens op de grote witte rechthoek van het bed. Ten slotte keek ze haar moeder aan.

'Knuffel met me,' zei ze.

Gale zuchtte. 'Oké. Ik zal even met je knuffelen. Maar dan moet je gaan slapen. Ik heb werk te doen, Katie Pru. Ik doe dat hier, maar alleen als je lekker gaat slapen. Als dat niet zo is, zal ik beneden moeten gaan zitten. Afgesproken?'

'Afgesproken.'

Neuriënd kroop Katie Pru in bed. Gale wachtte totdat haar vier ledematen plat op het matras lagen voordat ze de dekens optrok tot onder haar kin. Katie Pru glimlachte en draaide zich om naar de muur toen Gale naast haar in bed kroop. Katie Pru wrong haar bips heen en weer totdat die precies in de holte van Gale's maag paste. 'Ik doe mijn ogen lekker niet dicht,' zei ze.

'Mij best. Je kunt ook met je ogen open slapen.'

Gale sloeg haar ene arm over haar opgerolde kind heen en schoof de andere onder het kussen. Vanuit de hal bereikte haar het vage gemompel van vrouwenstemmen. Hoewel ze de woorden niet kon verstaan, herkende ze meteen Ella's stem, die schril en doordringend klonk. Ze vroeg zich af hoeveel de vier wisten, en of Alby tegen Maralyn net zo openhartig was geweest als tegen haar. Dat was niet waarschijnlijk. Ze wist genoeg van jagen om te weten dat een goede jager niet naar een hert schreeuwt voordat hij de trekker overhaalt. Maar hoe goed was Alby als jager? En wat zei het over hen allebei dat hij tijdelijk was vergeten dat zij een van hen was? Ze boog haar hoofd dichter naar dat van Katie Pru. Het haar van het kind had een sterke, aardachtige geur, alsof ze flink tekeer was gegaan in de tuin. Voorzichtig ging ze met haar wijsvinger naar Katie Pru's handpalm en streelde ze die met haar vingertop. De kleine vleeskussentjes waren droog. En er kwam geen reactie. Gale deed het nog een keer, wilde, zoals met een Venus' vliegenval, de reactie uitlokken dat haar dochters vingertjes zich om de hare zouden sluiten. Het gebeurde niet. De reflexbeweging, die bij kleine kinderen zo sterk was, had zich allang ontwikkeld tot een bewuste greep. Gale deed haar ogen dicht. Het was zo'n simpel gegeven, dat het vreemd was dat ze het als zo'n groot gemis ervoer.

Ze dwong haar gedachten terug naar de vrouwen. Dus Alby Truitt verdacht hen van moord. Of, wat preciezer was, hij verdacht een van hen van moord en de andere drie van samenzwering. Voor hem, met zijn denktrant van sheriff in het Zuiden, moest bloed aan de handen van een vrouw hetzelfde zijn als bloedvergieten. Hij begreep niet dat vrouwenhanden waren gemaakt om vol bloed te zitten en dat aan hun geopende handen het bloed kleefde van kinderen, ouders, echtgenoten en onbekenden. En soms, in duistere diepten en lege kamers, dat van henzelf.

Ze maakte zich voorzichtig los van Katie Pru. Onder de witte beddensprei was haar lichaampje niet meer dan een klein heuveltje. Gale en Ella hadden ooit op exact dezelfde manier in dit bed gelegen, op de dag van haar moeders begrafenis. Ella was al met haar naar het huis in Statlers Cross vertrokken voordat de begrafenis goed en wel afgelopen was. Technische zaken als vaderschap of de wet zouden Ella niet het recht ontnemen om het kind van haar overleden dochter op te voeden. Dus had ze de nacht na de begrafenis met Gale in het mahoniehouten bed in de logeerkamer geslapen, en het aanhoudende gerinkel van de telefoon genegeerd.

Midden in de nacht was Gale wakker geworden. Ze had eerst gedacht dat het haar moeder Kathleen was die in de schemerige kamer tegen haar aan lag. Ze draaide zich om, wilde haar omhelzen, haar hand naar haar gezicht brengen en misschien met een vingertop over haar lip strijken. Maar toen ze zich had omgedraaid, viel het licht uit de gang op de slapende gedaante naast haar. Gale begon te gillen. De vrouw die rechtop in bed ging zitten was stokoud. Haar huid hing slap langs haar gezicht en het tandvlees in haar van verbazing geopende, tandenloze mond vormde een glanzende O. Ze wilde Gale vastpakken, maar het kind deinsde achteruit, viel uit bed en probeerde zich wanhopig los te maken uit de lakens. Steeds als ze nu aan haar moeder dacht, moest ze denken aan Ella en het glanzende donkere gat in haar gezicht.

Buiten sloeg dé wind de takken van de pecannotenboom tegen de zijkant van het huis. Gale stapte voorzichtig uit bed. Het raam lichtte af en toe groen op door de bladeren die ertegenaan sloegen. De storm nam in kracht toe. Ze liep naar het raam en keek naar buiten. Ze kon niets van de lucht zien. Hoewel de andere ramen aan de achterkant van het huis uitkeken op het grasland, stond hier de pecannotenboom zo dichtbij dat het raam wel dichtgeplakt leek met bladeren. Ze drukte haar gezicht tegen de ruit en probeerde de grond te zien. De stam van de boom was ruim anderhalve meter dik en de wortels liepen tot vijftien meter over de grond cromheen. Ze vroeg zich af hoe snel pecannotenbomen groeiden. Deze boom had in haar ogen altijd al reusachtig geleken, maar hoe kon dat ook anders? Dit was Linnies boom, en het was haar wapen geweest.

Toen ze zich wegdraaide van het raam, prikte de envelop in de zak van haar rok in haar been. Ze haalde de brief eruit en voelde onmiddellijk de druk op haar borst toenemen. Meestal waren Daniel Halfords brieven lang en onderhoudend. Deze telde maar één bladzijde, dat was alles.

Gale,
Ik heb vandaag – zaterdag – met Maura en Jeffrey gelunched. Ze zijn, zo lijkt het, weer gelukkig als ooit tevoren, en de brigadier heeft het woord 'dapperheid' een

nieuwe betekenis gegeven. Ik heb haar Katie Pru's teke-
ning gegeven. Zeg haar alsjeblieft hoe indrukwekkend
Maura die vond. Een blootsvoets meisje dat wormen uit
de grond trekt en op haar hoofd legt: we gingen ervan uit
dat het gegeven autobiografisch was. Je moet een leuke
dag hebben gehad.
Ik ben blij te horen dat je werk goed gaat. De dagboek-
aantekeningen van plattelandsvrouwen in het Zuiden van
1900 tot 1929. Een beetje te esoterisch voor mij, maar ik
ben maar een eenvoudige Britse politieman die denkt dat
geschiedenis ophoudt bij Robin Hood versus de sheriff
van Nottingham. Ik weet echter genoeg van het Ameri-
kaanse Zuiden om je één vraag te kunnen stellen: hoe
hadden die vrouwen in die armoede op de katoenplanta-
ges in godsnaam tijd om te schrijven?

Ik ben gisteren naar een boekenantiquariaat in de buurt
van Victoria Station geweest. Jij zou het er leuk gevonden
hebben: knus, cirkels van zacht licht rondom oude, com-
fortabele fauteuils, en een eigenaar die alles weet maar het
zesde zintuig heeft om te begrijpen wanneer hij je met rust
moet laten. Ik kwam jouw boek er ook tegen. Het stond
daar op de plank: een blauwe rug met gouden letters. Ik
geloof dat jij ooit tegen me hebt gezegd dat het ontdekken
van geschriften van iemand die je verlaten heeft, net zoiets
is als zijn geest tegenkomen. Je had gelijk.

Bel me.

Er stond geen handtekening onder, maar die had er nooit gestaan sinds zij en Halford een maand na haar aankomst in
Statlers Cross hun correspondentie waren begonnen. Voor
het merendeel bevatten hun brieven opmerkingen van alge-
mene aard: hoe Katie Pru zich aanpaste, of het nu beter was
om je kletsnat te laten regenen in Londen of levend te verbranden in Georgia. Maar deze brief was anders van toon.
Ze las de laatste alinea nog eens en haar ogen schoven langs
de woorden. *Iemand die je verlaten heeft.* Een licht schuldgevoel kneep haar keel samen. Toch had ze niet het gevoel dat

ze hem verlaten had, niet echt: ze vond meer dat er een gewenste afstand tussen hen was ontstaan.

Ze liep op haar tenen naar het bed en schoof de envelop onder Katie Pru's kussen, waarbij ze de hoek met de tekening van Space Lucy eronderuit liet steken. *Bel me.* Ze had hem nooit willen bellen. Met schrijven kon ze meer afstand bewaren, meer controle behouden.

In de hoek van de kamer stond een antieke, palissanderhouten stoel die was bekleed met ouderwets, mosterdkleurig fluweel. Op die stoel lag een pen en een van haar notitieboekjes met de aantekeningen van haar research, geopend op de bladzijden die met haar eigen nette handschrift waren gevuld. Het bikkelharde hoofdstuk over vrouwen en echtgenotes: moeders wier kinderen stierven bij de geboorte, vrouwen wier mannen – zonen en echtgenoten – 's morgens de deur uit gingen en nooit meer terugkwamen, getrouwde vrouwen die helemaal geen getrouwde vrouwen bleken te zijn, maar bedrogen geliefden in een tijdperk waarin noch creditcards noch telefoons sporen achterlieten.

Op de openliggende bladzijde stond een verslag uit 1919 van een vrouw uit Walton County in Georgia:

Ik ben de hele nacht wakker geweest en heb liggen huilen omdat mijn vingers zo'n pijn deden van de naald. Ik heb negen uur aan één stuk zitten naaien en ben alleen gestopt om de kinderen eten te geven en mama te wassen, die in feite mijn zevende kind is geworden. Vorige week heb ik de dominee verteld over mijn huilbuien, die me steeds banger maken, maar hij zei dat ik dankbaar moest zijn voor het leven dat ik had, en dat ben ik ook, want in Gods liefde vind ik verlossing.

Verlossing. Het was moeilijk te zeggen, bijna een eeuw later, of dat woord nu gemeend of cynisch was gebruikt. Als er in haar research één ding was dat haar had verbaasd, dan was het de shock die deze jonge bruiden gehad moeten hebben toen ze eenmaal de volle omvang van hun lot beseften. Hun toekomstverwachtingen tijdens hun verloving, hun bezorgdheid over de goedkeuring van hun ouders, gevolgd door de totale verbijstering over het keiharde werk in het huishouden en het grootbrengen van de kinderen, alsof hun eigen moeders hun werk achter de coulissen hadden gedaan.

... ze waste de handen en het gezicht van haar vijf jaar oude zoontje, trok hem de mooiste kleren aan die ze ooit voor hem had gemaakt en sloot hem op in zijn kamertje...

Gale kende alle verhalen over Linnie uit haar hoofd. Iedereen deed dat. Het had haar altijd verbaasd hoe consistent die lokale verhalen waren. Zelfs de handgebaren, gezichtsuitdrukkingen en alle andere dramatiek leek doorgegeven te worden van de ene generatie naar de volgende.

Ze liep naar de schuur, pakte het sterkste stuk touw dat ze kon vinden en nam het krukje mee dat ze altijd had gebruikt om de noten te plukken van de grootste pecannotenboom...

Hier ging de verteller meestal langzamer praten, omdat hij wist wat er kwam en ervan uitging dat de luisteraar dat ook wist. Stop een touw en een boom in hetzelfde verhaal en er volgt onveranderlijk een verhanging. Westerns kunnen niet zonder, en het Zuiden ook niet.

Ze slingerde het touw over de onderste tak, klom op het krukje...

... en liet een vijfjarig kind achter. Gale keek op naar het raam en de zwiepende takken. Linnie had een vijfjarig kind achtergelaten, gekleed in zijn allermooiste kleren, opgesloten in een kamertje. Welke kamer? Deze, afgesloten van alles, maar met uitzicht op de boom? Absoluut niet. Dus een van de andere, waarvan de ramen uitkeken op het weidse grasland.

Gale huiverde. Was Linnies zoon door het leven gegaan met herinneringen aan die dag? Herinnerde hij zich de zorg voor zijn kleren, de afscheidskus, het verzoek om lief te zijn en te wachten tot zijn vader thuiskwam? Had ze hem iets beloofd?

Wees braaf en je krijgt vanavond een plak cake? En toen zijn moeder niet terugkwam, is hij toen niet van het raam naar de deur en weer terug gerend, heeft hij niet geprobeerd om uit die kamer te komen, of om hulp te roepen? Langzaam bladerde ze haar notitieboekje door. Woorden van vrouwen die moe, gefrustreerd en eenzaam waren, maar die tijd hadden gevonden om te schrijven. Om er zeker van te zijn dat ze een soort verslag achterlieten, als een briefje in een fles, in zee gegooid in de hoop dat iemand het zou vinden. Linnie, aan de andere kant, had niets achtergelaten, behalve een sprei aan de muur en een dood die de bron werd voor wel honderd verhalen.

Achter haar hoorde Gale de regelmatige ademhaling van Katie Pru. Er waren tijden geweest, na Toms zelfmoord, dat ze had gedacht dat er geen eind zou komen aan haar pijn. Maar ze had altijd geweten dat zíj nooit zelfmoord zou plegen, om één simpele reden: ze had een kind.

Dus was de vraag: waarom had Linnie daar anders over gedacht?

Ze was de onvriendelijkste vrouw van heel Calwyn County. Ze hing zichzelf liever op dan dat ze iemand goedemorgen wenste.

Gale pakte haar pen en zocht in haar boekje naar een lege bladzijde.

Zij had Katie Pru. In haar gedachten bestond er geen enkele twijfel over dat haar kans om Toms dood te overleven veel kleiner zou zijn geweest als ze kinderloos was achtergebleven. Een moeder zet voor een groot deel door in het belang van haar kind.

De nacht na haar moeders begrafenis had Gale in bed liggen luisteren naar telefoongerinkel dat urenlang door leek te gaan. Ze had toen geweten, met het mysterieuze instinct waarover kinderen beschikken, dat het haar vader was die belde, dat hij haar terug wilde hebben, wilde meenemen naar huis. In de daaropvolgende jaren stond Ella maar weinig contact tussen de twee toe. Zíj zou haar kleindochter grootbrengen, en mannen en hun wetten konden de pest krijgen.

Er was een kil hart voor nodig om een vader buiten te sluiten. Misschien had Sill gelijk. Misschien hadden ze wel als kind geleerd om ijskoud te zijn. Ze begon te schrijven. Namen. Geschatte data. Geboorteplaatsen, vrienden van de familie, lang vergeten dominees en artsen. Toen ze klaar was, was de bladzijde vol. De appel valt niet ver van de boom. Sill had het gezegd als dooddoener, met de bedoeling het gesprek te beëindigen, maar toch hadden ze daar geen van beiden genoegen mee genomen. Gale staarde naar het papier. Linnie hoefde geen geschreven verslag na te laten. Haar familie was meer dan genoeg. Langzaam trok ze een lijn om één naam: Jules Samuel Cane. Het vijf jaar oude jongetje dat Linnie had achtergelaten. Ella's neef. Martins vader. Linnie Cane, zelfmoordenares en geest, was Martins grootmoeder. Gale schudde verwonderd haar hoofd. Zilah had gelijk gehad. Gale was tot luisteren verleid.

12

Ik kan je niet zeggen hoe afschuwelijk het hier is: de stank, de herrie, de napalm. Soms doe ik gewoon mijn ogen dicht en droom ik van de tijd dat bang zijn betekende: bij de open haard zitten en elkaar spookverhalen vertellen.

Jason Stone,

in een brief aan zijn broer Butch,
verzonden vanuit Da Nang, 1967

Ella Aldens keuze voor de streng ogende eetkamer om zich te laten ondervragen verraste Truitt niet, en het filmische decor dat hij daar aantrof al evenmin. Ella zat aan tafel met haar handen op elkaar op het tafelblad, de lippen netjes gestift en het witte haar keurig gekapt. Tegen de gepleisterde muur achter haar hing een levensgrote zwaardvis, van kop tot staart ruim twee meter lang. Het ene grijze oog van de vis staarde Truitt aan en in de onderkaak zat een rij scherpe tanden die vol stof zaten. De romp glansde van de schellak en kromde zich boven Ella's hoofd als een dierlijke regenboog.

Truitt probeerde zijn lachen in te houden. 'Grote genade, Ella,' zei hij. 'Ik ben nooit eerder in deze eetkamer geweest. Waar heb je in hemelsnaam die vis vandaan?'

Haar glimlach had iets gemaakts. 'O, die. Mijn man, Gerry, heeft hem gevangen voor de kust van Florida. Dat moet in 1953 geweest zijn. Hij was een geweldige jager, Alby. Hij is in 1965 overleden. Hij kwam van hier maar woonde veel liever in de stad, behalve als het op jagen aankwam. Daarom zijn we in de jaren vijftig met het hele gezin naar Atlanta verhuisd. Herinner je je iets van hem?'

'Nee, mevrouw.' Het was een feit dat Martins familie bekendstond om haar vrouwen, niet om haar mannen. Martin maakte er wel eens grapjes over. Zowel zijn vader als zijn grootvader had maar één kind kunnen verwekken, allebei een zoon. De rest van de familie kwam voort uit Linnies zuster Jessie en bestond uitsluitend uit meisjes. Die trouwden, natuurlijk, maar niet met mannen van enige betekenis. Of, in Gale's geval, hoewel haar man de natuur een handje had geholpen, met mannen die erg oud zouden worden.

'Ik vrees dat hij in deze omgeving weinig indruk heeft achtergelaten,' zei Ella. 'Hij was altijd onderweg, op jacht, aan het vissen, en dan keerde hij terug met al deze karkassen die hij liet opzetten en aan de muur hing. Hij jaagde op alles wat bewoog. Er waren niet veel wetten in die tijd, dat weet je. Als Hemingway zichzelf nog niet had uitgevonden, dan zou Gerry die rol op zich hebben genomen.'

Truitt drukte zachtjes met zijn vingertoppen op het tafelblad. 'Laten we eens kijken... 1965. Hoe oud was Gale toen uw man overleed?'

'Gale?' Ella hield haar hoofd schuin en keek hem enigszins verbaasd aan. 'Die was toen nog niet geboren. Hoezo?'

'Ik weet het niet. Ik probeer alleen een wat beter beeld te krijgen. Martin vertelde me over zijn familie, over zijn jeugd hier, en ik heb altijd het idee gehad dat ik iedereen kende. Nu blijkt dat ik een vrij incompleet beeld heb. Ik probeer gewoon de puzzel in elkaar te passen. Nu, hoe is Gale's moeder gestorven?'

'Door een auto-ongeluk. Je denkt toch niet dat Gale...'

'Nee, nee. Ik heb diverse getuigen die zeggen dat ze haar en Katie Pru hebben gezien op het moment dat het schot viel. Het is zelfs zo dat Gale de enige vrouw in dit huis is over wie ik me niet echt zorgen maak.'

'Dat is heel aardig van je, Alby. Je doet het klinken alsof er iets sinisters is gebeurd.' De glimlach op Ella's gezicht was minzaam. 'Dat is niet zo en dat weet je. Tragisch, natuurlijk. Maar met een tragische gebeurtenis kunnen we overweg. We bidden, helpen Cammy en Sill en slaan ons er wel doorheen.'

Ella verschoof de gouden armband om haar pols en trok aan het veiligheidskettinkje totdat het los van de armband naar beneden hing. Ze droeg een amberkleurige, gebreide trui met daaroverheen een zwart linnen jasje met korte mouwen. Boven haar linkerborst zat een gouden broche in de vorm van een boom, met kleine pareltjes als bladeren. Ze wachtte geduldig totdat hij weer iets zou zeggen, met een ontspannen gezicht maar met een scherpe blik in de ogen. Ze was, zou Martin gezegd hebben, een geval apart.

'Weet u, miss Ella, u doet me altijd denken aan mijn grootmoeder. Er kon onze familie niets naars overkomen dat zij niet kon herstellen. Toen mijn vader was overleden, herinner ik me dat een van mijn oudtantes in de keuken zat en zachtjes praatte over hoe gênant het was en hoe we ooit weer met geheven hoofd over straat konden. En mijn grootmoeder keek alleen maar op en zei: "Nu is het genoeg. We praten er niet meer over. Het is aan de Heer om over ons te oordelen, want Hij weet als geen ander dat vooroordelen ons mensen van binnenuit opvreten." En er werd in onze familie nooit meer een woord over hem gezegd.'

'Daar zijn families voor. Om je te beschermen tegen het geroddel van de buitenwereld.'

Ze zei het op geslepen toon, als iemand, vond Truitt, die te zeer op zichzelf was gericht om zich van subtiliteiten te bedienen. Hij grijnsde naar haar.

'Twee punten voor u, miss Ella. Er werd een hoop geroddeld, is het niet? En een jongen van vijftien had daar wat speciale bescherming tegen nodig.'

'En die heeft hij gekregen, nietwaar, Alby?' Ella's donkere ogen stonden messcherp. 'Ik kende je grootmoeder Tannie redelijk goed. We zaten in dezelfde periode op de middelbare school.' Ze wachtte even. 'Dus wat denk je dat ze je nu zou hebben verteld, Alby?'

'Waarover?'

'Over Martin.'

'Hmm. Dat is de vraag. Wat zou Tannie me nu vertellen?' Hij begon rondjes te tekenen op de kaft van zijn notitieboekje. 'Nou, Tannie geloofde erg in intuïtie. Ik denk dat men tegenwoordig zou zeggen dat ze voornamelijk met haar rechterhersenhelft dacht.'

Ella kreunde. 'Ik heb mensen die met hun hart denken nooit vertrouwd. Intuïtie klinkt voor mij te veel als intellectuele luiheid. Tannie was niet zo'n lezer, als ik het me goed herinner.'

'Nee, mevrouw, dat kan ik niet zeggen. Het zou niet waarschijnlijk zijn dat zíj mijn grootvader met Hemingway zou hebben vergeleken. Maar dat betekent niet dat ze dom was. Als ik zeg dat u me aan haar doet denken, dan bedoel ik dat niet in uiterlijke zin. Ze kleedde zich niet zoals u dat doet. Het enige sierraad dat ze had was haar trouwring, en haar huis leek al helemaal niet op dat van u. Maar er zijn andere dingen aan u die me doen denken dat zij en u van hetzelfde kaliber zijn.'

'Zoals?'

Truitt sloeg zijn notitieboekje open en begon rondjes op een lege bladzijde te tekenen. Hij keek Ella aan. Haar gezicht stond nog steeds vriendelijk, maar haar blik schoot heen en weer van zijn gezicht naar zijn handen.

'Nou, om te beginnen bent u beiden geboren tussen de Wereldoorlogen en grootgebracht, durf ik te wedden, op de schoot van grootmoeders die zich de Burgeroorlog nog konden herinneren. Ik heb Tannie wel eens gevraagd naar de verhalen die haar grootmoeder haar had verteld over de Burgeroorlog, en dan zei ze: "Er waren geen verhalen, Alby. Alleen maar opeengeklemde kaken en vuile handen."'

'Waar wil je naartoe, Alby?' Ella's stem klonk bijna zangerig.

'Nou,' zei hij, 'ik neem aan dat ik denk dat er achter alle mooie façades van deze familie een hoop opeengeklemde kaken en vuile handen zitten.'

Haar gelaatstrekken verhardden.

'Wat is er in die kamer gebeurd, miss Ella?' vroeg hij zacht.

'Dat heb ik je brigadier gisteravond verteld.'

'U hebt hem gisteravond een versie verteld.'

'Het was de waarheid. We waren in de keuken en hoorden het schot. We vlogen de trap op en renden met z'n vieren de kamer binnen.'

'Volgens Maralyn was Sill nogal van streek toen ze in de keuken was. U en zij hadden woorden nadat Martin het huis was komen binnenstuiven.'

'Dat klopt. Ze wilde het met hem uitpraten en ik zei tegen

haar dat het daarvoor niet het juiste moment was. Sill kan erg emotioneel zijn. Ze had, wat ik altijd noem, een van haar klassieke driftbuien.'

'En hoe uitte zich die?'

'O, je weet wel, blinde woede, huilen, om zich heen slaan, theatraal gedoe. Als Sill zo'n woedeaanval heeft, dan herhaalt ze keer op keer dezelfde woorden, alsof haar hersenen klem zitten. Gisteren was het: "Hij kan niet zomaar van me weglopen." Als ze zo is, kun je niets anders doen dan de luiken sluiten, de zaak onder controle houden en wachten tot de bui voorbij is.'

'Zou u zeggen dat ze haar zelfbeheersing kwijt was?'

'Dat was ze zeker, maar als je iets probeert te suggereren, Alby, dan kun je dat wel vergeten. Sill was in de keuken met mij, Maralyn en Cammy toen dat geweer afging. Ik zweer het je.'

Truitt zocht een lege bladzijde op en schoof het notitieboekje over de tafel naar haar toe. 'Kunt u tekenen hoe u Martins lichaam aantrof toen u de kamer binnenkwam? En geeft u alstublieft aan waar het geweer lag.'

Ella pakte de pen van hem aan en trok een paar lijnen op het papier. Ze hield hem het boekje voor.

'Dit is het bed. Dit is Martin. En dit,' zei ze, wijzend met de pen, 'is het geweer.'

Hij staarde naar het papier. 'Miss Ella, u hebt het geweer helemaal aan de andere kant van de kamer getekend.'

'Daar lag het, bij het dressoir.'

'Dat weet u zeker?'

'Heel zeker. Ik heb het opgeraapt.'

'Waarom?'

'Ik wilde het uit de buurt hebben, voordat er iemand anders gewond zou raken.'

'Waarom gaf u het aan Maralyn?'

'Ik had andere dingen te doen.'

'Dus u gaf het geweer aan de enige persoon in de kamer die een medische achtergrond had.' Hij zweeg even, wachtte tot ze zou antwoorden. 'Wiens vingerafdrukken ga ik nog meer vinden op dat geweer, miss Ella?'

Haar armband rinkelde op het tafelblad. 'O, in hemelsnaam,

Alby, ik heb geen idee wie dat geweer in handen heeft gehad. En wat maakt het uit? We waren allang blij dat er niemand anders gewond was geraakt, als je in aanmerking neemt dat dat ding kapot was.'

Truitt leunde achterover in zijn stoel en krabde aan zijn kin. 'Waarom denk je dat Martin zijn geweer tevoorschijn had gehaald?'

'Dat weet ik niet. Cammy zei dat hij dat vaker deed als hij onrustig was. Ze zei dat hij het schoonmaakte op dezelfde manier zoals zij het aanrecht schoonmaakte.'

'Om spanning te ontladen.'

'Dat klopt.'

'Maar er waren geen olie en pompstokken.'

Ze keek hem verbaasd aan. 'Nou, ja, die waren er wel. Ik heb ze zelf gezien.'

'Waar?'

'Op het nachtkastje. Vlak naast het bed. En oude lappen. Martin knipte ze zelf.'

Hij staarde naar haar gezicht. Ze was één of twee generaties later geboren dan de vrouwen die de zon hadden geschuwd. Hoewel haar huid bleek was onder het laagje poeder dat ze erop had aangebracht, moest er ooit een tijd zijn geweest dat haar gezicht was bespikkeld met sproetjes. Die zagen er nu niet meer uit als sproetjes. De tijd had haar wangen uitgehold en de sproetjes waren in kleine schubben veranderd, zodat het leek of haar gezicht vol splinters zat.

'De enige voorwerpen op het nachtkastje, Ella, waren een wekker en een bedlampje. Ik heb er speciaal op gelet.'

'Nou, Alby, dat kan gewoon niet waar zijn. Die spullen waren er echt, boven op een zakdoek.'

'Hoe zag die zakdoek eruit?'

'O, dat weet ik niet precies. Vierkant, met kant langs de randen en borduursel in het midden. De olie stond erop en de pompstokken lagen ernaast.'

'De enige voorwerpen op dat nachtkastje,' herhaalde hij, 'waren een wekker en een bedlampje.'

Haar stem werd harder. 'Nou, dan heeft een van je mannen ze zeker weggehaald. Ik...'

Ze zweeg abrupt en liet de pen op tafel vallen.

'Wat, miss Ella?'

'Ze lagen er. Ik heb ze zelf gezien.'

Hij bladerde zijn notitieboekje door totdat hij zijn aantekeningen van de plaats van het misdrijf had gevonden. 'Nee, mevrouw,' zei hij. 'Mijn mannen zouden die dingen nooit weggehaald hebben. En we hebben de hele kamer doorzocht. Als we iets hadden gevonden dat erop wees dat Martin zijn geweer zat schoon te maken...'

'Maar dat deed hij, Alby. Ik zeg het je toch?'

Ze staarde hem aan en haar vaalbruine ogen stonden net zo leeg en bewegingloos als die van de zwaardvis boven haar hoofd.

'Nou, het spijt me, miss Ella. Dat u het me zegt, is voor mij niet voldoende.' Truitt pakte zijn pen en tikte ermee op tafel. 'Ik besef dat u eraan gewend bent om het laatste woord te hebben, maar met alle respect, zo werken de zaken gewoon niet.'

Sill stond voor de deur van Ella's slaapkamer en luisterde of ze binnen iets hoorde. Het was vier uur in de middag en na een urenlang aanhoudend gedreun van stemmen was het eindelijk stil in huis.

Alle vier de deuren op de overloop waren dicht. Eerder die middag had ze vanuit haar eigen kamer gehoord dat Gale en Katie Pru hun kamer binnengingen, ze had even geluisterd naar het zachte gemompel van moeder en kind en toen was het stil geworden. Ze kon ze nu voor zich zien in hun kamer, liggend in het oude, mahoniehouten tweepersoonsbed, Gale met haar arm beschermend om haar slapende dochter geslagen. Plotseling kreeg Sill een brandend gevoel in haar keel. Ze greep de knop van Ella's deur vast, draaide hem om en liep de kamer in.

Het was koel in de kamer en de gordijnen waren dicht. Toen ze de deur weer achter zich dichtdeed, sloeg de airconditioner aan. Het gedempte licht was donzig en Sill moest haar ogen wijdopen sperren om de gedaante onder de dekens in Ella's grote gebeeldhouwde bed te onderscheiden.

'Moeder?' fluisterde Sill. 'Moeder, ben je wakker?'

Ze kreeg geen antwoord. Onder de dekens sliep haar moeder

met haar benen opgetrokken tot tegen haar borst. Ze had het laken in haar vuist geklemd en drukte het tegen haar wang. Haar ademhaling was diep en traag. Sill hurkte neer naast het bed en pakte haar moeders hand vast.

'Moeder?' herhaalde ze. 'Word alsjeblieft wakker. Ik moet met je praten. Ik kon vandaag niet naar beneden gaan. Ik ben op mijn kamer gebleven. Ik kon al die mensen niet onder ogen komen.' Ze wachtte even. 'Ryan Teller was er.'

Niets. Ze staarde naar het gezicht van haar slapende moeder, de vage gelaatstrekken in het schemerlicht. Als haar moeders haar niet glanzend grijs tegen het kussen had afgestoken, had ze van elke leeftijd kunnen zijn: de vanzelfsprekende moeder van Sills jeugd, de koppige moeder van haar pubertijd. Tranen verzamelden zich in Sills ooghoeken en kropen over haar wangen. Het is niet eerlijk, dacht ze. Ik wil niet dat je zo bent. Ik wil je zoals je vroeger was. Toen je voor me wilde zorgen.

In de gang ging een deur dicht en ze hoorde voetstappen in de richting van de trap gaan. Sill stond op en veegde de tranen van haar gezicht. Gale ging zeker naar beneden; ze had Katie Pru slapend op haar kamer achtergelaten, opgerold onder de lichte beddensprei, net zoals haar moeder hier lag. Het meisje was ongetwijfeld in slaap gevallen in de wetenschap dat haar moeder bij haar was, gerustgesteld door de warmte van haar lichaam en het gewicht van haar arm op haar lijfje. Weer schoten er hete tranen in Sills ogen. Hoe konden kinderen ooit gaan slapen als ze wisten dat ze alleen zouden zijn als ze weer wakker werden?

Ze pinkte haar tranen weg, ging op de rand van het bed zitten en deed haar schoenen uit. Toen tilde ze voorzichtig de dekens op en gleed naast haar moeder in bed.

Eerst was het vreemd, de warmte van die oudere huid tegen de hare. Ze probeerde zich de laatste keer te herinneren dat ze naast haar moeder in slaap was gevallen. Dat moest in het begin van haar kindertijd zijn geweest, toen ze nog klein genoeg was om op Cammy's buik te liggen. Ze deed haar ogen dicht, schoof nog wat dichter naar haar moeder toe en sloeg haar arm om haar middel. Ze dacht terug aan de geur van pasgewassen katoen, het witte oppervlak van een overhemd, de blauwe zijde van een das...

De pijn kwam zo plotseling dat ze geen adem meer kreeg: het beeld van haar vader, die haar tegen zijn borst drukte, zodat ze zijn hartslag kon horen en probeerde haar ademhaling aan te passen aan de zijne.

Ze duwde haar gezicht in haar moeders haar. Haar gesnik deed haar lichaam schokken. Help me, help me, help me. En toen: hou me tegen, God. Moeder, hou me tegen.

13

Het betekent niets voor me. Een vrouw die niet voor haar
kind kan zorgen, kan zich wat mij betreft helemaal geen
mens noemen.

Jules Cane,

Linnies zoon, toen hem werd gevraagd
naar de verhalen over zijn moeders geest, 1969

Gale bleef voor de dichte deuren van de eetkamer staan en
keek op haar horloge. Kwart voor drie. Alby en Ella zaten al
minstens drie kwartier in de eetkamer. Vanachter de dichte
deur hoorde ze de donkere stem van de sheriff, die steeds de
inleiding vormde op Ella's korte antwoord. Ze is óf een
meester in beknoptheid, óf ze tergt hem tot het uiterste,
dacht Gale. Ze deed snel een stap achteruit maar bleef naar
de deur van de eetkamer kijken.
'En wilt u nog iets veranderen aan wat u me hebt verteld?'
'Nee.'
'Wacht, denk nu even na...'
'Je moet niet doen alsof ik gek ben...'
'Dat doe ik niet, miss Ella. Maar we zitten hier met een aantal onduidelijkheden en ik moet antwoorden hebben waar ik
iets mee kan.'
Stilte. Gale dacht dat ze een zucht hoorde, gevolgd door het
krassen van stoelpoten op een houten vloer. Ze deed een stap
achteruit toen de deur openging en Truitt de hal in kwam lopen. Achter hem zat Ella nog steeds aan tafel, met haar rug
kaarsrecht tegen de stoelleuning en haar handen gevouwen
op het tafelblad. Ze verroerde zich niet toen Truitt de deur
achter zich dichtdeed.
Hij bleef bij de deuren staan, met zijn hand op de deurknop,
en keek Gale aan.
'Weet je wat Martin vroeger tegen me zei, Gale? Hij zei dat

Moeder Natuur het allemaal zo had gepland dat er nooit iets gebeurde dat niet de hele wereld veranderde. Toen ik zo oud was begreep ik daar niets van. Kevertjes sterven, bladeren vallen van de bomen, nou en? Als ik dat tegen hem zei, antwoordde hij: "Dat klopt. Dat doen ze zeker." Alsof het feit dat dát me was opgevallen al voldoende bewijs was.'

Gale leunde tegen de muur en voelde dat haar haar vast bleef zitten achter de vin van een vis. Ze stak haar hand op en maakte het los. 'Dat klinkt nogal misplaatst uit de mond van een jager als Martin.'

Truitt schudde zijn hoofd. 'Dat heb je mis. Dat is een van de dingen die hij me heeft geleerd. Dat jagen een verbindende daad was.'

Gale trok haar wenkbrauwen op. 'Hij gebruikte dat woord, hè? Verbindende?'

Truitt glimlachte. 'Misschien niet. Maar jij bent historica. Jij weet wat hij bedoelde. Heb jij ooit iets gedaan waardoor je voelde hoe je voorouders leefden? Kaarsen gemaakt? Aardappels geroosterd in de as van de open haard? Iets dergelijks?'

Ze aarzelde. 'Ik heb geweven.'

'Nou, dan weet je het. Martin vertelde me dat jagen hem hielp bij het houden van contact met het verleden. Hij voelde dat zijn vader en grootvader bij hem waren als hij in die bossen de trekker overhaalde.' Hij gebaarde met zijn arm naar de eetkamer. 'Shit, Gale, heb je ooit die zwaardvis goed bekeken? Wat een ongelofelijk beest is dat. Ella schijnt te denken dat je grootvader jaagde om Hemingway naar de kroon te steken. Ik geloof dat niet. Ik denk dat hij elke keer als hij zijn lijn binnenhaalde of de terugslag van de geweerkolf tegen zijn schouder voelde, in feite de armen van zijn vader om zich heen voelde.'

Gale dacht aan de kraaien in de studeerkamer, met hun rare rode vesten en gele schoenen. Ze kon in die vogels met geen mogelijkheid enige verhevenheid zien, noch begreep ze iets van de zogenoemde vaderlijke, verbindende drijfveren van de man die ze had gemaakt.

'Ik weet het niet, Alby,' zei ze. 'Ik denk dat je mijn mannelijke familieleden meer lof toedicht dan ze verdienen.'

171

Hij trok een mondhoek op in een grijnzende glimlach die door had kunnen gaan voor seksistisch als de blik in zijn ogen niet zo doodserieus was geweest. 'Ik probeer alleen maar de rol van dat geweer te ontdekken, Gale,' zei hij zacht. 'Ik weet hoe serieus Martin die kerkbarbecues nam. Wat deed hij in huis met een geladen geweer met al die mensen buiten?'

'Grote goedheid, Alby.' Gale lachte meer van verbazing dan van vrolijkheid. 'Je doet net alsof Martin een sluipschutter is.'

'Een sluipschutter? Nee, dat bedoel ik niet. Ik bedoel dat alles, op alle fronten, goed ging. De mensen begonnen net hun borden vol te scheppen en een plaatsje te zoeken, Martin ging het huis in en een paar minuten later was hij dood. Nou, het enige bijzondere wat er is gebeurd, is die ruzie met Sill. Maar volgens Maralyn wist hij dat ze zou komen. Hij had dus tijd om zijn reactie te overdenken, na te denken over hoe hij ermee om moest gaan.'

'Misschien was zijn reactie heftiger dan hij zelf had voorzien?'

'Zo heftig dat hij naar binnen rent en zijn geweer grijpt? En dan wat? Die uitleg van dat spanning ontladen is mij te bizar. Ik kan gewoon niet geloven dat Martin tijdens zijn kerkbarbecue naar zijn slaapkamer rent en een geladen geweer begint schoon te maken, alleen omdat zijn zenuwen een beetje op de proef worden gesteld.'

Achter de gesloten eetkamerdeur kraakte een stoel. Truitt bewoog zich niet en staarde naar de zoom van Gale's rok. Hij weet dat Ella luistert, dacht Gale. Het was verdomme zijn bedoeling dat ze hoorde wat zij zeiden. Gale voelde een bekende steek van afkeer. Ze mocht Truitt. Voorzover ze wist was hij oprecht verbijsterd door de dood van een man voor wie hij veel respect had gehad: van wie hij misschien – op een bepaalde manier – had gehouden. Maar ze was niet van plan om hem te helpen. Niet op deze manier.

Ze maakte zich los van de muur. 'En nu, Alby, moet ik eens aan het werk. Katie Pru slaapt, dus als je het niet erg vindt...'

'O, natuurlijk.' Hij fronste zijn wenkbrauwen en had duidelijk nog geen zin om een eind te maken aan hun gesprek. 'Ik dacht alleen maar wat hardop. Ik wil je niet ophouden.'

Ze knikte naar hem en liep de hal in. Iemand had de voordeur open laten staan, en de loodgrijze hemel wierp een somber licht op de vloer en de muren. In de woonkamer was het zo donker dat Gale het plafondlicht aanknipte voordat ze op de bank plaatsnam.

Toen ze jong was, had ze de glazen salontafel altijd 'de mensenbank' genoemd, vanwege die verzameling foto's en de lange, rechthoekige vorm. Ze kende het verhaal achter elke foto op de tafel, en als ze in haar jeugd soms de behoefte had gevoeld om die verhalen wat extra dramatisch te maken, dan had ze dat niet nagelaten. Nu ging haar blik naar één foto in het bijzonder: een foto van een vrouw en drie kinderen die voor een geschilderd decor van het Parthenon stonden. De vrouw was gekleed in een met kant afgezette satijnen jurk die tot halverwege haar kuiten reikte. Voor haar stonden twee meisjes van wie de kleinste de hand van haar moeder vasthield. Rechts van hen, een beetje apart, stond een jongetje in een witte korte broek en een te groot wit overhemd.

Ze keek op toen Truitt in de deuropening kwam staan. 'Gale, ik heb nog twee korte vragen voor je. Weet jij hoe Cammy's tas eruitziet? Maralyn zegt dat Cammy er vanochtend naar vroeg. Ik wilde naar het huis rijden om hem op te halen.'

Het was zeer te betwijfelen dat Cammy vanochtend naar wat dan ook had gevraagd, sheriff, dacht Gale, maar ze zei niets. In plaats daarvan haalde ze haar schouders op. 'Ik heb echt geen idee, Alby. Ik let nooit op tassen van anderen.'

'O. En heb je een fotografe gezien die tijdens de barbecue foto's nam?'

'Ja,' antwoordde Gale. 'Ik liep haar vanochtend tegen het lijf. Ze heet Nadianna Jesup en woont in het oude fabrieksdorp.'

'Fabrieksdorp? Is ze verslaggeefster?'

'Nee. Ze is een amateur-fotografe die foto's neemt voor haar studie.'

'O. Bedankt.' Hij kwam de kamer in en keek nieuwsgierig naar de tafel. 'Een deel van je research?'

De vraag had niet argwanend geklonken, maar Gale merkte dat ze begon te blozen.

'Nou, ja... nee. Mijn boek gaat over vrouwen in het eerste kwart van deze eeuw, dus daar valt Linnie Cane ook onder. Na mijn gesprekje met Zilah vanmiddag besefte ik dat ik nog nooit een foto van haar had gezien. Ik vraag me af of er een bestaat.'

'Hmm.' Truitt liet zich in de met paardenhaar gevulde fauteuil zakken en liet zijn blik over de foto's gaan.

'Waar zoek je naar? Elke willekeurige vrouw uit die periode, zodat je haar mogelijk kunt identificeren als Linnie?'

'Nou, nee. Ik ken de identiteit van al deze mensen hier, of tenminste hoe ze heten en met wie ze verwant zijn. In feite was ik op zoek naar iets wat minder direct is.'

'Zoals?'

Gale streek haar haar achter haar oren en zuchtte. 'Boven, op Katie Pru's kamer, hangt een soort aandenken, ingelijst en met glas ervoor, met lokjes haar van iedereen die in 1925 lid was van de methodistenkerk van Statlers Cross.'

'Enig.'

'Ja, nou, het interessante deel is dat Linnies haar er ook tussen hing, maar dat iemand dat op een zeker moment heeft weggehaald en haar naam heeft doorgekrast. Of dat uit boosheid of bijgeloof was, weet ik niet. Ik dacht alleen maar dat iemand misschien...'

'Ook al haar foto's heeft weggehaald?'

'Het is zo vreemd. Ik bedoel: kijk eens naar deze foto hier. De vrouw is Jessie, Linnies zuster, en die twee meisjes zijn Jessies dochters, Ella en Nora. Maar zie je dat jongetje dat naast Nora staat? Hoe oud zal hij zijn, denk je? Een jaar of twee, drie? Dat is Jules, Linnies zoontje.'

Truitt boog zich over de tafel en keek aandachtig naar de foto onder Gale's vinger. 'Martins vader,' zei hij.

'Juist. Maar geen Linnie. En ze stierf pas toen hij vijf was.'

'Dat zegt het verhaal.'

'Dat zegt de familiebijbel. De vrouwen in mijn familie hebben heel goed werk verricht als het gaat om het bijhouden van alle geboortes en sterfgevallen door de jaren heen. Zowel Jules als Ella is geboren in 1920. Linnie stierf in 1925. Als je naar deze foto kijkt, Alby, zie je dat die in een studio is genomen; dat is een geschilderde achtergrond met een afbeelding van een Griekse tempel. Waarom zou Jules alleen met zijn tante en nichtjes op een studiofoto staan als zijn moeder nog in leven was?'

Truitt haalde zijn schouders op. 'Misschien paste Jessie die dag op hem.'

'Dat denk ik niet. Je laten fotograferen in een echte studio was in het begin van de jaren twintig een hele gebeurtenis. Families maakten een afspraak en kleedden zich er speciaal voor. Dergelijke foto's waren voor arme mensen het letterlijke alternatief voor het geschilderde familieportret. Als nu de twee zusters, Jessie en Linnie, hadden besloten om zich samen en alleen met de kinderen te laten fotograferen, dan zou dat voorstelbaar zijn. Maar Jessie die zich laat fotograferen met het kind van haar zuster? Dat begrijp ik niet.'

Ze tikte op het glas. 'Ik durf te wedden dat het merendeel van de formele portretten die je hier ziet, is gemaakt in de fotostudio verderop in de hoofdstraat. Ik vraag me af of er ergens in een schuur niet een archief van terug te vinden is.'

'Vraag het aan Deak. Als iemand weet wat de mensen hier in hun schuren bewaren, dan is hij het.'

'Daar zou je wel eens gelijk in kunnen hebben.' Ze staarde naar de foto. Het jongetje stond naast een kolom in de vorm van een Ionische zuil, met zijn rug recht en zijn voeten netjes naast elkaar. Maar zijn linkerhand was onscherp, alsof hij zich op het laatste moment niet had kunnen beheersen en de kolom van papier-maché had vastgepakt. Gale voelde een golf van affectie voor het kind door zich heen trekken. Katie Pru zou hetzelfde hebben gedaan.

Truitt wekte haar uit haar gedachten. 'En nu? Zoek je naar een afgehakte hand die op zijn schouder ligt, of het puntje van de voet van degene die achter de camera stond?'

Gale lachte schaapachtig. 'Ja, dat is precies waar ik naar op zoek ben. Maar ik zie niets. Toch blijf ik het merkwaardig vinden.'

Truitt kneep in de vleesbobbel tussen zijn wenkbrauwen. 'En?' zei hij achteloos. 'Wat denk je dat dit met Martins dood te maken heeft?'

Gale keek hem verbaasd aan. 'Niets. Zilah heeft alleen mijn

interesse gewekt, dat is alles. En ik dacht dat het misschien kon helpen bij de research voor mijn boek.'

'Onzin. Gisteren is Martin vermoord en jij gaat vandaag weer aan het werk? In het huis waar zijn weduwe en dochter zijn en waar ik loop rond te stampen met al mijn vragen? Je moet wel een heel koele kikker zijn om je zo achteloos op te stellen.'

'Ik heb een deadline waar ik me aan moet houden.'

'Dat vind ik een buitengewoon merkwaardige opmerking.'

Een lok haar viel in zijn ogen en met een geïrriteerd gebaar streek hij hem weg. Zijn blik bleef op Gale gericht, maar toen ze niet reageerde, boog hij zich weer over de tafel.

'Ik heb foto's nog nooit op een dergelijke manier uitgestald gezien,' zei hij. 'Maar misschien is het een goede manier om de herinneringen levend te houden. Ik bedoel: je hoeft geen album tevoorschijn te halen om je familiefoto's te bekijken. Je gaat gewoon zitten met een kop koffie en hupsakee, je zit oog in oog met tante Bitsy.'

Gale zag hoe Truitt zijn vinger over de glasplaat liet gaan. Hij grinnikte zachtjes. 'Kijk hier eens, Gale. Deze jongedame lijkt erg veel op Katie Pru.'

'Dat is mijn moeder, Kathleen. Ze kwam om tijdens een auto-ongeluk toen ik ongeveer van Katie Pru's leeftijd was,' zei ze.

'Ze is mooi. Hoe oud is ze op deze foto?'

'Dertien of veertien, denk ik. Die foto is genomen toen ze bruidsmeisje was bij het huwelijk van Martin en Maralyn.'

'Cammy,' corrigeerde Truitt haar.

Hij keek haar aan en Gale kon niet voorkomen dat ze begon te blozen.

'Cammy.' Zijn stem klonk overtuigd.

'Nee, het was Maralyns huwelijk.' Gale kneep haar ogen dicht en ademde diep in. Wat had ze toch een hekel aan politiemensen. 'Het huwelijk van Maralyn en Martin. Ze zijn even getrouwd geweest toen ze tieners waren. Cammy is Martins tweede vrouw.'

14

Ik zweer je bij God, man, ik kom boven en daar ligt ze, in mijn bed, het rotwijf. Ik raak haar niet aan, weet niet wat ik moet doen. Ik denk: er ligt godverdomme een geest in mijn bed, en ik denk net: wat een giller, als ze opeens rechtop gaat zitten en er allemaal ratten uit haar borst rennen, en ik denk: jezus, ze lijkt sprekend op mijn ex-vrouw.

Tim Falcon,

tegen zijn kameraden in de plasticfabriek, 1971

Nadianna Jesup wist al dat de man met haar kwam praten toen hij de hoek bij de katoenfabriek om kwam en het grindpad opliep dat naar het dorp leidde. Ze wist dat hij met haar kwam praten omdat Gale Grayson haar foto's had zien nemen tijdens de barbecue.

Haar zuster had haar er gisteren al op gewezen, nadat Nadianna het huis was binnengerend en zich had opgesloten op haar kamer. 'Ga nou maar naar die sheriff toe en vertel hem dat je een stel foto's hebt gemaakt,' had Ivy gezegd. 'Iemand zal het heus wel tegen hem zeggen en dan moet je ze toch aan hem geven.'

'Maar dat wil ik niet,' had Nadianna geprotesteerd. 'Er staat niets bijzonders op. En het gaat niemand iets aan.'

'Dat maakt niet uit, Nadi. Er is daar vandaag een man vermoord. Denk je dat de sheriff niet wil zien wat er op die foto's staat? En trouwens, hoe weet je dat je niet iets belangrijks hebt gefotografeerd? Die politiemensen zijn daarin getraind. Die zien dingen die wij niet zien.'

Nadianna had zich opgerold op haar bed en het kussen tegen haar buik gedrukt. Haar hart sloeg zo snel dat haar huid klopte. Ze probeerde na te denken. Wat stond er op die film? Een paar oudere vrouwen die in het vishuis zaten, een man

177

die klapstoelen droeg, een vogel. En foto's van hem, terwijl hij zijn toespraak hield, zich vooroverboog en iets in het oor van een vrouw fluisterde...

Ze begon heftig te trillen. Ivy kwam op het bed zitten en sloeg haar armen om haar heen. Ze probeerde haar te kalmeren, zei dat het allemaal goed zou komen, dat dit een soort shock was maar dat God in Zijn oneindige genade...

Nadianna propte een hoek van het kussen in haar mond en beet er hard op. Ze wilde niet gillen. Ze wilde niet schreeuwen naar Ivy. Ivy wist het niet. Ivy was er niet bij geweest.

Die nacht had Nadianna vrij goed geslapen. Het gruis dat haar ogen deed jeuken, had ook haar dromen vertroebeld. Scènes van de barbecue schoten geel en knarsend voorbij. 'Nu, velen van jullie kennen me... Jullie kennen me als inwoner van deze stad, als iemand die van deze kleine gemeenschap houdt... Maar dat zijn allemaal aardse zaken. Ik wil nu dat jullie me zien zoals ik in werkelijkheid ben, als een nederig lid van Gods kudde...'

En toen het schot, krakend, doordringend. Ze had dieren horen doodschieten – eekhoorns, vogels – maar nog nooit een mens. Er was niets te vergelijken met het geluid van een kogel die een mens zijn leven ontneemt.

De man klopte nu op de voordeur. Nadianna streek haar jurk glad voordat haar hand naar de deurknop ging. In haar handpalm lag het filmrolletje.

Ze hield het hem voor voordat hij iets kon zeggen. Hij keek verbaasd naar haar geopende hand.

'Hier bent u voor gekomen, nietwaar?' zei ze. 'Nou, pak aan, meneer. Ik hoop dat u er iets aan hebt, maar dat denk ik niet.'

Hij pakte het filmrolletje aan en keek naar haar gezicht terwijl hij het in een envelop stopte. 'Ik zal een ontvangstbewijs voor u schrijven. Nadianna Jesup, is het niet?'

'Doet u geen moeite. Ik heb er al over nagedacht. Er staat niets op dat ik houden wil. Waarom zou ik? Het is een en al slechtheid.'

De man schoof zijn jas opzij om haar het embleem op zijn riem te laten zien. 'Ik ben sheriff Truitt,' zei hij. 'Mag ik binnenkomen? Ik wil alleen maar een beetje met u praten over gisteren.'

Ze schudde krachtig haar hoofd. 'Nee, meneer,' zei ze. 'Mijn vader en zus zijn de stad uit voor familiebezoek en ik blijf liever gewoon hier met u staan, als u dat niet erg vindt.'

'Mij best. Ik waardeer het dat u mij deze film geeft, miss Jesup. Die kan me helpen om de mensen te plaatsen, waar ze waren, met wie en op welk moment. We proberen alleen maar te weten te komen wat er gisteren precies is gebeurd.'

'Ik weet niets. Ik heb alleen wat foto's gemaakt.'

Truitt liet zijn blik over de kleine houten veranda gaan en leunde toen tegen de smalle reling. De tak van een bloeiende perenboom stak in zijn rug en roze bloesem bewoog in de wind.

'Ik moet u een paar vragen stellen, miss Jesup. Waarom hebt u deze foto's gemaakt?'

'Voor mijn cursus. Ik ben op zoek naar dingen die een beeld geven van mijn cultuur. Die barbecue is al een deel van mijn cultuur zolang ik me kan herinneren. Zelfs toen ik klein was en mijn ouders me er niet naartoe lieten gaan, ging ik buiten staan en snoof ik de geuren op.' Ze aarzelde en vroeg zich af wat deze man van haar wilde. 'Het rook naar auto's en vlees.'

Hij glimlachte. 'Dat kan ik me voorstellen. Waar volgt u die cursus?'

'In het kunstcentrum in Praterton.'

'Echt? Dat is een heel eind hiervandaan. U rijdt daar helemaal naartoe voor een cursus fotografie?'

Die vraag maakte haar boos. Ze kon begrijpen dat het mevrouw Grayson wat had verbaasd – ze was tenslotte een Alden en bovendien, na alles wat ze had meegemaakt, had Nadianna zonder het te willen een beetje medelijden met haar gekregen – maar van deze overheidsambtenaar... Ze antwoordde met een ijskoude glimlach.

'Dat klopt, sheriff. Ik rij een keer per week een uur heen en terug naar Praterton om daar een opleiding creatieve fotografie te volgen. Ik heb zelfs al mijn geld opgespaard om een echte camera te kopen. En raad eens, ik heb prijzen gewonnen in wedstrijden, dus ik ding zelfs mee naar de grote...'

Hij stak zijn handen op en begon te lachen. 'Ho even, alstublieft, miss Nadianna. Ik bedoelde er niets mee.' Hij zweeg

even, keek haar aan en de glimlach verdween van zijn gezicht. 'Nee, dat is niet waar. U hebt groot gelijk dat u mij de
les leest. Ik was vooringenomen. Dat spijt me.'
Ze sloeg haar armen over elkaar en wreef met haar handen
over de mouwen van haar blouse. 'Oké,' zei ze. 'De mensen
denken gewoon...' Ze maakte haar zin niet af.
Truitt wist wat de mensen dachten. Een meisje uit het kleine
fabrieksdorp op het platteland. Zelfs nu de fabriek weg was
en het dorp gewoon een stel huizen, raakte je dat etiket niet
kwijt. Hij keek ernstig.
'Ik weet waar u het over hebt,' zei hij. 'De mensen denken allerlei dingen zonder dat ze iets van u weten. Nogmaals, het
spijt me. Ik zal die fout niet nog eens maken. Nu, over die
barbecue, hebt u tijdens het fotograferen iets gezien wat iets
te maken zou kunnen hebben met de dood van meneer
Cane?'
Ze bukte zich en raapte een bloemblad van de grond. Ze rolde het tussen haar vingers totdat het sap eruit kwam. 'Niets,'
zei ze.
'Nadianna, als je iets hebt gezien, dan moet je het me vertellen. Misschien kan ik dan ontdekken wat er met meneer
Cane is gebeurd.'
Ze deed haar kin omhoog. Haar vader noemde dat altijd
haar 'trotse blik', en hij had er een hekel aan.
'Er bestaat een verschil tussen bidden en politiek bedrijven,
meneer Truitt. Of dat zou in elk geval zo moeten zijn. Als u
iets op mijn foto's zult vinden, dan zal dat zijn dat Martin
Cane lang niet zo goed was in het scheiden van die twee dingen als hij dacht.'

Cammy's botten voelden aan alsof ze doorweekt waren, als
katoen dat in de regen had gelegen. Eén keer, toen Martin
probeerde te stoppen met roken, was hij op lolly's gaan zuigen. Alleen hield hij niet op als die op was en bleef hij net zo
lang op het stokje zuigen totdat het zacht en rafelig was. Ze
vond ze in de asbakken, gewikkeld in het cellofaanpapier dat
om de lolly had gezeten. Haar ledematen voelden nu aan als
die lollystokjes. Als ze zich bewoog, zouden haar botten buigen.

Ze probeerde haar mond open te doen, maar er zat lijm op haar lippen. Haar oogleden leken dichtgenaaid. Alles was zwaar en zelfs haar haar rukte pijnlijk aan de huid van haar schedel. Ze begon te rillen. Ze wilde een deken, maar ze was bang dat als ze haar arm uitstak, al haar gewrichten zouden breken en de arm in delen op de grond zou vallen.

Martin? Er kwam geen antwoord, net zoals er geen vraag was geweest. Haar hele lichaam trilde. Martin, ik wil een deken.

Ella had ook een deken gewild. Ella en Maralyn hadden een deken gewild om op de grond te leggen. Maar Cammy wilde niet dat ze die van haar bed haalden. Ze had te veel werk gehad om het die ochtend van de barbecue op te maken, en als Martin het onopgemaakt zou aantreffen, zou de hel losbarsten. Trouwens, er lag al een deken op de grond, vlak voor hen. Hij was opgerold en zag er zwaar uit, te zwaar om hem met z'n tweeën op te tillen. Sill moest hen helpen, maar Sill had de hele tijd geprotesteerd.

Sullige Sill. Zo hadden de kinderen haar op school genoemd. Sullige Sill. Maar Sill was helemaal niet sullig. Ze was een fijne dochter, zo mooi en zo slim. Cammy was trots op haar. Sill en Martin hadden hun meningsverschillen, maar dat was normaal voor vaders en dochters. Vaders en dochters moesten niet te close met elkaar zijn, dus moesten ze af en toe ruziemaken.

Pak hem hier vast, Sill. Pak hem hier vast, dan tillen we hem op het bed. Ella was weer zo bazig geweest, maar Sill had ten slotte meegeholpen, hoewel ze dat niet had gewild. Cammy had niet begrepen waarom Sill zo dwars was. De vraag leek simpel genoeg: pak dat uiteinde vast en we tillen hem op het bed. Maar toen het gedaan was, had Cammy naar Sills handen gekeken en had ze het begrepen. De deken was kapotgegaan en de wol was als verf aan Sills handen blijven kleven.

Haar tanden klapperden. Ze beten in haar lippen als haar onderkaak op en neer schoot. Ze had het zo koud. Ze moest iets hebben om zich te warmen.

Naast haar in bed bewoog Martin zich.

'O, God, moeder, ben je wakker? Je ligt helemaal te rillen! Ik zal je even opwarmen.'

Sill trok iets zwaars over Cammy's lichaam heen. Ze stopte het rondom hen in, waarna ze haar hand op Cammy's buik liet liggen.

'Zo, moeder, straks zul je het weer warm hebben. Alles komt goed.'

Sill lag in bed, niet Martin. Nooit meer Martin.

Cammy's buik werd warm op de plek waar Sill die aanraakte. Warm als water. Warm als de plukken wol van de deken die rood van Sills hand dropen.

Cammy ging rechtop zitten en begon te gillen.

15

Ik vraag me af of 'geest worden' in de familie zit.

Gale,

tegen haar nicht Sill, na de dood van hun tante Nora, 1973

Deak Motts hobbelde naar de hordeur van de veranda van zijn zoons huis en wierp een kritische blik op de hemel. Hij kon zich een tijd herinneren waarin het weer hem geen barst interesseerde en hij liep waarheen hij maar wilde, wanneer hij maar wilde, en hij de bliksemschichten net zo gemakkelijk aan zijn laars lapte als hij dat met de wet deed. De bliksem trof altijd milde mensen die niets vermoedden: golfspelers, mannen op boten of mannen die rustig lagen te lezen in aluminium ligstoelen. Maar Deak Motts en zijn God wisten allebei dat hij geen mild mens was.

Nu zocht hij de lucht af naar sporen van een hemelse scherprechter. Zijn leeftijd had dat met hem gedaan. Hij was niet bang voor de dood, zolang hij maar kon sterven op zijn eigen condities. Als iemand hem op twintigjarige leeftijd had gevraagd hoe hij de dood zou zien als hij zesentachtig was, dan zou hij beledigd zijn geweest en hebben gezegd dat als hij die leeftijd eenmaal had bereikt, God nog eerder zou sterven dan hij. In de daaropvolgende jaren had hij geleerd daar minder arrogant over te zijn. God kon in één flits iemands leven nemen, en er was niets glorieus aan als je zwartgeblakerd als een te lang geroosterde big in je kist werd gedonderd.

De lucht was dreigend, maar had nog niet die echte stormkleur. Hij had een kwartier, twintig minuten misschien. Hij schuifelde naar de bank die tegen de houten wand was geschoven en pakte zijn emmer en plantschopje.

'Ik ga naar de begraafplaats,' riep hij over zijn schouder. 'Ik kom straks wel terug om te douchen.'

Niemand antwoordde. Hij had zich vaak afgevraagd wat er

zou gebeuren als hij daar op dat vlakke, terrein getroffen werd. Het zou waarschijnlijk uren duren voordat ze hem zouden gaan zoeken, en als ze hem dan uiteindelijk vonden, zou hij daar als een armzalig zwart hoopje tussen de graven liggen. Maar hij twijfelde er geen moment aan dat er om hem gerouwd zou worden. Maar daarna, wat dan? Hoe lang zou het duren voordat de herinneringen zouden vervagen en hij niet meer zou zijn dan een grafsteen? Dan kon je nog beter een geest zijn, dacht hij verbitterd terwijl hij het haakje van de hordeur haalde. Er is nooit een slecht spookverhaal geweest. Als een lichaam eenmaal herrezen was, dan was er van dood geen sprake meer.

Hij liet de deur met een klap achter zich dichtvallen en ging door het korte gras op weg naar de begraafplaats, zoals hij elke zondag om vijf uur in de namiddag deed. De afscheiding tussen de grond van zijn zoon Miles en de begraafplaats van de kerk werd gevormd door een rij granieten blokken die als broden op de grond lagen en van de weg naar een afgelegen groepje pijnbomen liepen. Toen hij bij de afscheiding kwam, stampte hij één keer met zijn voet op een blok en duwde hij de neus van zijn schoen zachtjes in de vochtige bodem aan de andere kant voordat hij zijn gewicht verplaatste en de grens overstak.

Hij liep naar het midden van de begraafplaats en bleef even staan om te zien of het graf van zijn vrouw nog schoon en netjes was. Dat was zo. Mooi. Hij wilde zich nu geen zorgen maken over Bethie. Een dezer dagen zou Martin Cane begraven moeten worden en dan moest het monument klaar zijn.

Midden op de begraafplaats bleef hij staan. De bovenkant van het marmeren monument glansde in het gedempte licht van de namiddag. Als kind had hij andere steden benijd om hun Confederatiegedenktekens van kort na de eeuwwisseling, toen afbeeldingen van de eenzame soldaat, leunend op zijn geweer, erg in trek waren. In vergelijking daarmee was deze eenvoudige, witte obelisk, die tien jaar na de oorlog was gemaakt, bijna kleurloos te noemen. Zijn eigen achterkleinzoon had hem als kind de 'Apollo 11' genoemd. Hij was vaak bang geweest dat er ooit een dag zou komen dat iedereen die wist van het monument dood zou zijn en dat niemand meer wist wat de inscriptie WE ZULLEN ROUWEN EN ERAAN TERUG BLIJ-VEN DENKEN betekende. Maar dat kon hem nu niet meer schelen. Hij had al lang geleden geleerd dat niet steen maar stemmen de beste vertolkers van het verleden waren.

Hij liet zijn emmer en plantschopje op de grond vallen en zakte langzaam door zijn knieën. Het onkruid rondom het monument was vrij nieuw en liet zich gemakkelijk verwijderen. Hij nam de groene stelen tussen zijn vingers, trok ze uit de grond en gooide ze in de emmer.

'Ik heb verband om mijn knieën, en je mag ze niet aanraken.'

Hij keek op. Het kleine Alden-meisje – hij kon zich haar naam niet herinneren – stond een meter bij hem vandaan en haar magere beentjes staken onder haar korte broek uit. Hij wees met zijn vinger naar haar knieën.

'Waar is dat verband voor, juffie? Ben je gevallen of zoiets?'

Ze schudde haar hoofd. 'Ik heb wonden op mijn knieën gete-kend met mijn viltstiften. Ze wilden er niet meer af, dus heeft oma Ella er verband omheen gedaan.'

Achter haar hoorde hij een vrouw haar keel schrapen. 'Ella vond het ongepast voor kleine meisjes om rond te lopen met bloederig uitziende knieën, dus die verspilde er liever een rol verband aan.'

Hij draaide zijn hoofd totdat zijn nek pijn begon te doen. Het andere Alden-meisje – God, hij kon zich haar naam ook niet meer herinneren – kwam zijn blikveld in stappen.

Hij richtte zich weer op zijn onkruid. 'Nou, dat is typisch Ella,' zei hij. 'In de Tweede Wereldoorlog liep ze altijd rond met beschilderde kousen. Bethie ergerde zich er groen en geel aan. Ella vond zichzelf altijd beter dan ze in feite was. Dat soort dingen doet Atlanta met je.'

Ze lachte zacht: een gemeende lach, geen geforceerde of be-leefde lach. Ze knielde naast hem neer en begon het onkruid aan de linkerkant van het monument uit de grond te trekken. 'Kom eens bij me, Katie Pru,' zei ze, 'en laat meneer Deak eens zien hoeveel onkruid je in zijn emmer kunt gooien.'

Katie Pru rende naar haar moeder toe en hurkte naast haar neer.

'Ik kijk wel,' kondigde ze aan. 'Gooi jij het onkruid maar in de emmer.'

Deak grinnikte toen hij haar moeders verbaasde gezicht zag. Gale, ze heette Gale. 'Nou, ik heb nog nooit een kind gezien dat een kans laat lopen om haar handen vuil te maken,' zei hij.

'O, ze maakt ze maar wat graag vuil. Geen enkel probleem. Maar alleen als het háár uitkomt.'

'Dat begrijp ik maar al te goed.'

De lucht begon te betrekken. Het onkruid stond te trillen in de wind. Zeven tot tien minuten, zou hij zeggen, hooguit.

'Deak,' zei Gale, 'ik wilde je iets vragen. Ik ben op zoek naar foto's van mensen die in het eerste kwart van deze eeuw in Statlers Cross hebben gewoond en dacht toen aan die oude fotostudio in het centrum van de stad.'

'Die van Malcolm Hinson?'

'Was hij de laatste eigenaar?'

Deak pakte een stengel vast, trok hem met wortel en al uit de grond en liet hem op het groeiende bergje in de emmer vallen.

'Hij was de enige eigenaar. Hij heeft de studio gesloten toen hij ophield met fotograferen. Dat moet ergens kort na de Tweede Wereldoorlog zijn geweest.'

'Hij heeft hem gesloten vanwege de oorlog?'

'Vanwege de crisis, in feite. Niemand kon zich in die tijd foto's veroorloven en daarna is het nooit meer goed gekomen. Want later, na de oorlog, gingen de mensen hun eigen camera's kopen. En als ze een echt chique foto wilden, maakten ze er een dagje uit van en gingen ze naar de grote stad.'

Ze liet een handvol steeltjes in de emmer vallen.

'Wat is er van hem geworden?'

Hij haalde zijn schouders op. 'Nou, hij heeft er een tijdje over gedacht om terug te gaan naar het noorden, maar hij is toen getrouwd met dat meisje van Butcher, en zij wilde niet. Dus zijn hij en die andere yankeeknaap als knechten gaan werken voor die grote boer in Walton County.'

'Parrish Singleton. Die toneelschrijver, nietwaar?'

'Dat klopt. Hij is met Lucy Stone getrouwd. Ik had echt gedacht dat Parrish hier weg zou gaan. Terug naar New York, waar hij vandaan kwam. Maar dat heeft hij nooit gedaan. Hij bleef hier, ging wat groente verbouwen en deed wat transportwerk. Niemand hoorde veel van hem. Hij is lang geleden overleden.'

Gale streek met haar hand over het onkruid dat ze had gewied. 'Hij heeft toen dat toneelstuk geschreven, toch, dat nooit is opgevoerd?' Ze wachtte even. 'Hij en Malcolm Hinson waren hier in het begin van de jaren twintig naartoe gekomen als kunstenaars die de cultuur van het Zuiden wilden behouden. Een soort voorlopers van het Federal Art Project, denk ik.'

Deak snoof minachtend. 'Bemoeiziek yankeetuig, als je het mij vraagt. Ze wilden ons net zo maken als de rest van het land, daar waren mensen als zij op uit. Ik heb ze nooit katoen verkocht. Malcolm liep hier rond met die foto-uitrusting van hem en vroeg of hij zijn statief mocht neerzetten op het land terwijl wij katoen aan het planten waren, of in de kerk terwijl we zaten te bidden. De dominee vroeg ons wat we ervan dachten, maar we weigerden ronduit. We waren geen inboorlingen waar hij kiekjes van kon maken, mooi niet, en we waren niet van plan om ons op de cover van de *National Geographic* te laten zetten. Maar zijn studio was een ander geval. Dan konden we naar hém toe komen wanneer we daar zin in hadden. Maar foto's nemen als we aan het werk waren en zo, daar wilde ik niets mee te maken hebben.'

Katie Pru stak haar hand in de emmer en haalde er een handvol onkruid uit. Ze maakte er een bosje van, stond op en begon de stengels naast elkaar op de smalle rand van het monument te leggen.

'Wat ben je daar aan het doen, juffie?' vroeg Deak.

'Ik versier het kasteel.'

Deak zuchtte en keek weer naar de lucht. Drie minuten. Hij zou het net halen naar huis voordat de eerste druppels vielen. Hij deed zijn plantschopje in de emmer en richtte zich op. 'Nou, miss Gale, we moeten hier weg als we de regen voor willen zijn. Zijn jullie lopend? Ik heb geen auto gehoord.'

'Ik heb de auto bij de methodistenkerk neergezet. Nog één vraag, Deak. Weet jij wie de sleutel van die fotostudio heeft?'

Hij keek haar aan. 'Waarom wil je daar naar binnen?'

'Misschien liggen er nog oude foto's. Dan zou ik een beter beeld krijgen van hoe het hier was in die tijd.'

Hij schudde zijn hoofd. 'Ik betwijfel het. Malcolm is er al minstens veertig jaar weg. Ik weet zeker dat iemand de boel al lang geleden heeft opgeruimd.'

'Waarschijnlijk heb je gelijk. Maar ik wilde toch even kijken.'

'Ik zou de moeite niet nemen. Meer dan ratten en kakkerlakken zul je er nu niet vinden.' Hij pakte zijn emmer en liep bij hen weg. 'Als er iets was, dan is dat nu opgegeten.' In het toenemende duister kon hij achter Bethies graf nog net de rij granieten blokken zien. Met zijn hand gesloten om het hengsel van de emmer liep hij ernaartoe.

Achter hem ritselde het gras. 'Nog één ding, Deak. Jij was achttien toen Linnie Cane stierf, is het niet?'

Hij had zijn voet opgetild voor zijn volgende stap, maar heel even dacht hij dat hij zich nooit meer zou kunnen bewegen. Toen zette hij hem langzaam neer, hij draaide zich om en zwaaide met zijn emmer om zijn evenwicht te bewaren.

'Ja.'

'Ze was pas vijfentwintig. Je moet haar een beetje gekend hebben.'

'Het is maar een klein stadje. Ik kende iedereen.'

'Ik wil binnenkort een keer met je aan tafel gaan zitten om over haar te praten.'

'Waarvoor?'

'Ik wil weten waarom ze het heeft gedaan.'

'Denk je dat ze dat aan mij heeft verteld?'

'Misschien heb je er een mening over.'

'Je hebt al mijn verhalen gehoord.'

'En de delen die buiten die verhalen vallen?'

'Die waren er niet, juffie.'

De geur van onweer bereikte zijn neusgaten. Het zou een flinke storm worden. Talloze bliksemschichten die in de hemel begonnen en de aarde eronder zouden verschroeien. Hij had zijn hele leven in Statlers Cross gewoond en het zou zijn hart breken als hij er getuige van moest zijn dat er een eind kwam aan het bestaan van zijn stad. Maar Martins dood zou het einde betekenen. Daar was hij nu van overtuigd.

Plotseling kreeg hij pijn in zijn borst en hij vroeg zich af of het zou helpen als hij zou huilen. Maar uiteindelijk begon hij te lopen. Hij had te veel onweer gezien om hier te blijven rondhangen. Zelfs al was hij degene die op het punt stond om de bliksem in te doen slaan.

'Juffie?' riep hij. 'Ik hoor dat Malcolm een kleinzoon heeft die is teruggekomen naar Calwyn County. Een piloot. Misschien weet hij iets over die oude fotostudio.'

Een felle bliksemschicht spleet de zuidelijke hemel in tweeën toen Truitt in zijn truck stapte en de oprit afreed. In zijn achteruitkijkspiegel zag hij het Alden-huis achter hem oplichten alsof er foto's van werden gemaakt en hij zag het licht weerkaatsen in de ruiten. Hij stak zijn hand uit, pakte zijn zaktelefoon en drukte op de knop voor het sheriffkantoor. Haskell nam meteen op.

'Is de bui daar al losgebarsten, Alby? Het komt hier met bakken uit de hemel en het trekt naar het noorden. Je moet het wel tegenkomen als je naar huis komt.'

'Weet je wat? Waarom kom je niet naar mij toe,' zei Truitt. 'We moeten nog een keer in dat huis van Cane gaan kijken.'

'Heb je ze allemaal al gesproken?'

'Nee. Maar twee. De echtgenote is hysterisch wakker geworden en moest verzorgd worden.' Hij trok zijn gezicht in een grimas. Hij vond het zelf al zwak klinken en wist dat Haskell, die tien jaar later en twee districten verderop was geboren, het helemaal een armzalig excuus zou vinden. 'Ik spreek die andere twee morgen. Ik heb echter één ding besloten. We moeten nog een keer naar de plaats van het misdrijf gaan kijken.'

'Geef me een halfuurtje.'

'Prima.'

Hij stopte de telefoon weer in de houder. De eerste dikke regendruppels sloegen al tegen de voorruit en de zuidelijke hemel lichtte weer op. Hij zette de ruitenwissers aan en keek naar de enorme waterdruppels die de hoeken van de voorruit raakten. Zelfs in de cabine van de truck kon hij de leemachtige geur van de buitenlucht ruiken, dat drukkende mengsel van vochtige klei en teer. Meestal stelde die geur hem gerust en gaf hem de zekerheid dat hij met zijn voeten op een goed stuk aarde stond. Nu echter deprimeerde die geur hem. Welke kant deze zaak ook op ging – en dat kon alle kanten zijn –, alles zou nooit echt afgehandeld zijn. Toen hij zijn eerste reebok schoot, waren de poten onder het beest weggeslagen alsof iemand er met een onzichtbare stok tegenaan sloeg. Zo zou het met deze zaak gaan, dacht hij. Als alles is gezegd en gedaan, zal het de onzichtbare stok in míjn hand zijn, en niet Martins kogel, die de meeste schade zal aanrichten.

Het kostte hem niet meer dan twee à drie minuten om naar het huis van de Canes te rijden. Het gele politielint, dat aan de grond kleefde door de regen van de afgelopen nacht, vormde een grote cirkel rondom de tenten en tafels. Het eten en het afval, wist hij, zou worden ingepakt maar niet worden weggegooid. Hij trok zijn neus op bij het vooruitzicht dat ze het allemaal zouden moeten nakijken, maar als zijn vermoedens juist waren, dan was dat exact de manier waarop zijn mannen de avond zouden doorbrengen.

Hij parkeerde de truck aan de kant van de weg en liep naar de agent die in de patrouillewagen zat. 'Nog iets gebeurd vandaag?' vroeg hij.

'Nee, meneer.' Ruch zette snel zijn piepschuimen beker op de stoel naast hem. 'Het is vrij rustig geweest. Er zijn wat belangstellenden voorbij komen rijden en er zijn een paar mensen geweest die de familie wilden spreken. Ik heb ze doorgestuurd naar de Aldens, zoals u hebt gezegd. De enige persoon die het huis in wilde, was de dominee. Hij zei dat hij naar binnen wilde om voor de overledene te bidden.'

'Wat? Is hij gek geworden?'

Ruch grinnikte. 'Dat heb ik hem niet gevraagd, meneer. Hij zei ook dat mevrouw Cane hem had gevraagd of hij haar bijbel voor haar wilde ophalen.'

'Mevrouw Cane heeft de hele dag buiten westen gelegen. Ik hoop bij God dat je hem niet naar binnen hebt laten gaan.'

'Nee, meneer. Ik heb hem gezegd dat hij buiten mocht bidden, achter het gele lint, maar dat hij niet naar binnen mocht tenzij hij werd vergezeld door iemand van het sheriffdepartement.'

'En wat zei hij daarop?'

'Iets over dat hem niet werd toegestaan zijn religieuze plichten te vervullen. Ik heb hem gezegd dat we hem met alle plezier ter wille zouden zijn, onder voorwaarde dat hij toestemming had en door iemand van de politie werd vergezeld en, nou ja, toen stond hij even te mokken en is hij weggegaan. Afgezien daarvan is er weinig gebeurd.'

'Oké. Ik ga het huis in. Ik verwacht zo meteen een onderzoeksteam. Als ze hier aankomen, zeg ze dan dat ik al binnen ben.'

'Ja, meneer.'

Truitt knikte naar hem en stapte over het gele lint. De lucht was loodgrijs en regen viel nu gestaag naar beneden. Een volgende bliksemschicht deed hem zijn pas versnellen en toen de klap daar onmiddellijk op volgde, rende hij onder de beschutting van de eiken in de voortuin naar het huis. Op de houten trede bij de voordeur bleef hij staan, met de deurknop in zijn linkerhand en de sleutel in de aanslag. De regendruppels dropen op zijn blote hoofd. Het huis was nog steeds een actieve locatie van een misdrijf. Als Martins dood inmiddels als ongeluk was afgedaan, dan zou iemand regelingen hebben getroffen om het schoon te maken. In de huidige situatie echter hadden de hitte en vochtigheid van vandaag ruimschoots de tijd gehad om hun effecten te doen gelden op het interieur. Truitt stampte zijn voeten droog. Het interieur. Wat was hij toch een schijterige klootzak. Hij klemde zijn hand om de deurknop, stak de sleutel in het slot en gooide de deur open.

Een vaalgeel licht kleurde de muren toen hij het plafondlicht had aangeknipt. Hij stak zijn hand in zijn achterzak, haalde er een paar plastic handschoenen uit en trok ze aan.

Truitt deed het licht in de studeerkamer aan. De bloedvlekken op de vloerbedekking waren afgedekt met plasticfolie. Hij stapte eroverheen en zocht zijn weg naar Martins wapenkast. Hij staarde naar de geweren in de kast, die met hun lopen naar beneden op een stuk wit vilt stonden. Hij hurkte neer en trok de lade onder de geweren open. In de la vond hij enkele dozen met patronen en een paar oude nummers van *Guns and Ammo*. Truitt haalde een pen uit zijn zak, tilde de tijdschriften op, bekeek de covers en richtte zijn aandacht op de bodem van de la. Hij boog zich voorover en rook. Als de subtiele geur van wapenolie aanwezig was, dan kon hij die niet ruiken boven de sterke geur van oplosmiddel en die van oud papier en karton. Geen sporen van olievlekken op de bodem van de la of de tijdschriften zelf.

Hij schoof de la dicht, liep naar de trap en hinkend van de ene zijkant naar de andere, om de voetafdrukken te ontwijken, liep hij met twee treden tegelijk naar boven. De deur van Martins en Cammy's slaapkamer was dicht en dat liet hij zo. Zijn forensisch team had de kamer gisteren doorzocht en hij zou vanavond aan Haskell vragen om dat nog eens te doen, hoewel Truitt ervan overtuigd was dat hij niets zou vinden.

De badkamer was een vrij kleine ruimte die je zowel vanuit de slaapkamer als de gang kon binnengaan. Een van de twee gloeilampen boven de spiegel was doorgebrand en had in het schemerige licht van het in geel geschilderde vertrek de kleur van oud plakband gekregen. Truitt ging met zijn vinger langs de rand van de wastafel en bukte zich om aan de afvoer te ruiken. Hij keek in de toiletpot en de badkuip en controleerde het porselein op aangekoekt vuil en vlekjes. Niets. Het hele vertrek, met zijn gekke gele muren, was kraakhelder.

Hij opende de smalle linnenkast die was verborgen achter de badkamerdeur, en rook onmiddellijk de geuren van waspoeder en wasverzachter. Gele en bruine handdoeken en washandjes lagen netjes opgevouwen en in keurige stapels op twee van de drie planken. De derde plank was blijkbaar een verzamelplaats voor ongewenste rommel: een stuk zeep in de vorm van een zwaan, een extra rol toiletpapier waarop een pop zat en kleine stukjes zeep in de vorm van schelpen en vissen. Al deze dingen waren naar één kant geschoven om plaats te maken voor een stapel papieren. Voorzichtig, om niets te verschuiven, trok Truitt de papieren naar zich toe.

Een pamflet dat boven op de stapel lag, raakte los en zeilde naar de vloer. Truitt bukte zich om het op te rapen en ging toen op de rand van de badkuip zitten.

Op de voorkant van het pamflet stond een oude foto van een dood kind, met een davidster duidelijk zichtbaar op zijn jas. Boven de foto stonden de woorden: NAZI'S VERMOORDDEN KINDEREN. Truitt sloeg de bladzijde om. EN DE AMERIKAANSE REGERING DOET DAT OOK. Een bloederige foetus, met de navelstreng nog aan de buik, nam de hele pagina in beslag. GEEN ENKELE PRIJS VOOR HAAR LEVEN IS ONS TE HOOG. Op de achterkant stond een lijst van klinieken in het hele zuidoosten van de Verenigde Staten, tezamen met de huisadressen en telefoonnummers van de artsen die er werkten.

Truitt bladerde de stapel papier door: brochures van antiabortusgroeperingen waarvan hij er enkele van naam kende, maar het merendeel met namen waarvan hij nog nooit had gehoord. Eén vel papier zag eruit als een ruwe lay-out van het pamflet en had aantekeningen met potlood in de marges. *Maak foto groter. Controleer nogmaals adressen. Overweeg vermelding van namen van vrouwen en kinderen van de aborteurs.* Hij keek aandachtig naar het handschrift. Dat was krachtig en helde naar voren. Hij kon niet met zekerheid zeggen of het van Martin was of niet.

'Martin,' zei hij. Hij herhaalde de naam, harder. 'Martin, waar heb je je in godsnaam mee ingelaten?'

16

Miss Linnies kaasgrutten

1 kopje gepelde maïskorrels
1 theelepel zout
1 kopje water
1/2 kopje geraspte Monterey-kaas

Doe de maïskorrels en het zout in het kokende water.
Laat 20 minuten koken. Laat uitlekken en roer de kaas
erdoorheen. Strooi er wat paprikapoeder overheen en
dien op.

Zo lekker dat de geesten ervoor op de loop gaan.

het Statlers Cross-kookboek, 1975

Zilah deed het keukenlicht uit en leunde tegen het aanrecht om uit het raam te kijken. Buiten viel de regen nog steeds gestaag, met druppels zo groot dat ze zelfs in het weinige licht kon zien dat ze de grasstengels tegen de grond pletten. Het was nu helemaal donker in haar kleine huisje. Ze keek naar de zijtuin: haar stuk land dat zich uitstrekte tot het hek. Dit was haar favoriete tijdstip, als de zon eindelijk onder was en zij in het donker kon staan. Niemand kon haar zien. Bij nacht waren zij en haar kleine huis niets anders dan de zwartste vlek in de schaduw van het Alden-huis.

Plotseling schoten er twee lichtbundels door haar tuin; ze gleden over het hek en draaiden de oprit van het huis naast het hare op. Ze dansten enkele seconden lang over de stam van de pecannotenboom en verlichtten de onderste takken en de regendruppels die eraan hingen.

De motor sloeg af en de lichten gingen uit. Het portier aan de chauffeurskant ging open en er stapte iemand uit die zich vervolgens weer naar binnen boog. Zilah zag dat de gestalte een paraplu van de hoedenplank haalde. In het schijnsel van de binnenverlichting herkende ze Gale's gezicht.

Katie Pru zat op de passagiersstoel en haar donkere haar was nog net zichtbaar boven de onderkant van het raampje. Gale's hoofd bewoog terwijl ze praatte. Blijkbaar probeerde ze haar dochter over te halen om uit de auto te komen, maar ze had geen succes. Katie Pru's hand schoot omhoog en het ijsje dat ze vasthad, zwaaide gevaarlijk door de lucht. Gale boog zich voorover en maakte het hoorntje los uit de greep van het kind. Katie Pru draaide zich weg van haar moeder, ging rechtop zitten en drukte haar neus tegen het natte glas van het portierraam.

'Zilah, kom weg bij dat raam. Er is niets te zien. Er is nooit iets te zien geweest.'

Haar moeder had angstig geklonken. 'Er is niets te zien uit dat raam. Kom hier, dan gaan we schommelen. Kom onmiddellijk hier.'

Urenlang had ze geschommeld in de armen van haar moeder, in de schommelstoel, net zoals ze had geschommeld op Martin Cane's veranda. En ze had dingen gezien die ze niet had mogen zien. Maar toen was ze nog maar een kind geweest. Het was haar moeder die geen ogen had.

Ze staarde naar buiten en de moeder en dochter aan de andere kant van het hek losten plotseling op in het duister. Ze was niet het enige kind dat iets had gezien, al die jaren geleden. Er had nog een ander kind zitten kijken, uit het raam hoog in het rode bakstenen huis, als een engel die zich verstopte achter de bladeren.

En dat kind had zeker ogen gehad.

De regen sloeg tegen de ruiten van de openslaande deuren en af en toe drong het licht van de bliksem door de matglazen ruiten langs het plafond, waardoor de boekenplanken oplichtten alsof er kortsluiting was. Gale zat op de vaalgroene bank en schikte de deken om Katie Pru's schouders. Het kind had de slaap maar moeilijk kunnen vatten. De geluiden van boven – het gedempte gesnik en het plotselinge gekreun, wat ze de vorige avond gelukkig niet hadden gehoord – hadden ervoor gezorgd dat het meisje haar met grote angstogen had aangekeken toen ze in Gale's slaapkamer waren. Na een paar minuten had Gale een paar dekens uit de kast gehaald en hadden ze zich teruggetrokken in de relatieve stilte van de studeerkamer. Maar zelfs hier viel het niet mee om Katie Pru gerust te stellen. Dode kraaien en slangenhuiden mochten overdag misschien een uitdaging zijn voor een vierjarig kind, 's nachts waren het gewoon enge karkassen.

'Doe ze naar buiten, mama. Ik kan niet slapen met die vogels hier.'

Gale had toegegeven en had het hele stel door de smalle gang naar de keuken gebracht, waar ze ze in het flitsende licht van het onweer tussen de afgedekte schalen met *brownies* en koekjes had neergezet. Na verscheidene slaapliedjes en een schorre, fluisterende uitvoering van *Hi-Lili, Hi-Lo* was Katie Pru, na haar laatste smeekbede: 'Knuffel met me, mama', die Gale had beantwoord door zich over haar heen te buigen en zachtjes over haar rug te wrijven, uiteindelijk in slaap gevallen.

Het geëtste glas lichtte op en de klap van de donder volgde. Gale moest in het donker moeite doen om het regelmatige rijzen en dalen van Katie Pru's borstkas te zien, maar toen ze ervan overtuigd was dat ze sliep, maakte ze zich los uit de kussens van de bank en ze liep naar de openslaande deuren. Het flauwe licht van de achterveranda drong door de vitrage en viel op haar polshorloge. Het was kwart voor twaalf.

Eigenlijk moest ze ook gaan slapen. Ze keek naar het keurige bed van dekens en kussens dat ze voor de bank op de grond had gemaakt. Als ze haar hoofd op die kussens legde, zou ze misschien meteen in slaap vallen, maar toch twijfelde ze daaraan. Er was te veel om over na te denken, te veel om op een rij te zetten.

Ze liet zich in de comfortabele fauteuil bij de deur vallen en trok haar benen op tot onder haar rok. Ze vlijde haar hoofd tegen de zachte rugleuning en ademde diep in en uit. Linnie was uit het feitelijke dossier verwijderd. Met de effectiviteit van een officiële verbanning was het de stad gelukt om zich van haar foto's en haar te ontdoen en al haar sporen uit de boeken te wissen. Om haar te laten terugkeren als geest, als iemand die alleen nog in de mondeling doorgegeven geschiedenis en folklore voorkwam. Gale draaide haar hoofd om toen de bliksem de openslaande deuren deed oplichten. Was zelfmoord nog zo'n taboe? Was jezelf het leven ontnemen in de jaren twintig totaal onaanvaardbaar?

En het kind dan dat de zelfmoordenares had achtergelaten? Gale's ogen vlogen open. Katie Pru's been schoof onder het witte laken uit en gleed over de rand van de sofa. Een gloeiende bal vormde zich in Gale's borstkas.

Ze duwde zich omhoog uit de stoel en liep weer naar de openslaande deuren. Op haar horloge was het tien voor twaalf. In Engeland was het iets voor vijf uur in de ochtend. Vreemd dat ze hem nooit had gebeld, maar ze wist het nummer. Ze pakte de hoorn van de telefoon op de hutkoffer voor de sofa en drukte de toetsen in.

Het toestel ging één keer over. De stem klonk scherp.

'Halford.'

'Daniel?' Ze aarzelde, wist niet goed wat ze moest zeggen.

'Gale? Ben jij het?'

'Ja, ik ben het.'

'Is alles goed met je? Is Katie Pru oké?'

Ondanks haar onzekerheid glimlachte ze. Hij klonk nog hetzelfde, met die mengeling van zelfverzekerdheid en bezorgdheid in zijn stem. Het prototype van de Britse politieman, dacht ze. Hij moet en zal eerst de feiten checken voordat hij zichzelf blootgeeft. Ze pakte een kussen van haar geïmproviseerde bed, ging op de grond zitten en leunde tegen de hutkoffer.

'Met mij gaat het prima. Met óns gaat het prima. Ik wist niet hoe laat je op moest staan voor je werk. Is dit een slecht moment?'

Eén afgrijselijke seconde lang besefte ze dat ze ervan uitging dat hij alleen was. Maar ze had de vraag al gesteld voordat ze tijd had gehad om erover na te denken.

Halfords antwoord was een kreun. 'Natuurlijk ben ik alleen. Een eenzame smeris op een zondagnacht. Neem me niet kwalijk, een maandagochtend. Trouwens, hoe laat is het bij jou?'

'Ik had allang in bed moeten liggen. Hoor eens, ik wil graag iets met je bespreken. Heb je even tijd?'

'Natuurlijk. Wacht even.' Ze hoorde een ruisend geluid en het gekraak van een matras. 'Zo. Ik ben klaar. Weet je zeker dat Katie Pru oké is?'

'Absoluut.'

'Mooi. Nou, straks zal ik je zeggen dat het verdomde fijn is om iets van je te horen. Maar vertel me eerst wat er mis is.'

Ze wist niet waar de tranen vandaan kwamen, maar het gaf haar een licht gevoel van trots dat het kleintjes waren en dat ze zich beperkten tot haar ooghoeken. Het voelde goed om met hem te praten, om zijn stem te horen. Ze probeerde hem het verhaal chronologisch te vertellen, te beginnen met Martins dood, gevolgd door de gebeurtenissen van de afgelopen zesendertig uur. Maar algauw merkte ze dat ze heen en weer begon te schieten tussen het heden en het verleden en dat ze Martins dood koppelde aan Linnies zelfmoord en het al zeventig jaar ontkennen door de gemeenschap daarvan. Halford liet haar praten en onderbrak haar alleen maar om iets te vragen over iemands afkomst en achtergrond. Uiteindelijk besloot ze haar verhaal.

'Mijn god,' zei ze. 'Hoe laat is het? Moet je niet naar je werk?'

'Maak je daar maar geen zorgen over.'

'Daniel, ik weet niet wat ik met Alby aan moet. Hij schijnt ervan overtuigd te zijn dat iemand Martin heeft vermoord.'

'Dat komt omdat hij een intelligente man is, Gale. Kijk wat hij heeft om mee te werken: een lijk, een afgesloten deur en bewijsmateriaal waaraan is gerotzooid totdat het onbruikbaar was. Onder die omstandigheden zou ik dezelfde werkwijze volgen.' Hij wachtte even. 'Waarom denk je dat je grootmoeder en de anderen zich zo hebben gedragen?'

'Door de shock.'

'Kom nou, Gale. Dat geloof je toch niet echt?'

Ze voelde boosheid in zich oplaaien. Buiten was het onweer afgenomen tot een dof gerommel in de verte. 'Ik weet het niet, Daniel. Ik heb het lichaam van mijn dode echtgenoot nooit gezien. Ik heb geen flauw idee hoe ik zou reageren.'

Het bleef stil aan de andere kant van de lijn. De tranen sprongen weer in haar ogen, maar deze keer veegde ze ze geïrriteerd weg. Toen Halford weer begon te praten, klonk zijn stem zacht.

'Ik zal je vertellen hoe ik denk dat je zou reageren, Gale. Er zou iets over je heen zakken, als een schild of een glazen doos. Dat zou ervoor zorgen dat je je veilig en verdoofd voelde, tenminste voor dat moment. En je zou doen wat je volgens jezelf op dat moment hoorde te doen: je zou zijn pols voelen, je zou troostende woorden tegen hem zeggen voor het geval hij je kon horen, en je zou onmiddellijk op zoek gaan naar hulp.'

Haar tong voelde dik aan. 'Dat weet je niet, Daniel.'

'Ja, dat weet ik wel. Ik weet dat omdat ik erbij was toen je hoorde dat Tom dood was. Ik heb gezien hoe je reageerde.'

'Maar ík heb zijn lichaam niet gevonden.'

'Dat is waar. Maar slechts één van die vrouwen was Martins echtgenote. En slechts één van hen was zijn dochter. En het is een feit dat al die vrouwen beweren dat ze in die kamer werden overvallen door een algehele hysterie. Dat geloof ik niet, Gale. En Alby gelooft dat evenmin. En ik durf te wedden dat jij dat ook niet gelooft.'

Katie Pru schopte tegen de deken en probeerde zich eronderuit te werken. Gale trok hem van de bank en drukte hem tegen haar borst.

'Nee,' fluisterde ze. 'Nee, ik ook niet.'

'Geloof je dat het mogelijk is dat hij vermoord is?'

'Vraag je me of een van mijn familieleden hem heeft vermoord?'

'Ik vraag je of je gelooft, op grond van je kennis van die vier vrouwen, dat het mogelijk is dat hij is vermoord.'

Het was opgehouden met regenen. Ze spande zich in om de druppels tegen de ruiten van de openslaande deuren te horen, maar ze hoorde alleen maar het getik van de druppels die met tussenpozen op de bladeren van de onderste takken van de boom vielen.

'Ja. Hij kan vermoord zijn.'

Halfords stem klonk beheerst. 'Dan moet je dat tegen Alby zeggen. Vertel hem wat je weet over die vrouwen. Vertel hem waarom je denkt dat het mogelijk is dat iemand hem heeft vermoord.'

'Ik zei dat het mogelijk was. Ik geloof niet dat een van hen het heeft gedaan.'

199

'Gale...' Hij klonk vermoeid. 'Jij hebt geen expertise op dit gebied. Laat Alby het afhandelen.'

'Maar Alby, en jij, jullie denken allebei dat A naar B leidt. Dat is hier niet het geval. Ik ben de afgelopen twintig minuten bezig geweest om je alles uit de doeken te doen over Martin, heb zeker vijftig keer gerefereerd aan het verleden en ben ik weet niet hoeveel zijwegen ingeslagen.' Ze wachtte even omdat ze bang was dat Halford, hoe begripvol hij ook was, de grens van zijn geduld begon te naderen. 'Op de een of andere manier loopt het terug naar Linnie, Daniel. Daar ben ik van overtuigd.'

Aan de andere kant van de lijn slaakte Halford een diepe zucht.

'Bemoei je er niet mee, Gale. Je bent historica. Lees, maak aantekeningen en schrijf, doe wat je moet doen, wat dat ook is, maar loop Alby niet voor de voeten. Ik ga niet voor je getuigen als hij je arresteert voor belemmering van de rechtsgang.'

'Een mooiweervriend, dat ben je, nare man.'

Halford begon te lachen. 'Dat cockney van jou lijkt nergens op. Je bent te lang weg.' Plotseling kwam er tederheid in zijn stem. 'Maar ik heb eerder geprobeerd om je dingen uit je hoofd te praten, mevrouw Grayson. Maar daar heb ik altijd verdomd weinig succes mee gehad.'

200

17

Nou, ik durf er heel wat onder te verwedden. Ze zeggen dat je onmogelijk kunt zeggen of het je eigen klapperende tanden zijn die je hoort, of het geklots van de melk in haar mond.

Tommy Falcon,

toen hij zijn vriend Greg Dawson uitdaagde om de nacht
door te brengen in de stal waarvan werd beweerd dat een
geest er melk uit de koeienuiers kwam drinken, 1977

Gale kende het huis van Mal Robertson, hoewel ze de man met het staalgrijze haar en de spijkerbroek, die in de tuin een beige Volvo stond te poetsen, maar vaag herkende. Het huis was gelegen op de hoek van twee onverharde wegen die modderig waren geworden door de regen van de afgelopen nacht. In vogelvlucht lag het huis op nauwelijks anderhalve kilometer van dat van Ella, maar de wegen waren hier zo aangelegd, dat Gale bijna vijf kilometer om had moeten rijden voordat ze de grijze Chevrolet kon parkeren in de modderpoel die voor oprit moest doorgaan. De laatste keer dat ze naar dit huis toe was gegaan, was toen ze dertien was, in augustus, toen zij en Sill zich zo hadden verveeld, dat ze door de velden achter Ella's huis waren geslenterd en het huis verlaten hadden aangetroffen. Een week lang hadden ze hun lunch meegenomen naar het huis met zijn rare, lange gangen, hadden ze erdoorheen gerend en hun kipsalade gevoerd aan een familie zwerfkatten die onder de zelfgemaakte veranda aan de voorkant woonde. Elke dag voordat ze vertrokken, hadden ze het huis gezegend door met grote stukken steen de ramen in te gooien.

Nu huiverde ze bij de gedachte aan die oude ramen waarvan er tegen het eind van die week niet één meer heel was geweest. Niet dat iemand er last van had gehad, dacht ze toen ze uit de auto stapte. Of Malcolm Hinsons kleinzoon was een dijk van een doe-het-zelver, óf hij was een goed kleinkind dat zijn geld had gebruikt om zijn voorouders in ere te houden. De buitenkant van het huis wekte de indruk dat het geheel gerenoveerd was. De centrale hal was gedeeltelijk ingebouwd en verbond nu twee symmetrische tussenkamers. Een laag ivoorkleurige hoogglansverf bedekte wat zij zich herinnerde als maagdelijk blank vurenhout, en werd gecompleteerd door grijsbruine blinden en lijstwerk. De deur was vaalblauw met paarse vlekjes rondom de deurknop en klopper. Een koperen dennenappel, het koloniale symbool van gastvrijheid, hing op de houten buitenwand onder het glanzend koperen verandalicht.

'Het is fantastisch,' riep ze, en ze gebaarde Katie Pru om uit de auto te komen. 'De laatste keer dat ik hier was, zag het eruit als iets uit *God's Little Acre*.'

De man ging rechtop staan en nam de poetsdoek in beide handen. 'Dat zei mijn vrouw ook. Vooral nadat ze een slang in het toilet had gevonden. Daarna was ze niet meer te houden als het om renoveren ging.' Hij veegde nog een laatste keer met zijn doek over het dak van de Volvo en draaide zich toen naar hen om. 'Ik ben Mal Robertson.'

'Gale Grayson. En dit is Katie Pru.' Gale knikte in de richting van het huis. 'Ik had gedacht dat dit huis al te ver heen was.'

'Om je de waarheid te zeggen, was dat ook zo. Maar het behoorde toe aan de familie. En als mijn vrouw eenmaal iets in haar hoofd heeft...' Robertson pakte een doek uit het gras, veegde zijn handen eraan af en gaf Katie Pru een knipoog. 'Sorry dat ik jullie zo vroeg moest laten opstaan. Maar ik moet om elf uur op Atlanta Airport zijn...'

'Geen probleem. Katie Pru en ik waren toch al op. Het gaat er op dit moment niet bepaald rustig aan toe in huis. Het was goed voor ons dat we er even uit konden.'

Hij verfrommelde zijn poetsdoek tot een bal en gooide hem in het gras naast een open blik autowas. 'Het spijt me ontzettend van Martin.' Zijn blik verschoof naar Katie Pru, die de autoverzorgingsproducten stond te bekijken. 'Ik kende hem niet echt goed, maar goed genoeg om te weten dat hij iemand was die er principes op na hield. Dat zie je tegenwoordig niet veel meer, zeker niet in Atlanta, en nadat ik een tijdje heb doorgebracht in "het broeierige Zuiden", kan ik je vertellen: hier ook niet.'

'Je klinkt als Diogenes, die op zoek is naar de laatste eerlijke mens.'

Zijn lach was kort en luid. 'Ja, nou, als je over de hele wereld vliegt, krijg je soms het gevoel dat je bij daglicht met een lantaarn loopt. Maar Martin... Martin was iemand voor wie ik veel respect had. Hij had... moraal.'

Gale keek naar het huis. Ze dacht dat ze iets zag bewegen achter een raam, maar het ging verloren in het spiegelende effect van het licht van de vroege ochtend.

'Het is grappig hoe snel mensen hun secundaire kenmerken kwijtraken als ze eenmaal dood zijn,' zei ze. 'Martin was een zeer moreel mens. Maar hij had nog zoveel andere kanten. Ik geloof niet dat de meeste mensen die ooit zagen.' Ze keek naar Katie Pru, die nog steeds werd gebiologeerd door het blik autowas. 'Als ik dood ben, hoop ik dat Katie Pru zo moedig is dat ze zich me herinnert in al mijn twijfelachtige glorie.'

Hij glimlachte. 'Ik hoop dat je al je oudere familieleden ervoor hebt gewaarschuwd dat je er geen probleem mee hebt als hun vuile was buiten wordt gehangen.'

'Ik ben ervan overtuigd dat mijn "oudere familieleden" zelf hun vuile was buiten hangen voordat ze heengaan. Dat is één ding dat we inmiddels allemaal hebben geleerd: je kunt beter met je eigen skelet rammelen dan dat iemand anders het voor je doet.'

De frisheid van de vroege ochtend begon al plaats te maken voor drukkende warmte, en Gale voelde de eerste zweetdruppeltjes al op haar voorhoofd.

'Mal, zoals ik je gisteravond heb uitgelegd, ben ik geïnteresseerd in de fotostudio van je grootvader. Of beter gezegd: de foto's die daar zijn genomen.'

'Dus je wilt met de skeletten van míjn familie rammelen?'

Ze grijnsde. 'In werkelijkheid heb ik hulp nodig bij mijn research. Ik schrijf een boek over de plattelandsvrouw in het Zuiden in het begin van deze eeuw, en ik heb wel namen en feiten, maar ik zou er zo graag een paar gezichten bij willen zien.'

'Ik weet niet of die fotostudio je daar veel verder mee kan helpen. Ik ben er ongeveer een jaar geleden naar binnen geweest, maar veel meer dan wat oude achtergronden en attributen en een heleboel stof heb ik niet gezien.'

'Geen oud archief of afgedankte foto's?'

Hij haalde een zakdoek uit zijn broekzak en veegde zijn vochtige voorhoofd af. 'Nou, ik kan niet met zekerheid nee antwoorden op die vraag. De bouwinspecteur heeft er rondgekeken, maar ik ben niet met hem mee naar zolder geweest. Mijn neusholten verzetten zich tegen al dat stof. Er zijn wat rollen zeildoek heen en weer gesleept, oude achtergronden, voornamelijk.'

'Bouwinspecteur?'

Hij sloeg zijn armen over elkaar. 'Ja. Dat is een van de redenen dat mijn vrouw en ik hiernaartoe zijn gekomen, als je de waarheid wilt weten. Ze heeft plannen om een klein restaurant te openen – een tearoom, in feite – en, nou ja, we hadden dit huis hier, dus zei ik: laten we eens kijken wat we kunnen doen. Natuurlijk, toen we hier aankwamen en ontdekten dat het huis zo'n puinhoop was... Maar de studio is bouwtechnisch in orde. Als we iemand hebben gevonden die haar baan kan overnemen, kan ze een begin maken met haar tearoom.'

Een tearoom in Statlers Cross. Gale schopte in het korte gras onder haar voeten.

'Wat doet je vrouw voor werk?'

'Ze heeft een kleine verplegingspraktijk. Ouderenzorg noemen ze dat tegenwoordig, geloof ik. Maar ze is er niet echt gelukkig mee.' In gedachten staarde hij naar het huis. 'Het is een zwaar jaar voor haar geweest. Het plan van die tearoom heeft haar een heel andere kijk op de dingen gegeven.'

'Dus je moet die studio binnenkort toch uitruimen?'

'Ja, dat denk ik wel. Mijn vader heeft hem voornamelijk als opslagplaats gebruikt en toen hij overleden was, heeft mijn moeder alles weggehaald wat ze gebruiken kon. Dus je zult er alleen wat oud meubilair aantreffen, en een paar dozen misschien, maar niets van waarde. Als jij ernaartoe wilt en een begin wilt maken met de grote schoonmaak, vind ik het best.' Hij liep naar de veranda en pakte de sleutel, die hij op een van de treden had klaargelegd. 'Ik moet je hierbij natuurlijk vertrouwen. Ik heb een vriend die docent geschiedenis is aan Georgia State. Nadat je mij gisteravond had gebeld, heb ik met hem gesproken. Hij kent je boek en zegt dat je oké bent.'

'Ik zal heel voorzichtig zijn.'

'Daar ben ik van overtuigd. Ik zou graag alles terug willen hebben wat je vindt. Ik ben geen vakkundig historicus en al dat genealogiegedoe laat me koud. Toch zou ik graag willen weten wat mijn grootvader allemaal heeft gedaan. In huis heb ik een paar van zijn ingelijste foto's hangen. Ik denk dat als de omstandigheden anders waren geweest, hij misschien naam had kunnen maken.' Hij keek op zijn horloge. 'Volgende keer als je komt, zal ik je het huis laten zien. Ik kan het nu ook doen, maar ik moet zo meteen...'

'Ik begrijp het. Hoor eens, ik waardeer dit heel erg. Trouwens, wanneer is je grootvader precies overleden?'

Aan de andere kant van de Volvo begon Katie Pru *The Wheels on the Bus* te zingen. Gale keek naar de grond. Het blik autowas en beide poetsdoeken waren verdwenen.

'Katie Pru! Wat ben je aan het doen?'

'Ik ben een ruitenwisser.'

Gale haastte zich om de auto heen. Katie Pru zat op de grond naast het achterportier van de auto. Ze keek haar moeder aan en grijnsde.

'Dit is een bus en de ruitenwissers maken er een smeerboel van. Gale staarde naar de zijkant van de blauwe Volvo, die zo-even nog had staan glanzen in het licht van de ochtendzon. Klonten autowas hingen aan het portier. Katie Pru stak haar hele hand in het blik en schepte er een grote klont was uit. 'Kijk, mama,' zei ze lachend, en ze stak haar vingers omhoog. 'Ik kan deze pindakaas in één keer opeten.'

Gale dook naar haar dochter en greep haar arm vast voordat de was in haar mond terechtkwam.

'O nee, juffie!'

Katie Pru kromp ineen door het scherpe geluid van Gale's stem. Haar kin trilde en ze moest haar best doen om haar tranen te bedwingen.

Gale pakte Katie Pru bij de pols en nam haar op ruwe wijze mee naar de andere kant van de auto. Robertson gaf haar een schone doek.

Ze bukte zich en begon verwoed haar dochters handen schoon te maken. 'Kathleen Prudence, stop nooit meer zoiets in je mond. Daar kun je ziek van worden en heel erge buikpijn van krijgen. Katie Pru, je moet leren nadenken voordat je iets doet.'

'Ik weet niet of het iets uitmaakt,' zei Robertson, 'maar ik denk niet dat dat spul giftig is.'

'Dat weet zíj niet. Mijn god, Katie Pru. Je moet leren dat je zulke dingen niet moet doen.'

Katie Pru kneep haar ogen dicht en draaide haar hoofd weg van Gale. 'Ga weg,' zei ze. 'Ga weg en schreeuw niet tegen me. Mama's mogen niet tegen kleine meisjes schreeuwen.'

Gale ging op haar hurken zitten en voelde een gevoel van hulpeloosheid door zich heen trekken. 'Ik weet het, kindje. Mama's mogen niet schreeuwen. Maar wat als...'

Gale's stem stokte in haar keel. Wat als je niet was gaan zingen? Wat als ik niet had gezien dat dat blik verdwenen was? Wat als je dat verdomde spul had opgegeten en ik je... Ze kneep haar ogen dicht en verzette zich tegen het brandende gevoel achter haar oogleden. Ik kan het niet, dacht ze. Ik kan niet mijn werk doen, mijn leven leiden en dit kind in veiligheid grootbrengen. Niet in m'n eentje.

Twee dagen geleden zou ze haar dochter hebben toevertrouwd aan een van de vrouwen van de familie. Twee dagen geleden zou ze hebben gezworen dat zij, ondanks hun eigenaardigheden, het zout der aarde waren.

Ze trok Katie Pru naar zich toe en begroef haar gezicht in haar haar. 'Leer alsjeblieft aan je eigen veiligheid te denken,' mompelde ze. 'Leer ervoor te zorgen dat je niets overkomt.'

'Oké, mama.' Katie Pru maakte zich van Gale los en legde toen haar handjes op haar moeders wangen. Ze boog zich naar voren totdat haar voorhoofd tegen dat van Gale rustte. 'Ik kan veilig zijn,' fluisterde ze.

Truitt legde de hoorn terug op de telefoon op zijn bureau en staarde droefgeestig naar het toestel. Een leegstaand huis in de buurt van het stadje Hahira in het zuiden van Georgia was vrijdagavond tot de grond toe afgebrand. Alleen was het huis niet leeg geweest. Tegen zaterdagochtend hadden brandweermannen zes lijken uit de ravage gehaald, allemaal potentiële slachtoffers van een misdrijf omdat de plaatselijke sheriff brandstichting vermoedde. Het gerechtelijk laboratorium was op dit moment tests aan het doen op de lichamen. Martin zou op zijn beurt moeten wachten.

'Op z'n vroegst vanmiddag,' riep Truitt naar Haskell. 'Misschien hebben ze dan wat mondelinge resultaten voor ons.'

Haskell stak zijn hoofd om de hoek van de deur van Truitts kantoor. 'En wat gaan we in de tussentijd doen?'

'Ik wil dat je vandaag naar dominee Teller gaat. Zoek uit waarom hij gisteravond in het huis van Cane probeerde te komen.'

'Komt voor elkaar.' Haskell roffelde even met zijn vingers op de deurpost voordat hij de gang in verdween.

Truitt duwde zijn stoel achteruit en stond op. Naast elkaar op zijn bureau lagen de zes foto's die hij van het filmrolletje van Nadianna Jesup had laten afdrukken. Hij wist niets van kunst, maar hij kon wel zien dat deze foto's meer waren dan de typische Kodakkiekjes: een opname van opzij van een man met metalen klapstoelen als krukken onder zijn armen, met op de rug van de ene stoel in duidelijke letters METHODIST SC, een duif die in een smeltend ijsblokje pikte bij een damessandaal met open teen, drie oudere vrouwen die naast elkaar in het vishuis zaten achter borden vol eten. En dan was er Martin. Truitt moest denken aan de foto's uit de jaren dertig van Huey Long. Als je de kleur wegdacht, dan hadden het foto's van hem kunnen zijn. Truitt keek naar een foto van Martin – één arm geheven, zijn gezicht vol zweetdruppels, de microfoon tegen zijn lippen gedrukt –, liep om zijn bureau heen en pakte hem op. Er is een verschil tussen bidden en politiek bedrijven, meneer Truitt. Als u iets op mijn foto's zult vinden, dan is het dat Martin Cane lang niet zo goed was in het scheiden van die twee zaken als hij dacht. Verdomd als dat meisje geen gelijk had.

Hij legde de foto neer en pakte een andere op. Deze was wat

kunstzinniger. Nadianna had blijkbaar in de deuropening van het vishuis gestaan, waarvan de post rechts nog net zichtbaar was. In het vishuis stond Martin gebogen over een vrouw die op een stoel zat. De details van zijn gezicht waren niet te zien, maar uit zijn houding bleek een ontspannen, bijna vriendschappelijke interesse. Nadianna had waarschijnlijk niet geweten wie die vrouw was, maar Truitt wist het wel. Zelfs met haar rug naar de camera herkende hij de bruine krullen en smalle schouders als die van Faith Baskins.

Op de foto had Martin zich zo ver over Faith gebogen dat ze iets achteruit was gedeinsd: de houding van een geïntrigeerd mens, maar niet van iemand die op het punt stond om zijn dochter en haar geliefde uit zijn leven te verbannen.

Maar het was de laatste foto op het filmpje die Truitt het meest interesseerde. Martin was in de barbecuetent en het eten op de tafel was op de onderste rand van de foto te zien. Zijn mond stond halfopen en de verstarde blik in zijn ogen was die van enorme ontzetting, plus nog iets anders, wat Truitt niet bij naam kon noemen. Waar keek je naar, vriend? Wat zag je in de lens van die camera?

Naast de telefoon stond een kop koude koffie. Truitt pakte hem op en dronk hem leeg. 'Ik ben geen knip voor de neus waard, Martin,' mompelde hij. 'Ik denk dat ik goed ben, maar ik ben niets meer dan een drol op pootjes.'

Het onderzoek van de afgelopen avond was niet goed verlopen. Ze hadden de plek in Martins kast gevonden waar hij naar alle waarschijnlijkheid zijn wapenolie had bewaard, maar ze hadden geen flesje, lappen of pompstokken gevonden. Vandaag zou een team doorgaan met het doorzoeken van de vuilniszakken. Hij zette zijn koffiekop op het bureau en veegde de foto's bij elkaar. Wat spookten deze vrouwen uit?

'Haskell!' riep hij terwijl hij de foto's in een envelop deed. 'Ben je er nog? Ik heb me bedacht. Geef me vijf minuten en dan ga ik met je mee naar Teller. Ik heb het gevoel dat we er weer een dagje in Statlers Cross van moeten maken.'

Haskell gaf geen antwoord. Met gefronste wenkbrauwen kwam Truitt zijn kantoor uit en liep hij de gang in. Hij keek om de hoek van de deur van Haskells kantoor, dat naast het zijne was, zag dat het leeg was en draaide zijn hoofd om naar de receptieruimte.

Haskell stond met zijn rug naar Truitt toe, maar uit de manier waarop hij zijn handen in de zakken van zijn uniformbroek had geperst, was duidelijk dat hij geen gelukkig mens was. Hij leek met iemand in gesprek, of beter gezegd: iemand was met hém in gesprek, maar de spreker werd afgeschermd door Haskells omvangrijke lichaam. De brigadier haalde één hand uit zijn zak en stak hem op in een smekend gebaar. Toen hij dat deed, kwam er een in witte broek gehuld been en een witte tennisschoen achter hem vandaan. Truitts frons verdiepte zich toen hij de deur van de receptie openduwde en op Maralyn Nash toe liep.

'Maralyn,' zei hij. 'Wat kan ik voor je doen?'

Haar brillenglazen weerkaatsten het licht toen ze haar harde bruine ogen op hem richtte. 'Ik probeer al de hele tijd aan deze aardige hulpsheriff uit te leggen dat ik Cammy's huis in moet om een paar dingen voor haar op te halen waarom ze heeft gevraagd. Je agent die het huis bewaakt, zegt dat ik niet zonder begeleiding naar binnen mag en dat hij die autoriteit niet heeft. Nou, ik laat me niet door de een of andere padvinder vertellen dat ik mijn eigen ouderlijk huis niet binnen mag...'

Truitt stak zijn hand uit en pakte Maralyn voorzichtig bij de elleboog. Hij keek Haskell aan. 'Craig, ga jij eens iemand zoeken die met mevrouw Nash naar het huis van haar nicht kan gaan. Maralyn, kom jij in de tussentijd even mee naar mijn kantoor.'

Hij hield de deur open en stuurde Maralyn in de richting van zijn kantoor.

'Neem die stoel maar,' zei hij. Hij pakte zijn lege koffiekop van zijn bureau. 'Ik wilde net nog eens inschenken. Hoe drink jij de jouwe?'

'Met melk. Niet te veel.'

Hij knikte naar haar en liep de gang op. Hij ging snel de bewijslastkamer binnen, pakte een envelop en vulde snel de koffiekoppen voordat hij terugliep naar zijn kantoor. Hij gaf een van de koppen aan Maralyn en ging achter zijn bureau zitten.

'Dus,' zei hij, de stoom van zijn kopje blazend, 'ik neem aan dat jullie hebben besloten dat een familielid beter geschikt was voor de taak.'

Haar blik bleef neutraal. 'Wat?'

'Om Cammy's bijbel te halen. Jullie vonden zeker dat Ryan Teller niet de juiste persoon was om het huis binnen te gaan en hem te gaan halen.'

Haar blik achter haar brillenglazen bleef rotsvast. Hij wachtte geduldig.

'O,' zei ze. 'Nou, Cammy is toleranter ten opzichte van Ryan dan ik.' Ze wachtte even. 'Hebben jullie hem binnengelaten?'

'Natuurlijk niet. We hebben jou toch ook niet binnengelaten? Nee, hij mag ook alleen onder begeleiding naar binnen, net als iedereen. Onder voorwaarde, natuurlijk, dat Cammy hem werkelijk heeft gevraagd om daar naar binnen te gaan.'

'Ik zou niet weten wanneer ze dat gedaan kan hebben. Ze is voortdurend onder invloed van kalmerende middelen geweest.' Ze snoof. 'Ik weet dat hij en Martin dikke vrienden waren. Hij denkt zeker dat hij een of ander heilig voorrecht heeft om in hun huis te zijn. Ik ken dat soort mannen.'

Truitt keek haar aan over zijn koffiekop. 'En, hoe gaat het vanochtend met Cammy?'

Maralyn nam een flinke slok koffie. 'Niet al te best. Sommige vrouwen kunnen beter tegen dit soort situaties dan andere.'

'Het is moeilijk. Ik zou niet weten hoe je ermee om zou moeten gaan.'

'Ik denk dat het met opvoeding te maken heeft. Toen mijn vader overleed, heeft mijn moeder een maand lang niet gehuild. Ze kon het niet: ze had vier dochters voor wie ze moest zorgen.'

'Volwassen dochters.'

Maralyn staarde hem aan. 'Ja, volwassen dochters, hoewel mijn jongste zuster, Victory, pas twintig was. Wat bedoelde je daarmee?'

Hij schudde zijn hoofd. 'Niets. Ik probeer alleen alles duidelijk te houden. Ik kende Martin al bijna mijn hele leven, maar toch zijn er dingen over zijn familie die ik niet wist. Jullie stamboom is een beetje verwarrend. Jullie waren met z'n vieren, nietwaar? Laat eens kijken: jij, Kathleen, die is overleden, Victorie, en...'

'Ginnie. Ze is een jaar jonger dan ik. Ze woont in Gainesville, bij Lake Lanier.'
'Ik heb haar hier nog niet gezien.'
Maralyn liet haar ellebogen zakken tot op de armleuningen en hield haar kop koffie op borsthoogte. 'Moeder heeft haar en Vic gebeld om ze te zeggen dat ze geen moeite hoefden te doen om naar de begrafenis te komen. Nu Gale en Katie Pru hier wonen, was er in huis geen plaats voor nog eens twee mensen extra.'
'Ah. Ik kan me indenken dat het een nogal stormachtige opvoeding was die jullie hebben gehad. Laten wc eens zien, jullie zijn allemaal uit Statlers Cross vertrokken en naar Atlanta verhuisd...'
'Toen ik veertien was.'
'Brachten jullie de zomers in Statlers Cross door?'
'De zomers, soms weekcnds, als het zo uitkwam.'
Truitt nipte van zijn koffie. 'Juist. Vier meisjes. En in de zomers kwamen daar nog eens de neven en nichten bij... Geen wonder dat jij en Martin zo close raakten.'
Er werd een lichte spanning zichtbaar in de spieren rondom haar mond. Ze heeft dit verwacht, dacht hij.
'Martin en ik raakten niet close, Alby. We zijn samen opgegroeid.'
Hij bekeek haar aandachtig en nam de leerachtige, geplooide huid van haar wangen en de messingkleur van haar geblondeerde haar in zich op. Haar vingers waren lang maar knokig en aderen rimpelden de huid van de rug van haar handen. Hij dacht aan Cammy, die zich naar boven haastte om zich te verstoppen in haar slaapkamer als haar echtgenoot en zijn jachtvriend zich in de keuken te goed deden aan haar versgebakken broodjes. Hij kon zich niet voorstellen dat deze vrouw zich ergens zou verstoppen.
'Hoe lang heeft dat huwelijk geduurd?' vroeg hij.
Ze verroerde zich niet en hield de koffiekop onbeweeglijk voor haar borst. 'Een jaar. Dertien maanden, om precies te zijn.'
'Onoplosbare problemen?'
'Zo zou je dat kunnen zeggen. Ik hield er niet van om geslagen te worden.'

211

Hij keek in zijn kopje. Hij geloofde haar. Een van de paradoxen waar hij als sheriff mee had leren omgaan, was het feit dat fatsoenlijke mannen soms onfatsoenlijke dingen deden.

'Hoe vaak heeft hij je geslagen?'

'De eerste keer heb ik gezegd dat we er iets aan moesten doen. Tenslotte had zijn vader ook losse handjes gehad. Toen hij me de tweede keer sloeg, ben ik de deur uit gelopen. Ik heb hem geen derde kans gegeven.'

'Heeft hij Cammy ooit geslagen?'

'Dat weet ik niet. Ze heeft me er nooit iets over gezegd. Maar ik heb daar natuurlijk mijn eigen theorieën over.'

'En die zijn?'

'Dat mannen als hij nooit veranderen.'

'En Sill?'

'Ik weet het niet. Hij gaf haar regelmatig een pak rammel. Te hard, naar mijn mening.'

'Heb je daar ooit iets aan gedaan?'

'Wat kon ik eraan doen? Hij was haar vader.'

'Worden er in jouw kliniek abortussen verricht?'

De koffie klotste op haar hand. Ze gilde en liet het kopje op Truitts bureau vallen. De vloeistof stroomde richting zijn papieren. Hij pakte ze snel op, trok zijn bureaula open en haalde er een stapeltje tissues uit.

Hij gaf er een aan haar. 'Het spijt me, Maralyn,' zei hij, terwijl hij zijn bureau droogdepte. 'Het was niet de bedoeling dat ik je zo aan het schrikken maakte.'

Ze veegde met de tissue over haar hand. 'Dat zal best, Alby. Ik weet niet waarom je dat wilt weten, maar ja, we behandelen inderdaad alle soorten vrouwenkwalen.'

'Is Martin ooit naar je kliniek toe gekomen?'

'Nou nee, waarom zou hij?'

Hij opende de envelop en haalde er het opengevouwen en in een plastic zakje verzegelde antiabortuspamflet uit. Langs de natte plekken op het bureau schoof hij het naar haar toe.

'Ik heb dit in zijn huis gevonden. Heb je het ooit eerder gezien?'

Behoedzaam pakte ze het pamflet op en ze las het langzaam voordat ze het weer teruglegde op het bureau.

'Deze niet, nee. Maar wel soortgelijke pamfletten. Er zijn massa's mensen die niet begrijpen wat we doen.'

'Bekijk de achterkant eens, alsjeblieft,' droeg hij haar op. 'Herken je iets?'

Ze draaide het pamflet om. 'De naam van mijn kliniek staat erop.'

'Juist. Ken je een van de andere?'

'De meeste. We zijn een tamelijk elitair groepje geworden, weet je.'

Als ze een poging tot sarcasme deed, mislukte die. Onder haar bruine tint was haar gezicht heel bleek geworden.

'Heb je enig idee waarom Martin dit pamflet had?'

'Wie weet? Hij was erg betrokken bij allerlei religieuze activiteiten. Misschien stond hij op een van hun adressenlijsten.'

'Dit komt me voor als nogal pittig materiaal. Niet de gematigde "pro-leven-stroming", zou ik denken.'

'Als elke groep gematigd was, zouden er geen artsen en verpleegsters worden vermoord.'

'Dus het zou je verbazen als Martin bij een groepering als deze betrokken was geweest?'

'Daar kan geen sprake van zijn. Ik ben me heel goed bewust van Martins standpunt over dit onderwerp. Hij was ertegen, maar hij zou een vrouw nooit haar keuze ontzeggen. En hij nam zijn geloof zeker serieus genoeg om zich niet in te laten met fascistische propaganda van welke soort dan ook.'

Truitt haalde de in plastic verpakte lay-out met de aantekeningen uit de envelop en legde die voor haar neer.

'We hebben dit ook in zijn huis gevonden. Ken je Martins handschrift goed genoeg om dit als het zijne te identificeren?'

Met haar handen in de schoot staarde ze naar het ontwerp.

'Maralyn, komt dit overeen met Martins mening over abortus, voorzover je die kent?'

Ze bleef zwijgen. Het licht weerkaatste in haar brillenglazen.

'Maralyn.' Zijn stem klonk streng. 'Was Martin lid van een groepering die abortusklinieken overviel?'

Ze staarde naar de lay-out en richtte haar blik toen op de kant-en-klare druk. Ze schudde haar hoofd.

'Dat kan hij niet zijn geweest. Hoe zou hij dat gekund hebben?' Ze legde haar geaderde handen op haar gezicht en duwde haar wangen omhoog. Haar stem brak. 'Hij wist wat ik heb doorgemaakt. Hij kende verdomme de uitslag.'

'Welke uitslag, Maralyn?' vroeg Truitt vriendelijk. 'Vertel me wat er gebeurd is.'

De telefoon zoemde. Geïrriteerd nam Truitt op.

'Niet nu.'

'Het team dat Cane's huis heeft doorzocht is terug, sheriff. Ik denk dat u dit moet zien.'

Truitt hing op en keek naar Maralyn. Haar blik was gefixeerd op de lay-out. Truitt deed hem samen met het pamflet in de envelop en stond op.

'Geef me twee minuten, Maralyn,' zei hij. 'Dan kunnen we verderpraten.'

Haskell wachtte hem op in de hal. Ruch stond naast hem. Hij hield hem een dichte boodschappenzak voor.

'Ik denk dat u beter handschoenen kunt aantrekken,' zei Haskell.

Truitt trok een paar handschoenen aan. 'Als dit niet heel goed is, mogen jullie samen mijn tuin opruimen.'

De twee politiemannen bleven zwijgen toen Truitt de zak opende. Eerst dacht Truitt dat er een handdoek in zat. De badstof had blauwe strepen en zag er versleten uit. Maar toen hij hem uit de zak haalde, zag hij dat het een damestas met een schouderriem was.

'U zult niet geloven waar we hem hebben gevonden, sir,' zei Ruch. 'In de woonkamer, achter de kussens van de bank gepropt.'

De buitenkant van de tas zat vol grote, roodbruine vegen. Erin, tussen de gebruikelijke verzameling vrouwenspullen, vond hij een klein flesje wapenolie, een gedemonteerde pompstok en een prop lappen.

18

Ik begrijp niet waarom die Foxfire-knaap ons niet is ko-
men interviewen. Mijn grootmoeder maakt nog steeds
haar eigen boter, mijn grootvader kent spookverhalen
waarvan die berglui zouden gaan blozen, en we zouden de
publiciteit goed kunnen gebruiken.

Randy Motts,

in gesprek met een klant in zijn autoshowroom in Praterton,
Calwyn County, 1979

Ella zag de kraaien op het aanrecht op het moment dat de telefoon begon te rinkelen. Eén beangstigende seconde lang
staarde ze naar hun bekken en vroeg ze zich af welke kraai
het geluid had gemaakt. Maar toen ging de telefoon voor de
tweede keer over. Ze liep langs de vogels naar de telefoon
aan de muur.
Ze wachtte tot het toestel voor de derde keer overging en
nam toen de hoorn op. De stem aan de andere kant van de
lijn klonk vrij vlak en had een stadse klank. Ze wist onmiddellijk wie het was.
'Ik zou Sill graag willen spreken, alstublieft. U spreekt met
Faith.'
Ella verviel tot haar zangerige zuidelijke accent. 'Faith, je
spreekt met mevrouw Alden. Het spijt me, maar Sill is op dit
moment boven, bij haar moeder. Die heeft een moeilijke
nacht gehad. Ik zal haar zeggen dat je hebt gebeld.'
'Mevrouw Alden, ik was gisteren bij u thuis. Het spijt me dat
ik geen kennis met u heb kunnen maken. Maar ik wilde vanochtend weer komen. Daarom bel ik, om te vragen of ik misschien iets kan meenemen.'
'O, grote goedheid, het heeft echt geen zin dat je hiernaartoe
komt, Faith. Sill moet zich op dit moment op haar familie
concentreren. Maar ik zal haar zeggen dat je hebt gebeld. Ik

weet zeker dat ze je zal terugbellen als ze daar klaar voor is.'
'Mevrouw...'
'We kunnen nu echt geen bezoek hebben, schat. Tot ziens.'
Ella hing op voordat Faith meer kon zeggen. Ze pakte de spons van het aanrecht en hield hem onder de koude kraan. Het was moeilijk om om te gaan met de aanhang van de familie. Vreemdelingen dachten altijd dat ze zich gemakkelijk in de clan konden dringen, als blauwe kaarten die door een rood spel werden geschud. Soms kostte het tientallen jaren voordat zowel de nieuwkomers als de familieleden aan wie ze zich hadden gehecht, begrepen dat het gewoon niet mogelijk was. Ze bette met de spons een van de vogels af. 'Je zou toch denken dat de mensen dat zouden begrijpen,' zei ze. 'Je zou denken dat ze naar hun eigen families zouden kijken en zien dat de onderlinge banden zo'n fijn weefsel vormden, dat daar niemand doorheen kwam. En toch blijven ze maar proberen om zich erin te werken, niet soms?'
Ze begon het aanrecht schoon te vegen. Ze had niet gelogen tegen het meisje. Het was een moeilijke nacht geweest. Ze wist niet wat voor kalmerend middel Johnny Bingham Cammy had gegeven, maar het was plotseling uitgewerkt geweest. Ella had bij het raam in de eetkamer gestaan en gezien hoe Gale en Katie Pru in haar Buick stapten en wegreden toen ze het gegil hoorde.
Ze wist niet hoe laat Gale en Katie Pru thuis waren gekomen. Het was allang donker geweest, want toen ze Cammy even alleen had gelaten om het washandje onder de koude kraan te houden, had ze de Buick niet in de tuin zien staan. Daarna had ze er niet meer op gelet, omdat zij en Maralyn te zeer in beslag werden genomen door de verzorging van de treurende moeder en dochter. Tegen de ochtend waren ze allemaal doodmoe geweest, en dat was maar goed ook. Het eerste stadium was nu bijna voorbij. Binnenkort zou het van belang zijn wat voor weduwe Cammy Cane zou zijn.
Ella kneep de spons uit en hield hem weer onder de kraan. Wat wist die vrouw met die stadse stem nu van verdriet?
In de gang achter haar hoorde ze de kwieke voetstappen van haar kleindochter. 'Heb je een momentje, Ella? Ik wil je graag aan iemand voorstellen.'

Gale kwam de keuken in en ze werd gevolgd door een jonge vrouw. 'Nadianna, dit is Katie Pru's overgrootmoeder, Ella Alden. Ella, dit is Nadianna Jesup. Ze past vandaag op Katie Pru. Op proef, min of meer. Als het werkt, wordt ze Katie Pru's kinderjuf.'

Ella kon de naam niet plaatsen, hoewel het in Calwyn County wemelde van de Jesups. En dat gezicht, met die uitgebluste ogen, was bijzonder genoeg om het te herkennen als ze het ooit eerder had gezien. Maar er was iets met haar kleding, die lange, beige rok en die afgedragen, maar gepoetste wandelschoenen. Het was de stijl die ze herkende. Ze had deze vrouw eerder gezien.

Het meisje beet ongemakkelijk op haar lip. Ella stak haar hand uit. 'Nou, Nadianna, ik hoop dat je weet wat je jezelf op de hals haalt. Katie Pru is een ramp. Een heerlijke ramp weliswaar, maar desondanks een ramp. Ik heb altijd gezegd dat kinderen zoals zij de reden zijn dat vrouwen niet meer aan kroost moeten beginnen als ze de vijfendertig gepasseerd zijn. Ze vergen te veel energie, geestelijke energie vooral.'

Het meisje stopte met op haar lippen bijten. Haar gezicht leek plotseling kleiner te worden achter de volheid ervan. 'Ik denk dat het wel goed komt, mevrouw Alden. Ik heb met Katie Pru gesproken en weet zeker dat we vriendinnen zullen worden. Ik heb een paar nichtjes die zo oud zijn als zij.'

Ella staarde naar de opvallende, purperen lippen. Waar heb ik haar in hemelsnaam gezien, dacht ze. Hier in de buurt, niet lang geleden. Ze glimlachte.

'Welke Jesups zijn jullie?'

Nadianna wees naar de voorkant van het huis. 'We wonen verderop, voorbij de fabriek. Mijn grootvader was Howard Jesup.'

'Aha.' Ella kende geen Howard Jesup. De waarheid was dat ze geen enkele Jesup bij voornaam kende.

'Nou, ik hoop dat het goed uitpakt,' zei ze. 'Dus je gaat vandaag beginnen?'

'Vandaag is mijn proefdag. Om mij en Katie Pru een kans te geven elkaar te leren kennen.'

'Goed idee.' Ella wendde zich tot haar kleindochter. 'Dat herinnert me aan iets, Gale. Ik moet met je praten. Misschien kunnen we Nadianna en Katie Pru aan hun project laten beginnen?'

'Goed,' antwoordde Gale. 'We hebben Katie Pru met een boek in de woonkamer achtergelaten. Nadianna, waarom vraag je haar niet of ze je de studeerkamer laat zien? Ze vindt het enig om over de dieren te praten die daar zijn.'

Nadianna trok haar wenkbrauwen op, maar liep zonder iets te zeggen de keuken uit. Gale trok een stoel weg bij de tafel en ging zitten. 'Oké,' zei ze. 'Waar wilde je over praten?'

'Alby.'

'Wat is er met Alby?'

Ella pakte de spons en begon met haar rug naar Gale toe over het formica te vegen.

'Ik weet dat hij je gisteren formeel heeft ondervraagd,' zei ze.

'Het was geen gesprek dat ik als een formele ondervraging beschouwde.'

'En ik weet dat hij je ook informeel heeft ondervraagd.'

Stilte. Ella bracht haar kin omhoog en keek over haar schouder naar haar kleindochter.

'Ik wil weten wat hij tegen je gezegd heeft.'

Gale haalde haar schouders op. 'Ik denk dat hij de onderlinge verhoudingen binnen de familie wilde peilen, maar dat weet ik niet zeker. Hij wilde weten hoe het was om in dit huis op te groeien.'

'Je bent niet in dit huis opgegroeid.'

'Maar ik heb al mijn zomers hier doorgebracht. Dat komt dicht genoeg in de buurt.'

'Nee, dat komt het niet. Ik ben hier opgegroeid, en je moeder is hier opgegroeid. Zelfs Sill heeft in haar jeugd meer tijd in dit huis doorgebracht dan jij.'

Gale's gezicht werd rood, maar of dat van schaamte was of van een opkomende boosheid, kon Ella niet zeggen.

'Wat probeer je me duidelijk te maken, Ella?'

Ella draaide de kraan open en hield haar handen onder de waterstraal. 'Er zijn een heleboel dingen over deze familie die jij niet weet, Gale, of je dat nou leuk vindt of niet. Ik heb jou grootgebracht in Atlanta. Dat je hier elke zomer een paar maanden doorbracht, in de wetenschap dat je weer weg zou gaan, dat je weer weg kón gaan, dat legt hier niet veel gewicht in de schaal. Ik neem je niets kwalijk, ik zeg het je alleen maar. Voordat je tegen de sheriff onthullingen gaat doen over de onderlinge verhoudingen binnen de familie, doe je er goed aan je te herinneren dat je hier niet vandaan komt en je niet de autoriteit hebt om daarover te praten.'

Achter haar hoorde ze de stoelpoten over de houten vloer krassen. 'Is dat alles wat je mij zo nodig moest zeggen?' Gale's stem klonk vlak.

Ella bleef haar handen onder de kraan houden. 'Ik denk het. Je moet niet denken dat je meer over ons weet dan in werkelijkheid het geval is. Alby Truitt is geen domme man.'

'Dat heb ik ook nooit gedacht.' Gale's stem trilde van woede. 'En ik weet een verdomde hoop meer over deze familie dan ik zou willen.'

Ella wist dat Gale de keuken uit was gelopen door de manier waarop de lucht klonk. Haar moeder had haar ooit eens gezegd dat als je aandachtig genoeg naar de stilte luisterde, je de lucht kon horen knisperen, alsof er in de verte een vuurtje brandde. Maar het was geen vuur dat ze nu voelde. Het was ijs.

Ze pakte een handdoek en depte haar handen droog. O, nou ja, dacht ze, soms waren er gewoon dingen die gedaan moesten worden. En zij was degene die ze moest doen.

Maralyns stem klonk hees. Ze zat voor Truitts bureau, de tranen stroomden van achter de glazen van haar metalen brilletje over haar wangen en ze keek wezenloos naar de dichte boodschappenzak die hij naast de telefoon had neergezet. Hij trok een la open en gaf haar een doos tissues.

'Ik heb een abortus gehad voordat Martin en ik trouwden,' snikte ze. 'Hij is met me meegegaan. Ik heb er nog heel lang daarna onder geleden. Hij kwam elke dag naar het huis toe om te kijken hoe het met me was.'

'Je was in Statlers Cross?'

Ze knikte. 'Het was in de zomer. We vonden een arts in Athens. Het was afschuwelijk. Ik kwam thuis en kon me nauwelijks bewegen. Ik denk dat moeder iets vermoedde, maar ze heeft nooit iets gezegd. Tot op de dag van vandaag heeft ze er nooit iets over gezegd. Het was in de tijd dat het

als slecht en illegaal werd beschouwd. Ik ben er onvruchtbaar door geworden.'

De spieren in haar armen bewogen. Waarschijnlijk kneep ze
haar handen tot vuisten, hoewel Truitt ze niet kon zien achter het bureau. Hij keek naar zijn eigen handen en merkte
dat hij hetzelfde deed. 'Denk je dat het heeft bijgedragen tot
je scheiding daarna?'

'Nee,' zei ze. 'Hij ging er juist heel goed mee om, nam het
zichzelf kwalijk, in feite. Hij zei dat hij me ten eerste niet had
moeten ompraten om de liefde met hem te bedrijven en ten
tweede dat hij, toen ik zwanger was geraakt, onmiddellijk
met me had moeten trouwen. Ik heb het hem nooit gezegd,
maar dat was natuurlijk onzin. Ik wilde zelf ook seks met
hem hebben, en ik wilde dat kind niet.'

'Ik kan dit niet helemaal volgen, Maralyn. Jij denkt dat het
niet bij Martins karakter paste als hij politiek actief zou zijn
geweest bij de antiabortusbeweging?'

Het licht dat door het raam achter hem naar binnen viel,
weerkaatste in haar brillenglazen. 'Dat kan gewoon niet. Hij
en ik begrepen elkaar. Het was iets afschuwelijks wat we
hadden meegemaakt. Toen ik besloot om in de gezondheids-
zorg te gaan werken, om vrouwen te steunen bij hun abortussen, heb ik dat met hem besproken, ook al waren Cammy
en hij toen al een paar jaar met elkaar getrouwd. Hij stond
helemaal achter me. Het herinnerde me aan die karaktertrek
van hem waar ik zoveel van had gehouden, en die de reden
was dat ik met hem was getrouwd.'

'Heb je onlangs nog met hem over dit onderwerp gepraat?'

Ze veegde haar neus af met een tissue. 'Nee. Al die jaren hebben we een stilzwijgende overeenkomst gehad. Het was een
geheim tussen ons tweeën. Het was een deel van hem dat ik
altijd ben blijven waarderen.'

Ze haalde haar neus op. Truitt opende de deur van zijn kantoor en wenkte Haskell naar binnen. De brigadier ging op
een stoel bij de muur zitten en haalde zijn notitieboekje tevoorschijn.

Truitt ging achter zijn bureaustoel staan, pakte de rugleuning vast en boog zich voorover. 'Maralyn,' zei hij zachtjes,
'ik ga je een vraag stellen en wil dat je goed nadenkt voordat

je antwoord geeft. Toen je direct na het schot de slaapkamer binnenging, heb je toen benodigdheden om wapens te reinigen gezien?'

Ze snoot haar neus. 'Nee.'

'Een flesje olie?'

'Nee.'

'Borstels? Pompstokken? Poetsdoeken?'

'Je hebt me die vraag al gesteld.'

'Je hebt er nooit antwoord op gegeven. Ik wil dat je zeker bent van wat je gaat zeggen.'

'Het is een gewoonte van me dat ik zeker ben van wat ik zeg, Alby. Ik heb geen van die dingen gezien.'

'Ella heeft ze gezien.'

'Dan vergist moeder zich.'

'Dat is nogal iets om je over te vergissen.'

Maralyns hand vloog omhoog en de tissue wapperde in de lucht. 'Luister, Alby, mijn moeder is al over de zeventig. Je hebt haar vast in verwarring gebracht met al je ondervragingen.'

Truitt legde zijn hand op de dichte boodschappenzak maar maakte hem niet open. 'We hebben Cammy's tasje gevonden.'

Ze gaapte hem aan.

'Jij wilde dat ik Cammy's tas ging halen, nietwaar?'

'Waar...?'

Truitt negeerde de vraag. 'De inhoud is heel interessant, Maralyn. Wil je me daar iets over vertellen?'

Ze kneep haar lippen op elkaar. Ze staarde hem geruime tijd zwijgend aan. 'Ik moet met moeder praten. Misschien wil ik een advocaat,' zei ze.

Als er bezorgdheid in haar stem had doorgeklonken, dan was die nu verdwenen. Ze had een boze trek om haar mond en haar stem klonk scherp.

Truitt gaf een klap op de rugleuning van zijn stoel en schoof de boodschappenzak in Haskells richting. 'Mij best,' zei hij. 'Jullie tweeën kunnen dat bij Ella thuis bespreken. En wij gaan met je mee.'

19

De reden dat Jimmy Carter de verkiezingen heeft verlo-
ren, is dat het merendeel van die verdomde yankees denkt
dat we onnozel en excentriek zijn met ons 'Aw, Andy'-ge-
neuzel en ons stomme gegrijns en onze familieleden die
niet dood willen blijven en maar uit hun kisten blijven ko-
men om je de stuipen op het lijf te jagen. Het frustreren-
de is dat die levenswijze ons bevalt.

Brad Stone,

hoofdredacteur van een krant in Calwyn County,
in zijn maandelijkse column, januari 1981

De jakkuwaar geeuwde. 'Het is zo heet dat je de lucht kunt
drinken,' zei hij.
Katie Pru keek haar moeder na, die haar wandelschoenen
droeg en een zware tas in haar hand had. Ze zwaaide naar
haar vanaf de spoorwegovergang en verdween toen aan de
andere kant. 'Nee,' zei ze. 'Je kunt lucht niet drinken. Je kunt
alleen regen drinken. En cola.'
'Ik kan de lucht drinken. 's Morgens hangen er druppels aan
mijn buik. Dat is de lucht die van mijn vel druipt.'
'Hou op. Je plaagt me.'
'Niet waar. Kijk morgenochtend maar. Dan zul je het zelf
zien.'
Katie Pru wilde zich strekken en de jaguar aan zijn oor trekken, zoals ze volwassenen in films wel eens met kinderen had
zien doen, maar ze hield zich in. Als ze dat deed, zou de jaguar misschien gaan janken en zou Nadianna, die bij de pecannotenboom naar haar stond te kijken, naar haar toe komen rennen en haar weggrissen. Nadianna zou misschien
zelfs het huis in rennen, een touw halen en het om de nek van
de jaguar knopen. Dan zou ze hem wegslepen en opsluiten
achter het hek met die boze honden en het varken. De jaguar

zou dat vreselijk vinden. Hij wilde dat varken met niemand delen.

'Varkens zijn om op te eten,' had de jaguar gezegd toen ze hem vertelde wat ze in het dierenverblijf bij Cammy's huis had gezien. 'Je kunt ze op je brood doen. Dat is lekker.'

Ze had niet veel met de jaguar kunnen spelen door het slechte weer, dus had ze tijdens de storm en de buien de perzikkleurige gordijnen van de woonkamer opzij gedaan en van achter het raam met hem gepraat. Vanaf die plek kon ze zien hoe hij buiten in de regen stond. Hij vond die regen niet erg, hield er zelfs van omdat die zijn zwarte jas deed glimmen en het stof onder zijn voeten in modder veranderde. Tijdens de onweersbuien stond hij in de voortuin met zijn bek open, zodat het water van zijn tanden en tong droop. Soms brulde hij, en dan lichtte de hemel op. Ze wist dat hij de regen kon drinken. Maar jakkuwaars konden geen lucht drinken.

'Treinen drinken lucht.'

Ze gaf hem een klap op zijn kop. 'Nee, niet waar.'

'Kijk maar. Ze drinken lucht en spugen die dan weer warm uit.'

Ze zei niets terug. Hij wist dat er geen treinen meer waren. Hij wist dat hoe lang ze ook naar de spoorbaan zou kijken, er geen treinen zouden passeren die ze kon zien. En geen Linnies ook. Er 'parmanteerden' geen Linnies meer langs de spoorbaan.

Ze hoorde de voordeur knarsen en zag vanuit haar ooghoek dat oma Ella in de deuropening stond.

'Katie Pru!' riep oma Ella. 'Is alles in orde met je? Waar is Nadianna?'

'Ik ben hier, mevrouw Alden.' Nadianna haastte zich naar de voorkant van het huis. 'Ik ben vlakbij en kan haar prima zien.'

'Alleen maar controle. Je moet op je qui-vive blijven met dat kind. Als jullie iets willen drinken, komen jullie het maar halen.'

De deur sloeg achter haar dicht. Katie Pru wierp een korte blik op Nadianna, maar die liep alweer terug naar de pecannotenboom. Katie Pru staarde naar haar lange rok en vroeg zich af hoe het mogelijk was dat die geen enkele keer de modder raakte. Katie Pru droeg nooit kleren die de modder niet raakten, zelfs al droeg ze haar korte broek.

Bij de boom ging Nadianna met haar vinger over de ketting die in de stam was gedrongen. Ze drukte eerst één vinger en toen haar hele hand tegen de schakels. Ze leunde met haar ene arm tegen de boom, alsof ze die omver wilde duwen, en zette zich er toen weer tegen af.

Katie Pru sprong van de rug van de jaguar en rende naar haar toe.

'Wat ben je aan het doen?'

Nadianna knipperde met haar ogen. Er liepen twee tranen over haar wangen. Nadianna veegde ze weg en sloeg haar armen over elkaar. Ze knikte naar de boom. 'Ik stond alleen maar naar die ketting te kijken.'

'Die is van ijzer. Dat maakt de boom sterk,' zei Katie Pru. 'Dat zegt oma Ella.'

Katie Pru strekte zich en probeerde een van de schakels vast te pakken, maar in plaats daarvan schraapten haar vingers over de bast van de boom. Ze klom op een van de wortels, ging op haar tenen staan en krabde over de bast, maar ze kreeg alleen maar stukjes hout onder haar nagels. Ze sloeg haar armen over elkaar, net als Nadianna, en staarde naar de ketting.

'Waarom huil je?' vroeg ze.

Een gezoem als van een vliegtuig passeerde hen. Nadianna veegde een mug weg die op Katie Pru's been was geland. 'Ik heb gehoord over deze ketting,' zei Nadianna. 'Mijn grootmoeder vertelde me er vroeger wel eens een verhaal over.'

'Ik wil het verhaal horen.'

'Ik weet het niet, Katie Pru. Het is een heel droevig verhaal.'

'Mijn moeder vertelt me ook verhalen.'

'Vertelt ze je ook droevige verhalen?'

'De kleine zeemeermin trouwt niet echt met de prins,' zei Katie Pru. 'Ze verandert in zeeschuim. En de walrus eet alle baby-oesters op.'

Nadianna glimlachte. 'Dat zijn droevige verhalen. Nou, goed dan.' Ze leunde tegen de boomstam en vlijde haar hoofd tegen de ketting. 'Er was eens een beeldschone vrouw die ook erg verdrietig was. De man die van haar hield, pro-

224

beerde haar aan het lachen te maken. Hij trok rare kleren aan en dan giechelde ze, maar daarna werd ze weer verdrietig. Hij zong grappige liedjes voor haar, die haar aan het lachen maakten, maar zodra hij klaar was met zingen, werd ze weer melancholiek.'

'Wat betekent dat?'

'Bedroefd. Dan werd ze weer verdrietig. Hij vertelde haar zelfs grappen en kietelde haar en rende achter haar aan door het veld, maar zodra ze weer gekalmeerd en uitgelachen was, werd ze weer heel erg bedroefd. Op een dag kwam de Droefheid zelf op haar deur kloppen. Hij had lange benen en droeg een grote hoed. En hij zei: "Dame, het is tijd om je spullen op te ruimen en met me mee te komen." Dus waste ze het gezicht en de handen van haar zoontje, ze trok hem de mooiste kleren aan die ze ooit voor hem had gemaakt en ging door de deur naar buiten, om met de Droefheid mee te gaan. En de man die van haar hield, hij zag hoe schoon en netjes het kleine jongetje eruitzag en vatte dat op als een teken dat ze eindelijk gelukkig was. En om zijn liefde voor haar te tonen, bond hij deze ketting om haar favoriete boom, omdat hij dacht dat als de boom groot en sterk zou worden, hun liefde dat ook zou blijven.'

Katie Pru keek naar de ketting en trok een rimpel in haar neus. 'Wat is er met het kleine jongetje gebeurd?'

'Die maakte het best, want toen de Droefheid met zijn moeder was weggegaan, kwam die oude rokkenjager ook nooit meer terug. En daar was hij heel blij om.'

'O.' Katie Pru pulkte de stukjes bast onder haar nagels vandaan.

'En zie je hoe de boom om die ketting heen is gegroeid? Dat is omdat hij niet wilde opgeven. Want de boom hield ook van die vrouw.'

'Oké.'

Katie Pru sprong van de wortels van de pecannotenboom, rende naar de jaguar en klom op zijn rug. Ze ging languit op zijn rug liggen met haar ogen dicht en haar mond wijdopen.

'Wat doe je?' vroeg de jaguar na een tijdje.

'Ik drink lucht,' zei Katie Pru. 'Ik drink lucht en ik denk niet aan de droevige dame.'

Het was een langzaam rijdende colonne: eerst Maralyn Nash in haar zwarte Mercedes, dan Truitt in zijn Dodge, en ten slotte Ruch, in de bruine patrouillewagen van het sheriffkantoor. Truitt bleef op exact twee auto's afstand van Maralyn rijden, waar ze op reageerde door niet harder dan vijfenvijftig kilometer per uur te rijden.

Haskell, die naast Truitt in de Dodge zat, knikte naar de auto voor hen. 'Een ijskoude, vind je niet? Het ene moment zit ze tranen met tuiten te huilen en het volgende vraagt ze heel beheerst om een advocaat.'

Truitt haalde zijn zonnebril uit zijn borstzak en zette hem op. Tijdens de vijftien minuten dat ze hadden gereden, had het silhouet van de bestuurder in de auto voor hen zich niet één keer bewogen, zelfs niet even haar hoofd omgedraaid om in haar achteruitkijkspiegel te kijken. IJskoud is het juiste woord, dacht hij. Hij zag de naald van de kilometerteller naar de zestig kruipen, maar toen onmiddellijk weer zakken naar de vijfenvijftig. IJskoud en met een verdomde hoop lef.

'Wat denk jij, Craig? Geef me jouw mening eens.'

Haskell strekte zijn lange benen en leunde tegen het portier. 'Nou, ik heb nagedacht, maar ik begrijp er nog steeds niets van. Als je iemand wilt vermoorden en niet gesnapt wilt worden, dan laat je toch de bewijzen achter die wijzen in de richting van een ongeluk? En als het een ongeluk was, waarom zou je dan aan het bewijsmateriaal klooien? En als het zelfmoord was, waarom zouden die schoonmaakspullen er dan überhaupt hebben gestaan?'

'Tenzij Martin wilde dat het eruitzag als een ongeluk.'

'Waarom zou hij dat willen? Ik heb vanochtend met zijn verzekeringsagent gesproken. Zijn levensverzekering betaalt pas over vijf jaar uit en heeft een zelfmoordclausule. Dus wat kan het motief zijn geweest om aan de sporen op de plaats van het misdrijf te rotzooien?'

'Omdat je hysterisch bent? Omdat lieve papa – of echtgenoot, of neef, of wat dan ook – daar in gruzelementen in de slaapkamer ligt en je helemaal gek wordt en daarom zoveel mogelijk bewijsmateriaal vernietigt?'

Haskell snoof. 'Als dat hun verdediging is, dan kunnen ze maar beter hopen dat de jury uit twaalf goedgelovige sukkels bestaat. En iets anders: hoe verklaar je dat het geweer aan de andere kant van de kamer lag? En waarom zou mevrouw Alden dat beweren als het niet waar was?'

'Nou, ik moet zeggen dat ik daar wel eens eerder over heb gehoord. Dat de dood als een ongeluk werd beschouwd terwijl het geweer op drie meter afstand van het lichaam werd gevonden. De onderzoekers stelden dat het iets te maken had met de reflexbeweging van de spieren op het moment dat het geweer afging. Dus het is mogelijk.'

'Maar is het waarschijnlijk?'

Truitt zette de airconditioner in de hoogste stand. 'Als we terug zijn, ga ik doctor Blair van de universiteit van Georgia bellen en hem vragen of we morgenochtend naar hem toe kunnen komen om met hem te praten.'

'Waar denk je aan?'

Truitt roffelde met zijn duimen op het stuur. 'Wat dacht je hiervan: een tienermeisje ondergaat in de jaren vijftig een abortus en wordt onvruchtbaar. Afgezien van haarzelf en de jongen weet niemand er iets van. Ze krijgt geen steun van de familie en geen deskundige begeleiding. Ze trouwt met de jongen, ze scheiden, ze hertrouwt en ze wordt weduwe. Vervolgens gaat ze werken in een abortuskliniek. Ik zou wel eens willen weten wat voor profiel hij van zo iemand zou maken.'

'Wat? Je denkt dat ze heeft ontdekt dat hij een radicale antiabortusfanaat is, dat ze zich verraden voelt en woest wordt?'

Voor hen zat het silhouet nog steeds roerloos achter het stuur. 'Iets heeft in elk geval veroorzaakt dat ten minste één van die vrouwen uit haar dak ging. Maar ik durf er alles om te verwedden dat Maralyn Nash niet wist van Martins antiabortusactiviteiten totdat ik die brochure voor haar neus neerlegde. Wat ik nu wil weten, is wie daar wél van wist.'

Gale stond op het stoepje voor Malcolm Hinsons fotostudio en vloekte. Boven haar was een smalle, met dakspanen bedekte overkapping die haar tegen de bloedhete middagzon beschermde. De etalageruiten aan weerszijden van het rommelige halletje waren dichtgetimmerd met houten platen. Ondanks dat had ze het idee dat iedereen haar zag en voelde ze zich geblokkeerd terwijl ze de sleutel die Mal Robertson haar had gegeven in het weinig meewerkende slot probeerde te duwen.

'Shit,' fluisterde ze. 'Verdomme, verdomme en shit-nog-aan-toe.'

De rugzak die ze om had, gleed naar voren en bracht haar uit evenwicht. De sleutel in haar hand was blijkbaar een nieuwe kopie, maar duidelijk niet van die makelij dat ze er de voordeur van de studio mee kon openen. Ze stapte uit de beschutting van het halletje en liep over het stoepje voor Greene's ijzerwinkel langs. Ze passeerde Langleys drugstore, daalde de twee stenen treden af die de stoep met de straat verbonden, ging de hoek om en liep naar de achterkant van het gebouw.

Direct links van haar stond een open vuilcontainer waarboven een zwerm zwarte vliegen zoemde. Daarachter zag ze een stapel pallets en een pick-up. Een wit bestelbusje met *Piedmont Antiques* in zwart met gouden letters op de zijkant stond verderop op het smalle achtererf geparkeerd. Met Barry Greene's dood was het handelscentrum van Statlers Cross weer een stuk kleurlozer geworden.

Ze werkte zich langs de stapel kartonnen dozen tegen de muur van de drugstore en bleef staan bij de achterdeur van de fotostudio. Dus dit zou binnenkort Statlers Cross' deftige tearoom worden, dacht ze. Aan weerskanten van de achterdeur waren twee grote, in rechthoeken verdeelde ramen van ongeveer tweeënhalve meter hoog en drie meter breed, waarvan een groot deel van de ruiten gesneuveld was. Iemand had vanaf de binnenkant houten platen tegen de kozijnen getimmerd en er lagen maar weinig glasscherven op de grond. Gale bekeek de afgesloten deur. Als dit de ingang was die Mal Robertson en de bouwinspecteur een jaar geleden hadden gebruikt, dan hadden de spinnen hard gewerkt om hun territorium te heroveren. De hoeken van de deur zaten vol spinrag dat tot aan de deurknop reikte. Aan de lange draden zaten tientallen leeggezogen en uitgedroogde insecten gekleefd. Gale veegde ze opzij, greep de deurknop vast en probeerde de sleutel.

Het kostte haar twee duwen met haar schouder om de deur

open te krijgen. Na het felle licht van de zon zag ze binnen in eerste instantie niets. Ze zette haar rugzak tussen de deur en de post en ging op zoek naar een beter geschikte deurstop. In het onkruid bij de vuilcontainer vond ze een brok asfalt. Ze duwde de deur tegen de buitenmuur van de studio en zette hem klem met het brok asfalt. Ze veegde haar handen af en liet haar blik over het verlaten parkeerterrein gaan. Het laatste wat ze wilde was een soort Nancy Drew zijn, een vrouwelijke speurneus die opgesloten zat in een verlaten pand met niets anders dan haar zaklantaarn en haar kittige doelbewustheid om zichzelf te verdedigen.

Ze zette een voet over de drempel en bleef staan. In tegenstelling tot Nancy Drew hoefde ze zich geen zorgen te maken over schurken die haar op haar hoofd zouden slaan en haar daar zouden achterlaten, ten prooi aan uitdroging en ratten. Ze moest zich echter wel zorgen maken over de gezagsgetrouwe winkeleigenaars die eerst hun geweren met hagelpatronen laadden en dan pas vragen stelden. Ze liep snel naar de achterdeur van de drugstore en klopte aan.

De koele lucht die naar buiten kwam, was de boze Neanderthalerblik die Cooper Langley haar door de open deur toewierp best waard. Het duurde even, maar toen herkende hij haar.

'O, Gale,' zei hij glimlachend. 'Ik wist niet dat jij het was. Ik had verwacht dat het een van die rotjongens uit het fabrieksdorp was. Het is zomer, dus kunnen ze blijkbaar niets leukers bedenken dan hier rond te rijden op hun fietsen en als gekken op mijn achterdeur te bonken.' Zijn vogelverschrikkerarm zwaaide in de richting van het groepje bungalows. 'Ik heb er al over gedacht om Alby te bellen en hem te vragen of hij ze wil oppakken en naar een werkkamp wil sturen.'

'Ze zijn vast niet erger dan toen wij jong waren.' Gale glimlachte. 'Ik zat toevallig vandaag te denken aan al het kattenkwaad dat Sill en ik 's zomers uithaalden.'

'Nou, jullie maakten in elk geval niet zoveel kabaal als zij. Jullie waren geen vandalen, dat was het verschil.'

Nee, dacht Gale, het verschil was dat wij Aldens waren. Ze keek naar de bungalows, waarvan het merendeel netjes onderhouden was, met keurig gesnoeide struiken en vrolijk gekleurde bloembedden. De enige bloemen die ze ooit bij het Alden-huis had gezien, waren de kornoelje op de deurmat en de wilde kamperfoelie die langs het hek groeide. Want Ella's tuinversiering was beperkt tot een zwartgeschilderde jaguar en de kleuren van de kleding van degene die zich toevallig in de tuin bevond. Maar het maakte niet uit. Als je afkomstig was uit een gerespecteerde en excentrieke familie als de Aldens, dan waren dergelijke versieringen blijkbaar niet vereist.

Langley schoof zijn handen in zijn broekzakken. 'Gale, het spijt me oprecht van Martin. Je weet hoe hoog hij in mijn aanzien stond.'

'Dank je. De mensen zijn erg meelevend geweest. Dat helpt ons echt.'

'Het is een schande, een man als hij, die zoveel heeft gedaan. En die daar nooit iets voor terugvroeg. Er altijd bescheiden onder bleef. Zeg alsjeblieft tegen Cammy dat als er iets is wat ik kan doen...'

'Dat zal ik zeker doen. Hoor eens, Cooper, ik ga hiernaast aan het werk, in de fotostudio. Ik heb toestemming van Mal Robertson. Hij heeft me de sleutel gegeven. Ik wilde je alleen maar waarschuwen, voor het geval je vreemde geluiden hoort.'

Langley trok zijn dunne, zwarte wenkbrauwen op. 'Wat kun je daar nu te zoeken hebben?'

'Het is een gok, maar ik hoop een paar oude foto's te vinden. Ik doe research voor een boek over het leven op het platteland in de jaren twintig en heb begrepen dat Malcolm Hinson in die tijd aardig wat documentair werk heeft gemaakt.'

'O. Ik herinner me dat mijn grootvader het daar wel eens over had. Hij had er niet veel goeds over te zeggen. "Gluren" noemde hij het.'

'Dat zei Deak ook. Hoe dan ook, ik dacht dat als ik een paar van zijn foto's kon vinden...'

'Hmm, de jaren twintig. Moeilijke jaren.' Langley ging met zijn duim langs zijn kin. 'Ze vraten zowel aan de gezinnen als aan de katoenaanplant hier in de buurt. Geen goed moment om met een camera voor de gezichten van mensen te lopen zwaaien.'

'Daar heb je waarschijnlijk gelijk in. Toch kan het me goed van pas komen dat hij dat wel heeft gedaan.'
'Leuk als je in staat bent om terug te kijken, is het niet? Zoals mijn grootvader het vertelde, was het de tijd om de luiken te sluiten, je poot stijf te houden en te vertrouwen op de Heer.'
'Dat zal best. Nou, ik ga eens kijken wat ik kan vinden. Als je me hoort gillen...'
'Dan kom ik onmiddellijk aanrennen met mijn geweer in de ene hand en een bezem in de andere.' Hij grinnikte toen hij haar verbaasde gezichtsuitdrukking zag. 'Het geweer voor de ratten en de bezem voor de slangen. Het is in Georgia verboden om niet-giftige slangen te doden.'
'Leuk is dat. Nou, als ik een slang tegenkom, zal ik hem vragen wat zijn bedoelingen zijn.'
Grinnikend knikte hij haar gedag en deed de deur dicht. Gale liep terug naar de deur van de fotostudio. Kakkerlakken, ratten en slangen. Geweldig. Ze knielde neer naast haar rugzak en maakte de riempjes los. Nou, ze zou zich niet zonder slag of stoot overgeven. Ze stak haar hand in de rugzak en haalde er een paar tuinhandschoenen, een zaklantaarn en een hamer uit. Zo nodig zou ze die verdomde beesten de hersens inslaan.
Ze deed een stap naar binnen en stampte twee keer op de vloer. Er schoot niets weg en ze hoorde geen gesis. Ze liep verder de studio in, waarbij ze haar schoenen luidruchtig over de houten vloer sleepte. Stilte. Ze knipte de zaklantaarn aan en liet de lichtstraal door het vertrek gaan. Nadat ze met tevredenheid had geconstateerd dat er geen kronkelende geleedpotigen in haar haar terecht konden komen, schoof ze de banden van de rugzak weer van haar schouders, ze legde de hamer op de grond en begon aan het serieuze deel van haar onderzoek.
De ruimte was niet groot voor een commerciële onderneming: waarschijnlijk niet meer dan tien meter lang. Een tussenmuur scheidde het achtervertrek van het voorste deel van de studio, maar zo te zien nam dit achtervertrek het grootste deel van de ruimte in beslag en deed het voorste deel uitsluitend dienst als verkoopruimte. De vloer bestond uit houten

planken die – nam ze aan – alleen werden ondersteund door vloerbinten. Toen ze eroverheen liep, kreunden ze.

Als er ooit een geur van chemicaliën in de studio had gehangen, dan was deze allang verdreven door die van bedompte lucht en stof. Er stonden een paar meubelstukken in de ruimte: een kledingkast waarvan de laden ontbraken, een metalen tafeltje van het soort dat in de jaren veertig in keukens kon worden aangetroffen en een porseleinkast met bewerkte zijkanten waar geen glas meer in zat. Eromheen lagen talloze grote linnen doeken. Gale liet de lichtstraal eroverheen gaan. Op sommige plaatsen waren ze omhooggeduwd als piramides en op andere lagen ze als slappe rollen op de grond.

Ondanks de felheid van het licht van de zaklantaarn en het daglicht dat door de open deur naar binnen viel, was het nog steeds te schemerig in het vertrek om details te kunnen zien. Gale kon de kleuren en de afbeeldingen op de doeken niet onderscheiden. Gefrustreerd liet ze haar blik door de ruimte gaan. Het zou te mooi zijn als de studio nog steeds over elektriciteit had beschikt, en ze kon inderdaad nergens een lichtschakelaar of stoppenkast ontdekken.

Ze liep naar het grote raam aan de rechterkant van de deur. De platen die over de kapotte ruiten waren getimmerd, zagen er weinig degelijk uit: ze waren van dun triplex dat er haastig en slordig tegenaan was getimmerd. Gale stak haar hand uit en pakte een spijker vast. Ze kon hem zo uit het hout trekken. Nou, verdomme, dacht ze. Ik bied de Robertsons later mijn excuses wel aan.

Ze pakte de hamer van de vloer en haalde de grootste schroevendraaier van haar zevendelige set uit haar rugzak. Met elke plaat die ze loswrikte nam de zichtbaarheid toe. Toen ze alle platen binnen handbereik had verwijderd, viel er een heldere baan licht binnen.

Ze hijgde, transpireerde en zat vol stof. Met een grimmig gezicht liet ze haar gereedschappen in de open rugzak vallen en vervolgde ze haar onderzoek.

De doeken konden zowel schildersdoeken als stoflakens zijn, zo achteloos waren ze in het rond gegooid. Gale bukte zich en tilde een hoek van een doek op. Langzaam trok ze het van de stapel en draaide het om, zodat ze de voorstelling kon zien. De verf was gebarsten en grillige lijnen liepen als riviertjes over het linnen, maar desondanks kon ze zien wat het voorstelde. Eerst zag ze de toppen van besneeuwde bergen, vervolgens de toppen van dennenbomen en ten slotte een meer. Gale streek het doek glad en bekeek het kunstwerk. Het konden zowel de Alpen als de Rocky Mountains zijn, maar één ding was duidelijk: dit had niets te maken met Statlers Cross of een ander deel van Georgia.

Ze keek naar de onderkant van het schilderij, zocht naar een signatuur, maar die was er niet. Het verbaasde haar nauwelijks. De kunst die hier werd beoefend, had te maken met de technologie van lenzen en chemicaliën, niet het aloude spel van geweven doek, olie en kleurpigmenten. Ze bekeek de andere achtergronden: een schip in een haven, een chique salon, een gedraaide trap met houten leuningen en versierde smeedijzeren staanders. Ze vroeg zich af of deze fantasieën regiogebonden waren en of ze, als ze in een verlaten fotostudio in Chicago was geweest, dezelfde voorstellingen zou hebben aangetroffen. Of, dacht ze, misschien lag het meer voor de hand dat deze afbeeldingen juist die zouden zijn die ze in Chicago zou aantreffen, en waren ze door de in het noorden wonende Malcolm Hinson hiernaartoe gebracht. Plotseling moest ze denken aan iets wat Zilah had gezegd over het weduwschap: *er is niemand in de buurt die voor een beetje afleiding zorgt en je kunt je de raarste dingen in je hoofd halen.* Iets daarvan moest gezeten hebben in wat Malcolm Hinson deed voor de arme plattelanders, die het niet prettig vonden als hij hen tijdens hun werk met zijn camera kwam storen, maar die wel vrijwillig voor zijn decors kwamen poseren. Hij nam hen even mee naar een andere wereld, weg van hun armelijke bestaan in het Zuiden.

Ze boog zich voorover en pakte een hoek van het laatste doek vast. Een vaalblauwe achtergrond, dan drie stenen treden met daarboven een rij Dorische zuilen: ze had de afbeelding van het Parthenon gevonden die was gebruikt voor de foto van Jessie en de drie kinderen.

Zonder logische reden voelde ze een rilling van opwinding door zich heen trekken. Het was geen belangrijke ontdekking: als alle andere achtergronden nog in de studio lagen, dan was de kans groot dat deze er ook nog zou liggen. De opwinding zat in de herkenning, en de herinnering aan de vrouw die niet net als haar zuster en haar kind voor dit doek had gestaan.

Voorzichtig trok Gale het doek tevoorschijn en ze probeerde het plat op de grond te leggen. In het midden verscheen een grote bobbel, waardoor het Parthenon bol kwam te staan. Met gefronste wenkbrauwen tilde ze het doek weer op en ze sleepte het naar de zijkant van het vertrek. Toen ze het op de grond liet vallen, stoof er van de hoop vodden die eronder had gelegen een grote wolk stof op.

Ze nieste twee keer voordat ze met haar voet in de hoop porde. Toen er niets uit kwam rennen of kruipen, knielde ze naast de vodden neer en begon ze ze te bekijken. Stukjes papier en repen stof vormden de kern van de hoop. Een rattennest. Ze bedwong haar neiging om snel op zoek te gaan naar haar hamer. Aan de platheid van de hoop was duidelijk te zien dat er al een tijdje niets in had geleefd. Behoedzaam pakte ze de rand vast van een stuk stof dat niet was vergaan en trok het los uit de hoop. Ondanks de ouderdom en het stof kon ze zien dat het bordeauxrode satinet was, en de contouren van een lijfje waren nog zichtbaar langs de hals en zijkanten.

Stuk voor stuk bekeek ze de nog intacte lappen van de hoop: de zware rok die ooit aan het lijfje bevestigd had gezeten, een mannenbroek van een stug bruin materiaal, een vieze petticoat vol stroken, een gekreukelde en deels vergane omslagdoek. Haar hand raakte iets hards en ze trok een zwarte dameslaars uit de hoop waarvan de gedraaide veters heen en weer bengelden voor haar ogen. Onderop, onder een wollen uniformbroek, vond ze de kepie van een infanterist uit de Burgeroorlog, waarvan de aflopende klep was geknakt.

Gale boog de klep van de kepie recht. Een vreemde verzameling om aan te treffen in de winkel van een yankee, dacht ze. Ze pakte het bordeauxrode lijfje weer op en liet haar vingers over de stof gaan. Die was van slechte kwaliteit en leek op de stof waar kerstlinten van werden gemaakt. Ze draaide de lap om en keek naar de rand waar ooit de rok aan vast had gezeten. De gaatjes die de naald had gemaakt, waren duidelijk zichtbaar in het dunne, gladde materiaal en zaten veel te ver van elkaar om de twee delen op degelijke wijze aan elkaar vast te maken. Ze keek nog eens naar de rok. Aan de tailleband hing een los stuk draad. Toen ze eraan trok, schoten er twee steken los.

'Hallo? Gale? Ik wilde kloppen, maar ik was bang voor instortingsgevaar.'

Faith, die gekleed was in een poloshirt en een spijkerbroek, stond in de deuropening van de studio. Ze deed aarzelend een stap naar binnen, bleef toen staan en wapperde met haar hand het stof weg. 'Jezus, Gale. Sill zei dat je weg wilde bij Ella en naar een eigen woning zocht, maar denk je dat dit het antwoord is?'

'Er zijn dagen...' Ze liet de rok in haar schoot vallen. 'Nou, laat me raden. Ella heeft je de deur uit gezet.'

'Ella? O, die zou dat nooit zo onomwonden doen. Die zegt gewoon op poeslieve toon: "Faith, liefje, het is heel aardig van je dat je gekomen bent, maar Sill ligt te rusten en kan alleen familie ontvangen."' Behoedzaam kwam Faith de studio in lopen. 'Natuurlijk, ik neem aan dat als Sill me echt had willen zien, ze dat wel duidelijk had gemaakt.'

'Het hoeft niets te betekenen dat Sill je niet wilde zien. Ella gaat alleen uit van haar eigen wensen.'

'Je hebt gelijk. Hoe dan ook, Katie Pru heeft me gered. Ze zei dat je naar de fotowinkel was en vroeg of je voor haar alsjeblieft een foto wilde meebrengen, voor de jakkuwaar? Uitgaande van de theorie, neem ik aan, dat je volwassenen altijd aan het werk moet houden. Nadianna heeft me verteld waar ik de studio kon vinden.' Met een blik van oprechte afkeer keek ze om zich heen. 'Waar ik haar bijzonder dankbaar voor ben.'

Gale lachte. 'Hé, ik ben al aan het opruimen geweest.'

'Laat je door mij niet ophouden.' Ze bleef naast de hoop vodden staan en haakte haar duimen achter de riemlussen van haar spijkerbroek. 'Een van de redenen dat ik ben gekomen is dat ik Sill wilde vertellen dat ik vanochtend met brigadier Haskell heb gesproken.'

Gale pakte het lijfje op en schudde het uit. Een wolk stof waaide naar voren. 'En?' vroeg ze.

'Niets belangrijks. Hij wilde alleen maar weten hoe laat we daar aankwamen, hoe laat ik ben weggegaan, of ik meneer Cane al eens eerder had ontmoet, enzovoort. Tamelijk oninteressante vragen. Maar Sill was gisteren zo bezorgd dat ik erbij betrokken zou raken, dat ik haar ervan wilde overtuigen dat alles oké was.' Ze duwde de neus van haar schoen in de hoop vodden en tilde de omslagdoek op. 'En? Wat ben je hier aan het doen?'

Gale slaakte een zucht. 'Ik tast rond in het duister.' Ze hield Faith het lijfje voor. 'Wat denk je dat dit is?'

'Een bordeel voor ratten?' Faith pakte het kledingstuk aan en liep ermee naar het raam. Ze nam de stof tussen haar vingers. 'Een beetje chintz-achtig, is het niet? Alsof het eigenlijk geen echt kledingstuk is.'

'Dat is hetzelfde als wat ik dacht. Eerder van een kostuum, denk ik.'

Faith bracht het lijfje terug naar Gale, hurkte naast haar neer en pakte de kepie op. 'Denk je dat deze authentiek is?'

'Dat lijkt me onwaarschijnlijk. Hij is in een betere staat dan je zou verwachten voor een honderddertig jaar oude pet.'

Faith streek losjes met haar vinger over het stiksel langs de rand. 'Ik ken iemand in het Historisch Museum in Atlanta die je er waarschijnlijk wel iets over kan vertellen.'

'Op dit moment,' zei Gale, 'ben ik meer geïnteresseerd in de vraag waarom het hier ligt dan of het authentiek is of niet.'

Faith legde de kepie neer. 'Waarom dat?'

Gale pakte de veterlaars op. 'Nou, ik heb twee theorieën. Dit was een fotostudio tot aan de jaren veertig. Al die doeken daar zijn geschilderde achtergronden: een chique salon, bergen, het Parthenon. Nu zou het mogelijk kunnen zijn dat deze kostuums hier waren voor klanten die zich wilden verkleden voor hun foto's...'

Faith trok haar neus op. 'Een beetje goedkoop, vind je niet?'

'Juist. En waarom zouden ze zich, als ze hun lange jurken aanhadden en eruitzagen als tante Pittypat, zorgen maken over hun voeten?' Gale hield de laars in evenwicht op haar geopende hand. 'Maar je zou je misschien wel zorgen maken over je voeten als je in een toneelstuk meespeelde... het debuutstuk van een toneelschrijver uit het noorden... tegenover honderden mensen en verslaggevers van kranten uit de grote stad. Dan zou je er misschien zeker van willen zijn dat, ook al was je jurk goed, je schoenen er in elk geval niet uit zouden zien alsof je er katoen mee plukte.'

'Toneelkostuums?'

'Het zou kunnen. In 1925 schreef een toneelschrijver die Parrish Singleton heette een stuk voor Statlers Cross. Het moest een groot spektakel worden – een beetje cultuur in de binnenlanden, of zoiets – maar het is nooit opgevoerd. De vrouwelijke hoofdrolspeler pleegde een paar uur voor de première zelfmoord.'

Faith huiverde en begon toen te lachen. 'Jezus, Gale. Sill heeft me gewaarschuwd voor jou en je verhalen. Ze zei dat jij de reden was dat ze was gaan roken, wat me verbaasde voor iemand met een grote mond als zij.'

Gale legde de laars in haar schoot en rolde de gedraaide veters tussen haar vingers.

'Dus Sill heeft je dat verhaal nooit verteld?'

'Je zou verbaasd zijn hoe weinig ze over haar familie praat.'

'Dus ze heeft je nooit verteld dat de vrouw die zelfmoord heeft gepleegd haar betovergrootmoeder is? Ze heeft je nooit verteld over al die spookverhalen? Ze heeft je nooit verteld over hoe moeilijk het was om op te groeien in een klein stadje waar je voorgeschiedenis werd gevormd door een waanzinnige geest met scherpe tanden die levend vee verslond en oude mannen achternajaagde over de bospaden?'

Faith lachte, maar de blik in haar ogen was vol afgrijzen. 'Nee,' zei ze. 'Was het echt zo? Ik dacht dat de Canes een gerespecteerde familie waren?'

'Martin werd gerespecteerd. Martin was ook zo vals als een slang. Ik denk dat hij Sill sloeg. In die tijd begreep ik dat niet. Iedereen had het erover dat Sill een ijzertekort had en daarom zo gemakkelijk blauwe plekken opliep.'

Faiths gezicht vertrok van woede. 'Niemand hield hem tegen?'

'Martin was een man Gods, Faith,' zei Gale zachtjes. 'Martin wond deze hele verdomde stad om zijn vinger. Waarom zou het ze iets kunnen schelen dat hij zijn kind af en toe wat discipline bijbracht?'

'Jezus. Maar waarom wilde ze dan dat ik kennis met hem maakte? Waarom was dat zo belangrijk voor haar?'

Gale zei niets. De stand van de zon was veranderd en het licht op de vloer leek dieper en voller. Ze keek op haar horloge. Iets over enen. Ze moest terug naar Katie Pru.

'Dat zul je aan haar moeten vragen, Faith,' antwoordde ze terwijl ze langzaam overeind kwam. 'Wil je mijn mening? Je hebt haar wat macht teruggegeven. Het is een overwinning om terug te gaan naar iemand die je heeft misbruikt en tegen hem te zeggen: "Kijk, ik kan weggaan als ik dat wil."' Ze boog zich voorover om het stof van haar spijkerbroek te kloppen, want ze wilde niet dat Faith de verstrakte uitdrukking op haar gezicht zag. 'Ik moet nog even snel iets doen en daarna moet ik Nadianna van mijn dochter verlossen. Als je nog een minuutje tijd hebt...'

Ze liet Faith gehurkt op de vloer achter en liep naar de gepleisterde muur die de studioruimte van het voorvertrek scheidde. In het midden was een dikke houten deur. Gale keek somber naar de zwarte ijzeren deurknop. Ze zette haar tanden op elkaar, greep de deurkop met beide handen vast en rukte hem naar links. De deur ging open zonder zelfs maar te piepen.

Het was donker in het vertrek. Zelfs het licht dat door ramen aan de achterkant naar binnen viel was onvoldoende om de kleine ruimte te verlichten. Ze liet de lichtstraal van haar zaklantaarn door het vertrek gaan. Die danste over de zwarte satijnen gordijnen die voor de ramen hingen en de afgesloten voordeur. Ze richtte het licht op de houten toonbank en de bronzen kassa die de ene helft ervan in beslag nam. Ze liep ernaartoe en drukte op een knop. De geldla sprong open. Leeg.

'Niets,' mompelde ze. 'Deak Motts kent zijn pappenheimers.' Ze knipte de zaklantaarn uit, werkte zich door de deuropening en liep de studio weer in.

Faith stond met over elkaar geslagen armen voor de achtergrond met het Parthenon. 'Bizar,' zei ze toen Gale naast haar kwam staan. 'Wat ging er om in de hoofden van die mensen?'

Gale glimlachte. 'Herinner je je die afgeknipte toga die we

moesten dragen voor onze jaarboekfoto's? Dat verdomde ding viel maar net over mijn borsten.'

Faith lachte. 'Oké, ik geef toe dat dat ook belachelijk was. Maar het Parthenon?' Ze draaide zich om en spreidde haar armen. 'En trouwens, heb je voor fotograferen geen licht nodig? Had hij hier elektriciteit?'

'Dat is een goede vraag. Ik denk dat de stad pas in de jaren dertig elektriciteit kreeg. Misschien gebruikte hij magnesiumpoeder. Of misschien was het licht dat door de ramen naar binnen viel voldoende.'

Faith keek met een sceptische blik naar de ramen. 'Ik weet het niet...'

Gala stopte haar spullen in de rugzak en zwaaide hem over haar schouder. 'Of misschien had hij een generator. Aan de andere kant, ik dacht dat fotostudio's vroeger dakramen hadden. Misschien...'

Met een plotselinge beweging keek ze naar het plafond. De planken liepen van oost naar west over de hele breedte van de studio. In de lengterichting waren dwarsbalken te zien, die achter de muur naar het voorvertrek verdwenen.

'Er is daar een zolder,' zei ze zacht. 'Robertson zei dat hij met de bouwinspecteur naar de zolder is geweest.'

Ze zwaaide de deur naar het voorvertrek open en richtte de lichtstraal van haar zaklantaarn op het plafond. De planken liepen hier op dezelfde wijze als in de studio, zonder openingen of scharnierende luiken. De lichtstraal gleed over de muren en eindigde achter de toonbank. Ze kon geen enkele doorgang ontdekken. Ze liep weer terug naar de studio.

'Ik moet even naar hiernaast,' zei ze tegen Faith. 'Ik ben zo terug.'

Cooper Langley was alleen in zijn winkel en las een sporttijdschrift. Gale pakte twee blikjes cola uit de koeler en zette ze op de toonbank.

'Coop,' zei ze. 'Mal vertelde me dat ik naar de zolder kon, maar ik kan nergens een ingang vinden. Kun jij me helpen?'

Langley kruiste zijn armen voor zijn borst en zijn ellebogen vormden scherpe punten onder de stof van zijn geruite overhemd. 'Nou, het korte antwoord is dat je er hiervandaan niet naartoe kunt. Toen deze rij winkels was gebouwd, werden de

239

twee hiernaast eigendom van Calvin Falcon, die daar zijn droogvoerhandel begon. Na een tijdje kwam hij tot de conclusie dat hij niet zoveel ruimte nodig had, dus metselde hij een muur en verkocht hij de helft aan Hinson. Die droogvoerhandel is blijven bestaan totdat hij met pensioen ging en toen heeft hij zijn helft aan Barry Greene verkocht. Dus de fotostudio heeft geen eigen doorgang naar de zolder, maar de oude Hinson vond het nooit erg als je er via zijn winkel naartoe ging.'

Gale veegde ongeduldig haar vochtige haar achter haar oren. Ze hield de toon van haar stem vriendelijk. 'Dus hoe kom ik daar?'

Langley sloeg naar een vlieg die om zijn hoofd zoemde. 'Ik denk dat je dan het beste aan Zilah kunt vragen of ze de ijzerwinkel voor je wil openen.'

20

Elke vrouw is een geest, en elke man een medium.

Jasper Singleton,

tegen zijn zoon Darcy, toen deze het had uitgemaakt
met zijn vriendin, 1983

Het eerste wat Truitt opviel aan Sill Cane toen ze Ella's woonkamer binnenkwam, was hoe mager ze was geworden. Ze was een kleuter geweest toen hij Martin voor het eerst ontmoette, en in de loop van hun vriendschap had hij gezien hoe ze zich had ontwikkeld tot een goudharig meisje met korte, dikke benen en een vollemaansgezicht. Cammy had het blonde haar van het meisje altijd samengebonden in twee korte vlechten die als hondenoren op haar hoofd stonden, en als hij en Martin terugkeerden van de jacht, kwam Sill door de voortuin naar hen toe rennen om hen te begroeten. Dan sloeg ze haar armen om Martins borstkas en drukte ze haar lachende mond tegen zijn shirt.

De glimlach die ze hem nu toewierp toen ze op de bank ging zitten, was lusteloos, en haar lippen waren net zo bleek als haar huid. In plaats van hondenoren was haar haar achter op haar hoofd samengebonden in een los knotje. De kleding die ze droeg – een eenvoudig wit T-shirt onder een roze katoenen jumper – verhulde de vormen van haar lichaam, maar Truitt kon aan haar gezicht en armen zien dat het stevige kind dat hij had gekend, was veranderd in een slanke, vermoeid ogende jonge vrouw.

De stoel met de rug van latten achter Truitt kraakte toen Haskell zijn omvangrijke lichaam erop liet zakken. Achter de dichte deur hoorde Truitt de aimabele stem van Ruch. 'Echt, mevrouw Alden, ik heb nog nooit zoveel vissen gezien...'

Truitt liet zich in de met paardenhaar gevulde fauteuil zakken en legde zijn notitieboekje en een envelop voor zich op de salontafel. Hij glimlachte meelevend naar Sill.

'Gale vertelde me dat je een moeilijke nacht hebt gehad. Hoe gaat het met je moeder?'

'Niet zo goed. Ella begint haar geduld met haar te verliezen.' Sill sloeg haar armen over elkaar en liet ze op haar knieën rusten. 'Volgens Ella's Heilige Schrift horen vrouwen stoïcijns te zijn op momenten als deze. Moeder stelt haar teleur.'

'Ik wil nog eens met je praten over wat er zaterdagavond is gebeurd, Sill. Ik heb je verklaring nagelezen, natuurlijk, maar ik wilde zien of je je misschien nog iets anders herinnert.'

'Is dit een officieel moordonderzoek?'

Hij keek haar aan. 'Heeft iemand je gezegd dat het dat was?'

'Als dit een officieel moordonderzoek is, denk ik dat het tijd wordt dat de familie de hulp van een advocaat inroept. Je stelt ons nu al twee dagen lang vragen. Ik denk niet dat het legaal is dat je ons blijft achtervolgen zonder ons te vertellen wat onze positie is.'

De toon van haar stem was strijdlustig en haar hoekige onderkaak stak vijandig naar voren.

'Als jullie je prettiger voelen in het bijzijn van een advocaat, Sill, dan vind ik dat best. De situatie waarmee we te maken hebben, is een gewelddadige dood en zolang we niet hebben kunnen vaststellen wat er is gebeurd, moeten we dit behandelen als een moordonderzoek. We moeten feiten verzamelen en ondervragingen doen, net zoals we dat zouden doen in een officieel moordonderzoek. Om eerlijk te zijn, Sill, heb ik gewoon nog geen greep op de zaak. Daarom probeer ik een wat helderder beeld te krijgen door met alle betrokkenen te praten.' Hij schoof met zijn vingers de envelop heen en weer over de tafel. 'Als je vindt dat ik je lastigval, dan spijt me dat.'

'Je hebt ons allemaal zaterdagavond al gesproken. Gisteren was je hier weer. En nu vandaag weer. We hebben je allemaal al verteld wat er is gebeurd. Als dat geen lastigvallen is, hoe wilde je het dan noemen?'

'Ik noem het zorgen voor de nagedachtenis van een vriend, Sill.'

'Welke vriend kan dat zijn, Alby? Papa had je al lang geleden afgeschreven.'

'Ik denk dat je bedoelt,' zei hij zacht, 'dat Martin jou al lang geleden heeft afgeschreven.'

Het was wreed en hij had er onmiddellijk spijt van dat hij het had gezegd. Haar hoofd zakte een fractie. Haar tranen misten de welving van haar wangen en vielen direct op haar schoot. Hij maakte geen aanstalten om haar te helpen, noch zei hij iets om haar te troosten.

Ze plaatste haar handen naast zich op de zitting van de bank, alsof ze wilde opstaan. 'Trouwens,' zei Truitt, 'we hebben vanochtend met Faith Baskins gesproken.'

Haar mond viel open. 'Waarom vind je het nodig om met Faith Baskins te praten? Ze heeft hier niets mee te maken.'

'Ze is met jou naar de barbecue gekomen. Volgens getuigen heeft dat een ruzie tussen jou en je vader tot gevolg gehad. Een paar minuten later is hij dood. Daarom denk ik dat Faith belangrijk genoeg is om mee te praten, denk je ook niet?'

'Ze heeft hier niets mee te maken,' herhaalde Sill. 'Ik heb haar erbuiten gehouden.'

'Wanneer ging ze weg van de barbecue?'

'Toen ik zei dat ze weg moest gaan.'

'En dat was...'

Ze schudde geërgerd haar hoofd. 'Meteen na de ruzie. Voordat vader het huis in ging.'

'Hoe lang daarvoor?'

'Direct daarvoor. Op het moment dat hij naar binnen ging.'

'En jij bleef bij Faith totdat ze in haar auto stapte en wegreed?'

'Nee, natuurlijk niet. Ik liep achter papa aan het huis in.'

'Dus je hebt Faith niet echt zien vertrekken?'

Ze ontplofte. 'Waar stuur je verdomme op aan? Faith is weggegaan! Ik vroeg haar of ze weg wilde gaan en dat heeft ze gedaan. Dus laat haar nu met rust!'

Haar stem had een schrille klank gekregen. Ze had haar handen tot vuisten gebald en drukte die tegen haar knieën.

'Ik zeg alleen maar dat Faith getuige is geweest van die ruzie, Sill,' zei hij zachtjes. 'En we moeten met iedereen praten.'

'Laat haar erbuiten. Ze maakt geen deel uit van deze familie. Ze vormt geen deel van het probleem.'

'Welk probleem is dat?'

Haar wangen kleurden. 'Vaders dood,' bracht ze met moeite uit. 'Vaders dood is het probleem.'

Hij pakte de envelop en haalde de twee plastic mapjes eruit. Hij liet de gedrukte brochure op de salontafel vallen en draaide hem om totdat de geaborteerde foetus haar kant op wees.

'Wat is jouw mening over abortus?' vroeg hij.

De impact zou hetzelfde zijn geweest als hij zijn vuist had gebald en haar hard tegen het voorhoofd had geslagen. Een seconde lang staarde ze naar de brochure. Toen schoot haar hoofd achterover en trok er een vlekkerig rood over haar hele gezicht.

'Vuile klootzak! Waar ben jij verdomme mee bezig? Smerige, godverdomde *redneck!*'

Ze sprong op van de bank en stootte met haar knieën hard tegen de salontafel, zodat de glazen plaat een stuk verschoof. Er vielen een paar foto's op de grond.

De felheid van haar reactie verbaasde hem. Hij kwam snel overeind, maar de salontafel stond zo dicht bij de fauteuil, dat hij geen ruimte had om zich te bewegen. Haar handen schoten naar hem toe – klauwen, geen vuisten – en hij moest ze twee keer wegslaan voordat Haskell haar van achteren had vastgepakt en terugduwde op de bank.

Achter zich hoorde hij de deur opengaan en Ella's verbijsterde stem.

'Wat krijgen we in godsnaam...? Laat haar onmiddellijk los!'

Haskell had Sills armen nog vast en dwong haar te blijven zitten. 'Rustig aan, Sill,' zei hij vastbesloten. 'Ik laat je zo los. Maar pas als jij me laat zien dat je weer gekalmeerd bent.'

Haar armen bewogen onder de zijne en toen liet ze zich terugvallen in de kussens. Opnieuw was alle kleur weggetrokken uit haar gezicht en de voorste lokken van haar haar waren losgeraakt. Truitt zag hoe Cammy zich langs Ella, Maralyn en Ruch drong en snel door de kamer naar hen toe kwam lopen.

'Sill, kindje, is alles goed met je?' Cammy ging naast haar

dochter op de bank zitten. 'Ik had je niet alleen naar beneden moeten laten gaan. Het spijt me. Ik dacht niet na.'

Ze zag eruit, dacht Truitt, als de andere vrouwen die hij had gezien toen ze pas weduwe waren geworden: het grijze haar was gekamd, maar niet recent, haar gezicht was pafferig en ze droeg een te grote spijkerbroek en een wijdvallend katoenen overhemd. Ze drukte haar hand tegen Sills wang. Sill ging rechtop zitten, nam Cammy's vingers tussen de hare en trok haar moeders hand op haar schoot.

Maralyn kwam achter Ella aan de woonkamer in. 'Moeder,' zei ze, 'het wordt tijd om er een advocaat bij te halen.'

Ella maande haar met haar handen tot rust. 'Doe niet zo belachelijk. Niemand in deze familie heeft een advocaat nodig. We kunnen wel voor onszelf zorgen.' Ze draaide zich om naar Truitt. 'Alby,' zei ze, 'dit is niet nodig. Je kende Martin en respecteerde hem en daarom hebben we je onze medewerking gegeven. Maar je kunt hier niet naartoe komen en ons op deze manier behandelen.'

Truitt zuchtte en haalde zijn hand door zijn haar. Hij liet zich weer in de fauteuil vallen en boog zich naar voren.

'Het spijt me, Ella, Cammy,' zei hij zacht. 'Maar ik had niet voorzien dat dit zo'n gevoelige snaar bij haar zou raken. Als ik dat had geweten, had ik het anders aangepakt.' Hij keek naar Sill, die haar ogen nog steeds dicht had. 'Sill, ik bied je mijn excuses aan. Maar ik heb nog steeds een aantal vragen waarop ik een antwoord wil, en ik blijf daar maar vreemde reacties op krijgen.'

Hij pakte de plastic mapjes op, zorgde ervoor dat ze buiten Sills blikveld bleven en gaf ze beide aan Ella.

'Deze heb ik in Martins huis gevonden,' zei hij. 'Ik moet toegeven dat ik erdoor werd verrast. Dit was niet iets wat ik van Martin zou hebben verwacht, al is het wel zo dat ik de afgelopen paar jaar niet zo close met hem was als ik had moeten zijn. Maar wat me echt nieuwsgierig maakt, Ella, is de manier waarop jullie erop reageren.'

Ella gaf de twee mapjes terug aan Truitt. 'Ik hoef ze niet te zien, Alby. Je mag ze wegstoppen.'

Hij deed de mapjes weer zorgvuldig in de envelop en deed er een elastiekje om. Hij legde de envelop op zijn schoot, leunde achterover in de fauteuil en liet haar in een vragend gebaar zijn handen zien.

'Nou?' vroeg hij zacht.

De vier vrouwen namen plaats op de bank en bleven daar roerloos en zwijgend zitten. Hij vroeg zich af wat er zou gebeuren als hij een onverwachte beweging maakte. Hij kreeg niet de gelegenheid om het uit te proberen. Cammy was de eerste die bewoog. Ze streek een lok katoenachtig grijs haar uit haar gezicht.

'Laat het zitten, Alby,' zei ze. Ze had haar ogen dicht en haar stem klonk vreemd dof. 'Martin zou hebben gewild dat je het liet zitten.'

'Dat kan ik niet doen, Cammy.'

'Dat kun je wel. Die autoriteit heb je. Martin heeft je veel gegeven, Alby, en er nooit iets voor teruggevraagd. Maar dít zou hij je vragen. Hij zou je hebben verteld dat sommige dingen nooit meer tot rust komen als ze eenmaal zijn verstoord. Dus alsjeblieft, hou hiermee op. Martins dood was een ongeluk. Accepteer dat en laat ons doorgaan met ons leven.'

Ze zat tegenover hem alsof ze blind was, met haar ogen stijf dicht. Hij zag verscheidene ringen van fijne rimpels in haar hals. Zijn moeder had hem wel eens verteld dat een vrouw, net als een boom, haar leeftijd verraadde door het aantal natuurlijke ringen in haar hals. Hij telde er vijf bij Cammy en voelde zich belachelijk. Vijf. Ze was in de vijftig, net zo oud als zijn moeder toen ze overleed.

'Als het een ongeluk was, Cammy,' zei hij, 'waarom had Martin dat geweer dan tevoorschijn gehaald?'

'Die geweren waren meer dan wapens voor hem, Alby. Ze belichaamden hem. Als hij behoefte had aan troost, zocht hij die bij zijn geweren.'

'En waarom zou hij op dat specifieke moment behoefte hebben gehad aan troost?'

Sills stem klonk schor en vermoeid. 'Je hebt al vastgesteld dat dat mijn schuld was. Ik had Faith niet moeten meebrengen.'

'Dat hoor ik keer op keer, maar ik betwijfel of ik dat geloof, Sill. Ik geef toe, ik kan me voorstellen dat iemand met Martins opvattingen er moeite mee zou hebben om jouw manier van leven te accepteren, maar het is niet zo dat hij er niet van wist. Je hebt hem er niet mee geconfronteerd tijdens een publiek optreden, maar je hebt hem alleen maar voorgesteld aan iemand over wie hij al wat wist.'

'Maar dat was juist het probleem.' Sill maakte haar hand los uit die van haar moeder, balde haar handen tot vuisten en sloeg ermee op haar knieën. 'Ik heb het gedaan in het bijzijn van iedereen. Ik heb hem vernederd.'

'Maar hij wist dat ze zou komen.'

'En als dat zo was?' vroeg Ella. 'Het blijft een confrontatie. Cammy heeft geprobeerd het Sill uit haar hoofd te praten om haar mee te brengen naar de barbecue, maar Sill hield voet bij stuk. Dat was een dom besluit, Alby, maar aan de andere kant zijn die meisjes nog jong en begrepen ze niet wat dat voor iemand als Martin betekende.'

Truitt bleef naar Ella's gezicht kijken terwijl hij zijn notitieboekje pakte en het opensloeg. 'Een van mijn mannen heeft vanochtend met Faith gesproken. Ze zei dat ze Martin zaterdagochtend zelf had gebeld. Ze had gehoopt dat een gesprekje vooraf de scherpe randjes van de ontmoeting zou halen.'

Hij wachtte op een reactie van een van de vrouwen, maar die kwam niet. Hij keek naar zijn aantekeningen en vervolgde: 'Ze heeft dat gesprek beschreven als hoffelijk. Hij verzocht haar om niet te komen, waarop zij antwoordde dat Sill erop stond. Toen zei hij dat hij niets zou doen om hen tegen te houden, maar dat ze niet moesten rekenen op een hartelijk welkom. Hij had – ik citeer – sociale verantwoordelijkheden waaraan hij moest denken.' Truitt stond op en deed een stap opzij, achter de salontafel vandaan. 'Dat klinkt mij niet in de oren als iemand die in een shocktoestand raakt omdat hij de geliefde van zijn dochter in zijn tuin aantreft.'

'We hadden een woordenwisseling in het vishuis,' zei Sill op vermoeide toon, en ze trok het elastiekje uit haar haar. 'Het was vreselijk. Daardoor was hij zo van streek.'

Truitt wuifde naar het notitieboekje dat geopend op de salontafel lag. 'Volgens Faith heb jij die ruzie uitgelokt, Sill. Er waren daar verscheidene oudere mensen en hij probeerde je steeds mee te nemen naar buiten, zodat ze het niet zouden horen. Maar jij stond erop om aan Faith te refereren als je geliefde in het bijzijn van al deze mensen. Faith zegt dat hij daarom zo kwaad werd. Tot het moment dat je dat deed, had Martin zich beschaafder gedragen dan Faith had verwacht.'

'Hij moest wel,' pareerde Sill. 'Hij bevond zich onder de mensen.'

'Hoor eens, Sill, ik neem je die ruzie niet kwalijk. Ik weet wat het is om je afgewezen te voelen door je vader, geloof me. Maar het wil er bij mij gewoon niet in dat Martin door die woordenwisseling zo van streek was dat hij het huis in rende en een geladen geweer tevoorschijn haalde.'

Hij liep naar de salontafel en pakte de envelop op. 'En nu iets anders. Ik zou graag willen dat iemand in deze kamer me vertelt waarom iedereen in tranen uitbarst als ik dit ding laat zien?'

Hij keek van de een naar de ander. Drie van hen ontweken zijn blik, maar Maralyn zat hem rustig op te nemen.

Van zijn linkerkant kwam een ruisend geluid. Cammy was opgestaan van de bank en streek de kreukels uit haar overhemd.

'Ik denk dat je gelijk hebt, Alby,' zei ze. 'Sills levenstijl was iets waar Martin niet blij mee was, maar dat was niet het allerbelangrijkste. Ik zou je graag onder vier ogen willen spreken, als dat kan.'

Vanuit het keukenraam kon Zilah de schuur achter haar huis niet zien, hoewel het haar al die jaren teleurgesteld zou hebben als dat wel zo was geweest. De schuur, met zijn wanden van kromme planken en zijn dak van oranjerode golfplaat, zou een armoedige indruk hebben gemaakt naast het beeld van het Alden-huis. Het zou haar terug hebben gesleurd naar de werkelijkheid, net zoals het hek had gedaan toen Barry met zijn gereedschap naar de zijtuin was gegaan om het gaas tegen de palen te timmeren. Nog dagen daarna had ze het miserabele gevoel gehad dat ze gevangenzat. Maar algauw had ze geleerd om voorbij het hek te kijken. Toen het onkruid begon te groeien en zich door de vierkante mazen begon te werken, had ze er zelfs een soort genegenheid voor ontwikkeld omdat ze het was gaan zien als een dikke boomtak waarop het Alden-huis zat als een zeldzame rode vogel die met open bek naar de hemel kraste.

Ze bleef verscheidene minuten bij het raam staan wachten terwijl het warme water uit de kraan in de jampot stroomde die ze in haar hand had. Misschien kunnen ze hem niet vinden, dacht ze. Misschien staat hij helemaal niet in de schuur. Misschien heeft Barry hem wel in de ijzerwinkel laten staan, of hem aan die jongen van Langley gegeven, of hem in de tuin gezet voor een klusje en hem toen vergeten. Ze wilde net naar de achterdeur lopen en roepen: 'Het spijt me, ik ben een oude dwaas. Hij staat hier helemaal niet', toen ze iets tegen de achterkant van het huis hoorde bonken en ze de hoek om kwamen met Barry's houten ladder tussen zich in.

Ze schenen niet echt haast te hebben. Zij had gewild dat dat wel zo was, dat ze snel weg zouden gaan, langs de spoorbaan zouden rennen en met de ladder de ijzerwinkel zouden binnenstormen. Maar in plaats daarvan hadden ze de ladder tegen de zijkant van een zwarte auto gezet en stonden ze met elkaar te praten voordat ze de vijfde deur openden en de ladder naar binnen schoven. Hij stak een stuk naar buiten, dus na nog wat heen-en-weergepraat klom Gale achterin om de deur vast te houden terwijl het meisje met de krullen achter het stuur ging zitten en de motor startte.

Ze zwaaiden naar haar en reden de oprit af. 'Schiet op, schiet op, schiet op,' fluisterde Zilah.

Ze besefte dat haar verlangen naar haast niet was ingewilligd. Ze wist wat Barry tegen haar zou zeggen: 'Ach, vrouw, wat zeventig jaar heeft moeten wachten, kan ook nog wel twee minuten langer wachten.' Maar soms had ze het gevoel dat heel haar leven zich had afgespeeld in periodes van twee minuten en ze voortdurend in afwachting was van dat volgende moment waarop alles duidelijk zou worden en ze kon ophouden met piekeren. Het was het piekeren dat haar de das omdeed. Ze was er half van overtuigd dat het dat piekeren was dat haar ziek maakte. En dan waren daar die jonge vrouwen die dachten dat ze al de tijd van de wereld hadden. Nou, die hadden ze niet. Dat was één ding dat ze als kind had geleerd. Mensen waren voortdurend de tijd aan het indelen in goed of fout en goed en slecht, maar de tijd zelf werkte zo niet. Die had lak aan moraliteit. Die lichtte op en ging het volgende moment weer uit als een nachtkaars.

Ze keek weer naar het Alden-huis. Vier auto's stonden zij aan zij bij het hek. Het licht eromheen was flets, alsof de betrokken lucht op de aarde leunde en het zonlicht onder zich probeerde te pletten. Er waren zich alweer onweerswolken aan het verzamelen: ze kon het zien aan het doodse groen van de bladeren van de pecannotenboom en het gras onder haar raam.

'Misschien zal de storm de slechte lucht verdrijven,' zei ze hardop. 'Ik heb het gevoel dat de lucht de laatste tijd nogal slecht is.'

'De lucht is niet slecht, Zilah.' Barry's stem klonk zo dichtbij dat haar handen naar haar borst vlogen en ze zich met een ruk omdraaide. 'Slechte lucht komt uit grotten en putten. Dit is een goede plek, Zilah. Dit is een heel goede plek.'

Als je Greene's ijzerwinkel binnenging, leek het alsof je in een wolk van metaal terechtkwam. Barry was pas een paar maanden dood, maar in de vochtige hitte van het Zuiden was twee maanden lang genoeg om elke ruimte gaar te stoven. Gemengd met de hitte was de geur van metaal: van de bakken vol spijkers in alle maten, de meters ketting die om cilinders waren gewonden, de lege brievenbussen en stapels zinkplaten. Gale stak haar arm om de post van de achterdeur, zocht naar de lichtschakelaar en knipte het licht aan.

'Zilah is blijkbaar vergeten de elektriciteit af te sluiten,' zei ze. Faith verschoof de ladder op haar schouder. 'Denk je dat we misschien zo gelukkig zijn dat we hier een werkende airconditioner vinden?'

'Wat een aangename gedachte. Wacht hier.'

Het kostte haar maar een paar seconden om op de achterwand de thermostaat te vinden. Ze duwde een tiental harken opzij die vooroverleunend in een ton stonden en draaide de knop op koel. Onmiddellijk klonk het gezoem van de gekoelde lucht door de winkel.

Ze haastte zich terug naar de ingang, want ze wilde zo snel mogelijk aan haar taak beginnen. Bij Zilah had ze Truitts Dodge en de patrouillewagen van het sheriffkantoor aan de andere kant van het hek zien staan. Haar eerste impuls was geweest Ella's huis binnen te rennen om de een of andere soort bescherming te bieden. Maar toen had ze naar boven gekeken en Katie Pru zwaaiend en lachend achter het slaapkamerraam zien staan. Met mijn kind is alles in orde, had ze zichzelf verzekerd. En de volwassenen kunnen wel voor zichzelf zorgen. Maar het schuldgevoel was gebleven. Ze kon zich niet losmaken van de gedachte dat ze bij haar familie hoorde te zijn in plaats van hier te lopen rotzooien tussen stukken gegalvaniseerde ijzeren pijp en plastic vuilnisbakken, om tegemoet te komen aan wat weinig meer was dan een vermoeden van een malende oude vrouw.

Ze pakte het achterste uiteinde van de ladder en droeg hem samen met Faith de winkel in.

'Pas op,' zei Faith. 'Zakken cement rechts van je.'

Gale deed een stap opzij en hield de ladder van zich af om Faith de ruimte te geven om te draaien. Maar dit is nog vager dan een vermoeden, dacht ze. De druk op haar borst nam toe. Linnie pleegde zelfmoord en nu was haar kleinzoon dood. Tom pleegde zelfmoord... Er was zoveel gebeurd. Ze moest hiernaartoe.

'Ik heb het gevonden,' meldde Faith. 'Een luik in het plafond, halverwege de westelijke muur, precies zoals de oude vrouw zei.' Ze zette haar uiteinde van de ladder op de grond. 'Hopelijk heeft hij daar ook elektriciteit aangelegd, hoewel je dat nooit kunt weten. Sommige van die crisishuizen zijn zo verdomde armoedig.'

Gale legde de ladder neer en liep naar de muur. De toegang tot de zolder bestond uit een gat van ongeveer een vierkante meter in het plafond met twee middelgrote haken die over de rand omlaag staken. Ze keek door de opening naar boven en zag nog net de lijnen van de dakspanten waar de planken tegenaan waren getimmerd.

'Oké,' zei Faith. Ze bukte zich om de ladder op te pakken. 'Dit is de reden dat we hier vandaag zijn samengekomen.'

Samen tilden ze de ladder boven hun hoofden en ze hielden hem schuin totdat de twee grote schroefogen aan het ene uiteinde soepel over de haken bij het luik gleden. Faith schudde hem heen en weer om de stevigheid te testen.

'Ik ga eerst,' zei ze.

'Nee, ik ga eerst.'

'Hoor eens,' zei Faith. 'Mijn vader was aannemer. Ik ben praktisch opgegroeid op gammele vlieringen. Wacht nu maar even.'

Ze verdween een hoek om en was nog geen minuut later terug met een spijkerschort om haar middel geknoopt. Bij haar heup bungelde een hamer. Ze wierp Gale een grimmige glimlach toe en begon de ladder te beklimmen. Toen ze met haar hoofd bij de opening kwam, bleef ze staan en stak ze haar arm in het gat. 'Lichtschakelaar op de vloer.'

Gale hoorde een klik. Boven haar gloeide de zolder geel op.

'Wat zie je?'

'Moeilijk te zeggen.' Faith stak haar hand in het schort, haalde er een grote spijker uit en gooide die van zich af. Hij schoot kletterend over de houten vloer. 'Zo te zien zijn er geen ratten.'

Ze trok zich omhoog, ging op de zoldervloer zitten en stak haar hand door het gat om Gale naar boven te helpen. Toen deze haar hoofd door het gat stak, werd haar meteen duidelijk dat Barry's slimheid om zijn opslagruimte van elektriciteit te voorzien zich niet had uitgestrekt tot de luxe van koele lucht. Ze trok een gezicht en richtte zich op.

'Wat voor effect, denk je, zal de hitte hebben gehad op datgene wat je hoopt te vinden?' vroeg Faith.

'Geen idee. Ze zeggen dat droge warmte goed is om dingen te bewaren.'

'Er bestaat niet zoiets als droge warmte in Georgia.'

Gale werkte zich langs een paar kruiwagens en een stapel vloerbinten tot ze bij de wand kwam die de ijzerwinkel van de fotostudio scheidde. Het was een eenvoudige triplexconstructie die grotendeels schuilging achter de bergen materiaal. Gale wrong zich langs de dozen met kunstmest en poetsmiddelen. Achter een toren van zakken turf vond ze de deur. Eerst verbaasde het haar hoe gemakkelijk die openging. Blijkbaar hadden de jaren dat hij niet was gebruikt er geen invloed op gehad. Maar toen ze de ruimte was binnengegaan, werd haar duidelijk dat de deur wel degelijk was gebruikt. Barry Greene mocht dan een fatsoenlijk mens en een verdomd goede winkelier zijn geweest, hij had er geen problemen mee gehad om wat ruimte van zijn afwezige buurman in te pikken. Een met ijzerdraad beschermde bol van een looplamp aan een snoer dat door een kleine opening in de tussenwand kwam, hing aan een haak bij de deur. Gale werkte zich langs de ongeopende dozen Miracle-Gro en verpakte zaagbladen en maakte de balans op. 'Gloeilampen. Wespengif. Sierspijkers.'

Faith worstelde zich langs de dozen naar haar toe. 'Ik zie nog niet veel interessants.'

Naarmate Gale zich verder van de deur bewoog, werd het licht minder, zodat ze spijt had van haar besluit om haar rugzak – met haar zaklantaarn – in de auto te laten staan. Ze merkte dat ze niet in staat was de namen op de dozen te lezen, zodat ze de inhoud moest identificeren met behulp van de schematische afbeeldingen die erop stonden.

'Een of ander soort loodgietermateriaal. Een ventilator. Iets wat eruitziet als schroeven.'

Ze was bij de noordelijke wand aangekomen en moest nu vrijwel uitsluitend op de tast werken. Het licht was nog nauwelijks te zien en deze hoek van de zolder was helemaal in duisternis gehuld. Ze hield haar handen voor zich en spande haar ogen tot het uiterste in om iets te zien.

Ze struikelde. Ze sloeg om zich heen en raakte de wand. Splinters drongen in haar handen toen die langs het ruwe hout omlaaggleden. Ze kwam met haar knie op een ijzeren buis terecht.

'Gale!' Faith klonk geschrokken. 'Waar hang je verdomme uit?'

Het licht van de looplamp werd haar kant op gedraaid. Het maakte grote boogbewegingen over de hoek waar ze lag.

'Hou die lamp zo, Faith. Niet bewegen. Blijf hem vasthouden zoals je hem nu hebt.'

Het is geen grote vondst, dacht ze. Maar soms hoefden vondsten niet groot te zijn. Onder haar pijnlijke knie lag de poot van een statief. Daarnaast, zorgvuldig naast elkaar gezet, stonden vier ouderwetse camera's en een apparaat waarvan ze de werking niet kende. Ze trok de dichtstbijzijnde kartonnen doos naar zich toe.

253

'Wat ben je verdomme aan het doen? Is alles oké met je?'

'Met mij gaat het prima,' antwoordde ze. 'Als je die lamp maar niet beweegt.'

De doos zat vol kartonnen rechthoeken met verschillende afmetingen, die allemaal óf een roomwitte óf een vreemde paarsachtig zwarte tint hadden. Enthousiast haalde ze de eerste uit de doos. Er was niets op te zien, afgezien van de mooie ovalen sierrand en de woorden MALCOLM HINSON, FOTOGRAAF, STATLERS CROSS, GEORGIA in de rechteronderhoek. Ze begon ze met stapels tegelijk uit de doos te halen. Op geen van alle stond iets.

De kartonnen rechthoeken vielen van haar schoot op de grond. Ze bleef doorgraven totdat er een grote berg karton op haar schoot lag. Toen haar vingers onder in de doos een klein stapeltje papier voelden, veegde ze alle stukken karton van haar schoot om ruimte te maken en haalde ze het voorzichtig uit de doos.

Ratten hadden er een hoek van afgeknaagd, maar de tekst was nog steeds te lezen. De naam van het stuk was: *In the Footsteps of Glory*. Ze had nooit geweten hoe het heette: de titel was overschaduwd door de tragische gebeurtenissen voor de eerste opvoering. Het stuk was niet erg lang: een bladzij of vijftig dialoog. Ze ging met haar vinger langs de naam die boven aan de titelpagina stond: Justin Cane, Linnies echtgenoot.

Gale glimlachte toen ze de eerste bladzijde omsloeg. 'Faith,' zei ze zacht, 'je gelooft nooit wat ik heb gevonden.'

'Nou, leuk, je hebt iets gevonden. Maar kun je nog lopen? Of heb je je onderbenen verloren?'

'Wacht even. Ik kom eraan. Maar blijf het licht zo vasthouden.'

Ze sloeg nog een paar bladzijden om en keek naar de opmerkingen die Justin in de kantlijn had gemaakt. Zijn personage heette Clarence Walker en na een korte blik op de bladzijden bleek dat hij de mannelijke hoofdrol had. *Loop naar linkerkant toneel. Maak misnoegd geluid. Neem haar in je armen.* Dat laatste stond bij een scène met Clarence en Megan Dempsey, *een jongedame.* Linnies rol. Linnie en haar echtgenoot Justin waren gecast als tegenspelers.

'Gale...'

'Oké. Ik kom eraan.'

Ze tilde het script op bij de gebonden rug en toen ze dat deed viel er een klein stukje papier uit dat aan beide zijden vol was geschreven in een minuscuul handschrift, en dat naar de grond dwarrelde.

Er stond geen datum op. Er was geen formele aanhef of ondertekening. Het begon gewoon.

> *Liefste, je beseft niet wat het betekent om je elke dag te zien en je niet te kunnen aanraken. Ik zit in de kerk en leer mijn tekst, allemaal keurig en wel, maar in werkelijkheid denk ik aan je mond en je tong en de zoete geur van je haar als we 's avonds in het gras liggen.*

Het licht ging uit en Gale zat weer in het volslagen duister. Ze bleef doodstil op de grond zitten, wist niet meer hoe ze zich moest bewegen.

'Nu is het genoeg,' zei Faith. 'Ik kom je achterna.'

Gale zei niets. Er was geen datum, geen ondertekening, maar ze herkende wel de grote, vloeiende L die zorgvuldig in de hoek was geschreven.

21

Mijn kleindochter doet dit semester een studie over gees-
ten aan de UGA. Die achterlijke idioten noemen het fol-
klore.

Mabel Stone,

op een congres van het historisch genootschap van
Calwyn County, 1985

Het weduwschap was altijd een raadsel geweest voor Truitt.
Hij wist nooit precies waar het begon. Zijn tante was weduwe geworden na haar scheiding, zijn zuster na nachtelijke ru-
zies over napalm en gifgas. Hij vermoedde dat het een van de
redenen was dat hij nooit was getrouwd, want hij wilde niet
naar zijn vrouw kijken en zien dat ze hem eigenlijk al had op-
gegeven omdat ze vooruitkeek naar de kogel die ooit in zijn
borst terecht zou komen.
Toen hij naast haar zat op de bank in de studeerkamer, kon
hij niet zeggen op welk moment Cammy weduwe was geworden. Haar gezicht was opgezet van het huilen en de shock
had haar mondspieren verslapt zodat haar mond voortdurend halfopen stond. En ze weigerde haar ogen open te doen.
Twee kussens en een paar opgevouwen dekens namen het ene
uiteinde van de bank in beslag en hij merkte dat hij er bijna op
ging zitten toen hij zich omdraaide om haar aan te kijken. Hij
duwde de kussens met een ruwe beweging opzij en haalde zijn
notitieboekje uit zijn zak. 'Wat wilde je me vertellen, Cammy?'
Ze had Sills haarelastiek om haar vingers gewonden en zat er
verwoed aan te plukken en te draaien, wat een vreemd con-
trast vormde met de rust in haar stem.
'Sill was niet verantwoordelijk voor Martins dood,' zei ze.
'Ella denkt dat het eenvoudiger is als we dat idee laten voort-
bestaan, maar op een dag zal het aan Sill gaan vreten. Dat
sta ik niet toe.'

'Dat begrijp ik.'

'Nee, dat doe je niet. Niet echt. Maar wat ik van je vraag, Alby, is dat je me gelooft. Ik wil dat je naar me luistert en gelooft dat wat ik je vertel, de waarheid is.'

In de verte hoorde Truitt een donker gerommel. 'Ik luister, Cammy.'

Het haarelastiek vormde een dikke oranje ring om Cammy's vinger. 'Weet je wat Martin altijd over je zei?' vroeg ze. 'Hij zei dat je was geboren zonder jachtinstinct, net zoals sommige vrouwen worden geboren zonder het instinct om moeder te worden. Hij geloofde dat je bij de politie was gegaan omdat die een soort orde verschafte waarmee je kon werken. Je wees jagen af, maar je hebt nooit begrepen dat een jager leeft naar de orde van de natuur. In de bossen heeft alles een plaats en een oorzaak. Als hij met jou op jacht was geweest en thuiskwam, zei hij: "Hij ziet het niet. Die jongen ziet het gewoon niet."'

Truitt glimlachte. 'Die les is niet helemaal voor niets geweest. Martin was een heel goede leraar.'

'Niet zo goed als hij zelf had gewild. Er waren een hoop dingen waarin hij niet zo goed was als hij zelf wilde.'

'Ik denk dat je dat van iedere man kunt zeggen.'

'Maar niet iedere man wordt achtervolgd.'

Truitt ademde diep in. 'Achtervolgd door wat, Cammy?'

Het elastiek zat tussen haar vingers geweven. 'Er zit een orde in wat ik je ga vertellen, Alby. Je moet proberen of je die kunt zien.'

De vitrage van de openslaande deuren was naar één kant geschoven. De regen begon onregelmatig tegen het raam te tikken, een druppel hier, een spatje daar.

'Ik luister naar je, Cammy,' herhaalde hij zacht. 'Door wat werd Martin achtervolgd?'

Ze trok zo hard aan het elastiek, dat hij bang werd dat het zou springen en ze zich zou bezeren. 'Je hebt gehoord over Maralyns abortus.'

'Ja.'

'Dat was een moeilijke zaak voor Martin. Ik denk dat hij oprecht geloofde dat het op dat moment het enige juiste was dat hij kon doen, omdat hij in een klein stadje woonde en tot

257

een vooraanstaande familie behoorde, dat soort dingen. Maar toen de artsen Maralyn vertelden dat ze nooit meer kinderen kon krijgen, ging Martin het zien als het werk van God. Ze hadden gezondigd en waren daarvoor gestraft. Of beter gezegd: zíj was daarvoor gestraft. Dat was Martins visie. Het was haar lichaam en haar zonde.'

'Hij was niet verantwoordelijk?'

'Hij was niet zwanger.'

'Maar Maralyn dacht dat er sprake was van wederzijds begrip.'

'Maralyn wílde begrip.'

'Dus raakte Martin betrokken bij de antiabortusbeweging, uit wat? Schuldgevoel? Wraak?'

Cammy schudde haar hoofd. 'Nee, Alby. Ik weet dat het misschien vreemd zal klinken, maar ik denk dat hij dat deed om zichzelf wakker te schudden.'

'Wat brengt je tot die mening?'

Ze formuleerde haar woorden zorgvuldig. 'Ik heb wel eens horen zeggen dat jonge vrouwen die zijn misbruikt slaapwandelend door het leven gaan. Dat is wat Martin deed. Ik denk dat er maar twee momenten waren dat Martin gelukkig was: als hij aan het werk was voor de Kerk en als hij zijn geweer in zijn handen had. En ik denk dat die twee dingen in zijn hoofd hetzelfde waren.'

'Je bedoelt dat ze hem macht gaven?'

'Nee, ze gaven hem een gevoel van bevrijding.'

De gedroogde slangenhuiden aan de boekenkast leken elk moment op de grond te kunnen vallen. Het daglicht dat door de ramen kwam was schemerig geworden. Hij tikte met zijn pen op de spiraalrug van zijn notitieboekje en nam Cammy aandachtig op.

'Heeft Sill een abortus ondergaan?'

Eindelijk deed Cammy haar ogen open. Haar blik dwaalde even door het vertrek en werd toen gericht op de opgezette eekhoorns die op de hutkoffer voor de bank stonden. 'Nee,' zei ze op vlakke toon. 'Sill heeft nooit een abortus ondergaan.'

'Waarom reageerde ze dan zo heftig toen ik haar het pamflet liet zien?'

'Ze heeft een miskraam gehad.'

'Wanneer?'

'Ongeveer een jaar geleden.' Cammy ademde diep in. 'Ze heeft ons nooit verteld wie de jongen was. We wisten niet eens dat ze zwanger was. Ze is rechtstreeks naar Maralyns kliniek gegaan, maar let wel, niet voor een abortus. Ze wilde het kind. Ze probeerde alleen een manier te bedenken om het ons te vertellen.'

'Wat is er gebeurd?'

'Op een dag ging ze naar de kliniek voor een zwangerschaps-onderzoek. Voor de deur was een protestdemonstratie gaande. Faith werkte daar als begeleidster en de twee kenden elkaar nog niet. Faith en enkele andere vrijwilligsters probeerden haar het gebouw in te loodsen, maar de demonstratie liep uit de hand. Ze werden tegen de grond geslagen. Dus daar lag Sill, op de stoep voor de kliniek, met al die demonstranten over haar heen gebogen die naar haar schreeuwden en haar foto's in het gezicht duwden. Toen kwam de politie. Alles bij elkaar had het nog geen minuut geduurd. Maar een minuut was genoeg. Ze beweert dat iemand haar heeft geschopt. Een week later raakte ze haar kind kwijt.'

'Dat heeft Sill je allemaal verteld?'

'Nee.' Het volume van haar stem daalde tot een gefluister. 'Ik was erbij. Ik was een van de demonstranten. Ik probeerde bij Sill te komen. Ze lag op de grond en ik hoorde haar gillen.' Er kwamen tranen in haar ogen. 'Ik hoorde mijn kind gillen – een moeder weet altijd wanneer het háár kind is dat gilt – en ik kon niet bij haar komen.'

'Heeft ze je gezien?'

'Ja. Ze heeft me gezegd dat ze me vergaf. Maar Faith kwam haar opzoeken toen ze herstelde van haar miskraam, en het was Faith die voor haar zorgde. Ze wilde mij niet in haar buurt hebben.' Cammy sloeg geen acht op de tranen die over haar wangen liepen en in haar mond terechtkwamen. 'We hebben afgesproken er niet meer over te praten.'

Truitt staarde omhoog naar de cirkel van melkwitte ramen. 'En? Was Martin die dag bij je?'

Ze glimlachte zwak. 'Meestal was hij dat wel, maar niet die dag. Hij was aan het jagen.'

'Wat zei hij toen je het hem vertelde?'

'Dat hebben we niet gedaan. Sill wilde niet dat hij het wist. Martin kon zo... boos worden, Alby. Het was beter dat hij er niet van wist.'

'Hij mocht niet weten dat ze was geschopt door iemand uit de groep die hij steunde, wat mogelijk tot gevolg had dat ze zijn kleinkind verloor?'

'We wilden zelfs niet dat hij wist dat ze zwanger was.'

Truitt liep naar het schrijfbureau en knipte de lamp aan. Boven hem sloeg de regen tegen de ruiten van geëtst glas. Hij voelde zich verbijsterd, zoals hij zich had gevoeld in de eerste weken na zijn vaders dood. Hij had geen van beide mannen echt gekend.

'Je zegt dat Sill op de grond lag. Heeft ze gezien wie haar schopte?'

Cammy's schouders zakten. Ze legde haar handen over haar ogen. 'Ja. Er had een week daarvoor een artikel over hem in *Atlanta Magazine* gestaan, dus ze herkende zijn gezicht. Ze lag half op haar zij, half op haar rug, en ze zei dat hij zich over haar heen boog en haar bespuugde. Toen deed hij zijn been achteruit en schopte hij haar in haar maag.'

'Wie was het, Cammy?'

Toen ze haar handen van haar gezicht haalde, waren ze vochtig. Ze staarde hem aan voordat ze ze afveegde aan haar broek.

'Een vooraanstaand reclameman die zich door God geroepen voelde, Alby. Daar heeft hij een hoop publiciteit mee getrokken en het heeft hem veel nieuwe leden opgeleverd.'

Truitt zocht zijn geheugen af. 'Ryan Teller?'

Ze knikte, draaide zich naar hem toe en zei op bijna smekende toon: 'Maar écht, Alby, we kunnen op geen enkele manier zeker weten dat hij haar miskraam heeft veroorzaakt. Ik bedoel, afgezien van wat ze zegt, er waren zoveel mensen: het kan iedereen geweest zijn. En het duurde een week voordat ze haar kind verloor. De arts daar zei haar dat ze nooit de echte reden zouden weten.'

Truitt bleef enige tijd zwijgen. 'Cammy, heeft Martin Teller op zijn post geholpen?'

Toen Cammy uiteindelijk antwoord gaf, klonk ze vermoeid.

'De methodistenkerk werkt niet zo. Martin heeft met een paar mensen gepraat. Misschien heeft dat geholpen.' Ze keek Truitt aan. 'Hij was zo onder de indruk van Ryan. Hij zei dat de man recht in zijn ziel kon kijken. Ik denk dat Martin geloofde dat Ryan hem kon helpen... dat Ryan hem kon bevrijden.'

'En is dat gebeurd?'

Haar stem klonk verbitterd. 'Nee. Dat is wel duidelijk, is het niet? En nu moet ik goed op Sill passen. Ik kan niet toestaan dat ze de schuld hiervan op haar schouders neemt, Alby. Zij is niet verantwoordelijk voor Martins dood. Ik wil niet dat ze door schuld achtervolgd wordt, net als haar vader.'

Het onweer bleef op een afstand. De regen tegen de ruiten van de openslaande deuren werd al minder.

'Wie is dan wel verantwoordelijk voor Martins dood, Cammy?'

De blik in haar ogen werd hard. Op dat moment wist Truitt precies op welk moment haar weduwschap was begonnen.

'Waarom ga je niet op zoek naar de slet die met hem naar bed ging?'

Gale zat in de Cherokee en had haar benen onder zich opgetrokken. De namiddaghemel had zich in lagen gesplitst: een dunne band geel licht boven op een donkere onderlaag. Het was opgehouden met regenen, hoewel dat waarschijnlijk maar tijdelijk was. Door het raampje van de auto zag ze het water langs de achtergevel van de fotostudio druipen en achter de kapotte ruiten verdwijnen.

Faith verscheen achter het linkerraam. Grijnzend hield ze een stuk brede tape voor haar gezicht, knipte het af en plakte het over de kieren die waren overgebleven nadat ze de platen board op ondeskundige wijze achter de kapotte ruiten hadden getimmerd. Ze herhaalde dat proces totdat alle gaten dicht waren en geschilderde achtergronden tegen de regen werden beschermd.

Die achtergronden interesseerden Gale nog maar matig. Het toneelscript lag op haar bovenbenen en in haar hand had ze Linnies brief, die ze langzaam naar het licht draaide.

Gisteren heb ik iets voor je gedaan. Nee, dat is niet goed. Ik heb het voor mezelf gedaan. Het was maar iets kleins, maar het wond me zo op, dat ik hard naar huis ben gerend, me heb opgesloten in mijn kamer en alleen maar heb gelachen. Ik was in de pastorie om de overhemden van de dominee op te halen, die gewassen moesten worden. Hij was er niet en plotseling was er iets wat me roekeloos maakte. Ik liep naar de ingelijste verzameling haarlokjes die boven zijn bureau hing en haalde hem gewoon van de muur. Ik had de speld die jij me hebt gegeven aan de binnenkant van mijn rok gedaan. Ik pakte mijn lokje haar vast en rukte het eraf. Daarna heb ik met de speld mijn naam weggekrast. 'Linnie Glynn Cane is niet meer van jou,' zei ik. Toen heb ik het ding weer in elkaar gezet, aan de muur gehangen en ben ik gewoon de pastorie uit gelopen. Ik ben helemaal naar huis gerend, zo hard lachend dat de mensen wel moesten denken dat ik gek was. Pas kort voor het avondeten besefte ik dat ik de overhemden van de dominee was vergeten.

Ik bewaar die lok haar in mijn zak, voor jou. Soms vergeet ik hoe donker de dagen waren. Mijn gedachten waren zo klein geworden. Het is veel gemakkelijker om boos te zijn dan om na te denken. Maar waarschijnlijk zou jij zeggen dat ik te hard ben. 'Je kunt niet laten groeien wat je geen water kunt geven, Linnie,' zou jij zeggen. Toch stel ik me voor dat er plekken zijn waar gedachten als madeliefjes uit de grond springen zonder op welke manier dan ook gevoed te worden. Maar niet hier in Statlers Cross. Je wist dat toen je hiernaartoe kwam, is het niet? Je kunt hier niet beter worden, omdat de mensen je niet de kans geven om te genezen. Dat heeft allemaal te maken met Gods wil en de plichten van vrouwen. Had ik al gezegd dat ik nooit ben teruggegaan voor de overhemden van de dominee?

J. wordt steeds moeilijker. Hij houdt er niet van als ik nee tegen hem zeg. Hij wil meer kinderen. Ik heb geprobeerd het hem uit te leggen. 'Kinderen zijn een zegen,' heb ik tegen hem gezegd. 'Ik ben dol op kleine Jules. Maar kinderen zuigen je leeg, Justin. Ze putten je uit en soms voelt het

alsof je leven uit je wegvloeit.' Gisteravond heeft hij me
weer geslagen. Ik begon hem terug te slaan, zo boos was
ik, maar toen herinnerde ik me wat jij me hebt gezegd. Het
is beter dat ik gewoon mijn tijd uitzit totdat we weggaan.
Ik heb mooie kleertjes voor Jules gemaakt. Als het zover
is, zal hij het mooiste jongetje van heel New York zijn.

Daarmee eindigde de brief. De laatste regel paste maar net
op het papier. Gale staarde door het autoraam naar de stroken tape die kruislings over de kapotte ruiten waren geplakt.
Haar borst deed pijn. Het enige waaraan ze kon denken was
naar huis gaan, naar Katie Pru.
In het gerommel van het onweer kwam Faith naar de auto
rennen. Ze rukte het portier open en stapte in.
'Klaar,' zei ze. 'Wat doen we nu?'
'Ik moet terug en Nadianna naar huis sturen. Ik denk dat
haar proeftijd vandaag wel lang genoeg heeft geduurd.'
'Maar ik dacht dat je je spoor had gevonden en nu aan de
wilde achtervolging ging beginnen, of hoe dat ook heet.'
Gale sloeg het script in het midden open, legde de brief erin
en borg beide zorgvuldig weg in haar rugzak. 'Ik moet deze
documenten in een soort verzekerde bewaring stellen. Ze
hebben al genoeg meegemaakt.'
Faith startte de motor en knikte naar de rugzak. 'En? Heb je
iets interessants gevonden?'
'Ik weet het niet,' bekende Gale. 'Daar moet ik eerst over nadenken.' Ze maakte de riempjes van de rugzak vast en legde
haar onderarmen erop. 'Weet jij iets van thuiszorgverpleeg-
sters?'
'Niet veel. Ik weet alleen dat ze niet aan dezelfde eisen hoeven te voldoen als geregistreerde verpleegsters. Mijn grootmoeder had er een.'
'In een verpleeghuis?'
'O, nee. Die woonde bij haar in huis. Hoezo?'
Gale zuchtte. 'Ik weet het niet. Laten we naar huis gaan.'
Faith trok langzaam op en stuurde zorgvuldig om de gaten
in het asfalt. De Cherokee kroop langs de drugstore, langs de
houten pallets naast Langleys pick-up en sloeg bij de vuilcontainer linksaf.

Verrassend genoeg waren alle parkeerplaatsen in de hoofdstraat bezet en werd de met gras begroeide helling naast de
spoorbaan aan het oog onttrokken door rijen geparkeerde
auto's.

En toen zag ze de afbeelding. Een vrouw in een wit mantelpakje en op hardloopschoenen liep de Cherokee voorbij met
een poster in haar hand. De afbeelding erop was in kleur: een
rommeltje van rode en bruine tinten. Toen herkende Gale tot
haar schrik de vormen van een afgehakt been en een kleine,
met bloed besmeurde schedel. Daarboven stond in dikke
zwarte letters het woord BABYMOORDENAAR.

Naast haar blies Faith scherp sissend haar adem uit. 'Jezus
Christus,' mompelde ze. 'Wat is hier verdomme aan de hand?'
Tientallen mensen kwamen aanlopen door de hoofdstraat,
allemaal goedgekleed en allemaal met borden in de handen.
Verscheidene vrouwen liepen met jonge kinderen in hun armen of duwden wandelwagentjes voor zich uit, terwijl de
mannen zich onder aan de spoorbaan verzamelden. Het waren minstens vijftig mensen. Een gedeukte, witte personen-
auto passeerde de Cherokee en parkeerde dubbel in de
hoofdstraat. Een man met een camera en een vrouw met een
reportersblocnote sprongen eruit. Toen ze zich naar de mannen haastten, week de groep uiteen en werd Ryan Teller
zichtbaar, die tegen de helling van de spoorbaan op klom.

Toen hij boven was, draaide hij zich om naar de menigte.
Gale draaide snel haar raampje naar beneden toen hij zijn
armen in de lucht hief.

'Mensen, luister even naar me.' Met een grimmige uitdrukking op zijn gezicht wachtte hij terwijl de menigte zich onder
aan de spoorbaan verzamelde. Toen het rumoer was verstomd, vervolgde hij: 'Ik wil jullie allemaal bedanken voor
jullie komst. Voor de meeste van jullie was het een heel eind
rijden en kwam de aankondiging erg kort van tevoren. Maar
zaterdag werd ons werk gedwarsboomd. Laten we vandaag
beginnen. Komen jullie bij me op deze heuvel staan, alsjeblieft.'

De menigte begon de helling te beklimmen en de ouders
droegen hun wandelwagentjes naar boven. Faith boog zich
opzij en keek uit Gale's raampje.

'Wat is er verdomme aan de hand?' vroeg ze nogmaals.

'Ik denk dat we getuige gaan zijn van een protestdemonstratie,' antwoordde Gale. Ze zag hoe Teller naar de spoorbaan wees, waarna de mensen een lange rij begonnen te vormen. Gale wierp een nerveuze blik op de overgang. 'Ik wil niet melodramatisch klinken, maar als ze een protestmars langs de spoorbaan gaan houden, wil ik toch liever aan de andere kant zijn. Als ze een kliniek kunnen blokkeren, dan kunnen ze zeker een spoorwegovergang bezetten.'

Faith ging harder rijden. Toen ze langs het fabrieksdorp reden, rende een grote groep kinderen schreeuwend over het fabrieksterrein. Ze werden gevolgd door nog meer volwassenen. De demonstranten trokken in de richting van de spoorwegovergang, met hun roodbruine borden hoog in de lucht.

Faith zette de richtingaanwijzer aan en reed de overgang over. Op het moment dat ze Ella's oprit opdraaiden, vloog de voordeur van het huis open en kwam Alby Truitt naar buiten stuiven.

Hij was al halverwege de weg toen Gale uit de auto stapte. De demonstranten hadden zich met ongeveer twee meter tussenruimte van elkaar opgesteld langs de spoorlijn. Ze hielden hun borden boven hun hoofden, niet gericht naar de winkels en willekeurige voorbijgangers, maar naar het rijtje huizen ten noorden van de spoorbaan.

Teller liep de rij langs en weer terug. 'We zeggen niets. We hoeven niets te zeggen. Hou jullie borden hoog in de lucht. Laat de doden voor ons spreken!'

De borden werden in de lucht gestoken: het karton boog door en maakte zwiepende geluiden. Verderop langs de spoorbaan begon een kind te huilen. De fotograaf stond halverwege de helling en zijn camera klikte. Gale liet Faith achter in de auto, slingerde haar rugzak over haar schouder en ging Truitt achterna.

'Dominee Teller,' riep Truitt. 'Ik wil even met u praten.'

Teller daalde de helling af en liep op Truitt toe. De fotograaf en de reporter positioneerden zich aan de voet van de helling, ruim binnen gehoorsafstand.

'Wat is hier gaande, dominee?' vroeg Truitt.

Teller glimlachte. 'Gewoon een gebed, sheriff.'

Truitt keek om naar Gale, die aan de kant van de weg stond, draaide zijn hoofd weer om en keek naar de demonstranten. 'Een gebed? Dan heb ik zeker het amen gemist.'

'Er zit geen amen in dit gebed, sheriff. Het gaat door, net zo lang totdat we een paar dingen hebben veranderd.'

'En u was van plan om die dingen op een zaterdag te veranderen?'

De twee mannen stonden op nog geen drie meter afstand van Gale en hoewel ze op gedempte toon met elkaar spraken, kon ze hen goed verstaan. Achter hen vormden de borden een bloedrode stippellijn langs de daken van de winkels.

'Waar hebt u het over, meneer Truitt?' Tellers glimlach verstrakte.

'Mijn hulpsheriff heeft u horen zeggen dat u uw werk niet kon doen op zaterdag. Waarom niet?'

Teller bestudeerde het gezicht van de sheriff. 'Er bevindt zich een aborteur in dat huis.'

'Beantwoordt u mijn vraag...'

'Er is daarbinnen een babymoordenaar. Ze biedt feitelijke hulp bij het vermoorden van baby's. Dat is een vaststaand feit. Ik heb haar eerder ontmoet.'

'Meneer Teller, wat was u...'

'Hebt u haar naar Martin gevraagd? Als je in staat bent om een baby te vermoorden, wat weerhoudt je er dan van om een volwassen man te vermoorden?' Hij keerde zich om naar de demonstranten en verhief zijn stem. 'Is het niet zo, mensen? Als Gods ultieme wet eenmaal is overtreden, vallen alle andere wetten ook weg. Als het acceptabel wordt dat een kind uit de schoot van een moeder wordt gerukt, dan is deze maatschappij verloren.'

De camera klikte en de borden zwaaiden heen en weer in de lucht. Truitt keek de geestelijke recht in de ogen. 'Ik zal het volgende doen, meneer Teller,' zei hij. 'Ik geef u nog één kans. Ik zit midden in een moordonderzoek en ben sinds kort in het bezit van informatie die suggereert dat u waarschijnlijk meer weet dan u hebt losgelaten. Dus u kunt of nu met me meewerken, of u kunt meegaan naar het bureau.'

Tellers glimlach verbreedde zich even en hij ging zachter praten. 'Als u mij wilt aanhouden en ondervragen, meneer, denk ik dat dat op het bureau zal moeten gebeuren.' Hij keek naar de rij mensen langs de spoorlijn. 'De anderen zullen mijn werk voortzetten. Er bestaat zelfs een kans dat ze zich wat heftiger zullen gaan gedragen als ze zien dat ik word afgevoerd door de sheriff.'

Truitt haalde zijn schouders op en bleef hem recht aankijken. 'Ik zal niet degene zijn die u afvoert, dominee. Ik heb belangrijker dingen te doen.' Met een ruk draaide hij zich om en hij liep met grote passen terug naar het huis. Toen hij de jaguar passeerde, brulde hij: 'Ruch! Breng die minkukel van een geestelijke naar het bureau en zoek uit wat hij weet over zaterdag. En stuur iemand hiernaartoe om de namen van al deze mensen te noteren.'

Truitt rende de treden op en verdween het huis in. Toen Ruch de tuin doorkruiste en richting spoorbaan kwam lopen, steeg er een gemompel op uit de menigte. Teller draaide zich om en maande hen tot stilte.

'Blijf hier en zet het werk voort, mensen. Ik ben zo weer terug. We hebben geen wetten overtreden, en zelfs al hadden we dat, dan vallen die in het niet bij de dood van een kind. Laat ons nu zingen voor de Heer.'

Flarden van *Amazing Grace* kwamen droefgeestig in de richting van het huis zweven. Gale keek naar de mensen langs de spoorbaan en zocht naar bekende gezichten. Ze vond ze niet. Aan het einde van de spoorbaan keken de mensen uit het fabrieksdorp argwanend naar de vreemdelingen.

'Mama.'

Katie Pru en Nadianna stonden hand in hand naast de pecannotenboom en staarden gefascineerd naar de demonstranten. Ze hadden blijkbaar allebei gerend, want ze hadden rode gezichten en stonden naar adem te happen. Katie Pru had een streng kamperfoelie in haar handje. Die viel op de grond toen ze zich naar Nadianna draaide en smekend haar armpjes opstak om opgetild te worden.

Verdomme. Gale rende de tuin door, greep haar dochter vast en nam haar in een stevige omhelzing. Daarna draaide ze zich om naar Nadianna.

'Het spijt me dat ik zo lang ben weggebleven. Hier.' Ze zocht in haar rugzak en haalde er een biljet van twintig dollar uit.

'Laten we er later nog eens over praten, oké? Als je het niet erg vindt, willen Katie Pru en ik nu eerst weg van deze plek.' Zonder iets te zeggen pakte Nadianna het geld aan. Ze bleef naar de demonstranten staren. Gale stak haar hand op en raakte haar arm aan.

'Is alles in orde met je, Nadianna?'

Ze knikte. 'Ik ben oké, mevrouw Grayson. Het is gewoon zo angstwekkend, vindt u niet? Maar ik neem aan dat dat hun bedoeling is. Het is zo gruwelijk, dat we het liever niet zien.'

Gale tilde Katie Pru op haar heup. 'Oké, het is gruwelijk, maar het alternatief is dat net zo goed.' Ze pakte haar rugzak op en probeerde die over haar schouder te slingeren. Hij viel op de grond. Nadianna schoot te hulp en hing het ding rustig op Gale's rug.

'Vraagt u maar aan Katie Pru hoe het is gegaan, mevrouw Grayson,' zei ze. 'En u kunt me bellen wanneer u wilt. Ik denk dat ik nu beter naar huis kan gaan.'

Gale draaide zich om, begon in de richting van het veld achter het huis te lopen en zocht naar de braamstruiken die het begin van het pad aangaven. Het was zeventien jaar geleden dat ze er voor het laatst overheen was gelopen, maar het was er nog steeds en werd nu af en toe gebruikt door jagers die hun aangeschoten wild naar Ella's terrein volgden. Na enkele tientallen meters zette ze Katie Pru op de grond en wees ze naar de opening in het groen.

'Kom op, K.P.,' zei ze. 'We gaan op jacht.'

22

Faith Baskins stond naast de salontafel in de woonkamer, met haar handen in haar zakken en haar gezicht en bril vol vegen. Van buiten het Alden-huis hoorde Truitt het constante gedreun van gospelgezang komen. Faith wierp hem een droge glimlach toe.

'Dus u bent nog niet klaar met me. Nog meer vragen over mijn gewassen auto?'

Truitt schudde zijn hoofd. 'Nee. We hebben met de wasserij gebeld. U schijnt een regelmatige klant te zijn. Ze zeiden dat ze niets bijzonders in uw auto hadden gevonden. Bovendien heb ik al gevonden waar ik naar zocht.'

Ze trok haar wenkbrauwen op. 'Echt?'

'Ja. Maar dat is niet waarover ik met u wilde praten.' Hij legde de drie foto's op de salontafel. 'Wilt u deze eens voor mij bekijken, alstublieft, juffrouw Baskins?'

Ze pakte de foto's op, leunde tegen de armleuning van de bank en beet bedachtzaam op haar onderlip. 'De laatste foto van Martin,' zei ze. 'God, het leven is raar, is het niet?'

Truitt bleef even zwijgen. 'Vertel me over de foto waar u op staat.'

Ze bekeek de foto en tikte met haar vinger tegen de rand. 'Een sluwe fotograaf, dat is zeker. Ik heb niet eens gemerkt dat ik werd gefotografeerd.'

'Is dat een probleem voor u?'

Ze haalde haar schouders op. 'Nee. Misschien dat Sill het niet zo leuk vindt. Ze was niet bepaald dol op haar vader, zoals u weet.' Ze keek hem aan en haar ogen achter haar bril-

269

lenglazen stonden boos. 'Gale vertelde me dat hij Sill sloeg. Wist u dat?'

'Nee.' En zelfs al had hij het gehoord, dan zou hij het niet geloofd hebben. Misschien sloeg hij zijn vrouw. Maar zijn kind? Hoe kon Martin het opnemen voor de kinderen van anderen terwijl hij zijn eigen kind sloeg? Hoe kon hij zo zorgzaam zijn voor een afgewezen vijftienjarige jongen en tegelijkertijd zo beangstigend dat zijn eigen dochter hem niet over haar miskraam durfde te vertellen?

'Als ik het had geweten,' zei hij somber, 'dan zou ik geprobeerd hebben er een eind aan te maken.' Hij liet zich in de fauteuil met het paardenhaar zakken. 'Over de foto...'

Faith legde de foto's terug op tafel. 'Het was voordat hij wist wie ik was, dat kan ik u wel zeggen. Eigenlijk was hij heel vriendelijk tegen me, totdat Sill ons aan elkaar voorstelde. En zelfs toen probeerde hij zich in te houden. Maar Sill bleef doorgaan, alsof ze wilde dat hij ontplofte.'

'En dat deed hij.'

'Dat klopt.'

'Hoe vaak had u hem ontmoet voor zaterdag?'

'Nooit. Ik had hem nog nooit gezien. Ik heb hem één keer aan de telefoon gehad, dat is alles.'

'Dat weet u zeker?'

'Geloof me, ik zou het me herinneren.' Ze tikte zachtjes met haar nagel op een van de foto's. 'Deze is interessant, hè? Wat een merkwaardige uitdrukking heeft hij op zijn gezicht.'

'Dat is de laatste foto van hem.'

Er verschenen rimpels in haar voorhoofd. 'Jezus. Zou u niet graag willen weten waar hij naar keek? Hebben jullie niet een of ander technisch proces waarmee de foto vergroot kan worden totdat je kunt zien wat er in zijn pupillen wordt weerspiegeld?'

Truitt veegde de foto's bij elkaar en deed ze in een envelop. 'Om u de waarheid te zeggen, denk ik niet dat dat nodig is. Oké, juffrouw Baskins. Hartelijk bedankt.'

Gale en Katie Pru bereikten de achtertuin van de Robertsons op het moment dat een bliksemschicht de lucht in tweeën spleet. De bui was sneller losgebarsten dan Gale had verwacht. De voordeur vloog open toen ze om het huis waren gelopen.

'Grote genade, komen jullie snel binnen. Jullie zien eruit als verzopen konijnen!'

'Ik had hem bijna verkeerd ingeschat,' zei Gale terwijl ze Katie Pru naar binnen leidde. 'Ik dacht echt dat we meer tijd hadden.'

'Soms is er geen pijl op te trekken. Komen jullie binnen.'

De vrouw zag eruit alsof ze begin dertig was en had koperkleurig haar dat vlak onder haar oren was afgeknipt. Ze droeg een goed gesneden, donkerblauwe korte broek en een witzijden topje. En ze was behangen met juwelen, van de parelen oorbellen die naast haar wangen dansten tot aan het dunne, gouden kettinkje dat ze om haar enkel droeg. Gale onderdrukte een glimlach. Ze kon zich verdomd goed voorstellen wat er uit de mond van deze tante zou komen als ze een slang op het toilet aantrof.

'Mevrouw Robertson,' zei Gale, 'ik ben Gale Grayson, en dit is Katie Pru. We zijn hier vanochtend al geweest om de sleutel van uw man te lenen.'

Er verscheen een grijns op het porseleinen gezicht van de vrouw. 'O, dat weet ik,' zei ze. 'Ik zag jullie door het bovenraam toen ik vanochtend opstond. Ik denk niet dat Mal had verwacht dat je zo snel klaar zou zijn. Heb je iets gevonden?'

'Nou, ik heb geen foto's gevonden, en daar was ik naar op zoek. Maar het was geen vergeefse moeite. Ik wilde alleen de sleutel terugbrengen en even met uw man praten.'

'Hij is er niet. Hij komt pas met het weekend terug.' Haar blauwe ogen werden groter. Haar hand met de felrode nagels pakte Gale's arm vast. 'Ik bedoel, grote goedheid, je bent toch niet speciaal daarvoor hiernaartoe gekomen?'

Gale lachte, verrast als ze was door de bezorgdheid van deze dame. 'Nou, ik bedien me niet graag van valse voorwendselen, maar ik ben niet alleen hiernaartoe gekomen om die sleutel terug te brengen.' Ze wachtte even. 'Het spijt me, mevrouw Robertson, maar ik ken uw voornaam niet.'

'Jen. En het is geen Robertson. Ik heet nog steeds Butler. Ik heb er lang over moeten praten met Mal, maar ik heb hem ervan overtuigd dat ik me geen Jen Robertson voelde en dat waarschijnlijk ook nooit zou worden.'

Gale glimlachte en dacht aan Ella, die maar wat graag haar tanden in Jen zou zetten. 'Nou, Jen, ik heb geen foto's in de studio gevonden, maar Mal vertelde me dat jullie er een paar hadden gevonden en die hadden ingelijst. Ik vroeg me af of jullie ze hadden opgehangen en of ik ze even mocht bekijken.'

'Natuurlijk. Ze hangen in de woonkamer. Let niet op de rommel. Ik ruim nooit iets op als Mal er niet is.'

Gale nam Katie Pru bij haar hand, liep Jen achterna naar de kamer rechts van de centrale deur en betwijfelde of ze er enige rommel zou aantreffen. De houten vloeren glommen van de was en aan de muren hingen series ingelijste kunstwerken en oude foto's, allemaal, zag Gale, met smaak gekozen. De kunstwerken bestonden voornamelijk uit aquarellen: luchtige stillevens met bloemen en transparante stadsgezichten. De foto's waren zwart-wit en op soortgelijke wijze tentoongesteld.

'Het is Mals hobby,' zei Jen. 'Volgens mij heeft hij het van zijn grootvader geërfd, maar hij doet er zelf nogal nonchalant over.'

Ze nam hen mee langs een kostbaar uitziende bank, bekleed met een lichte stof met een bladermotief, naar een kast van Engels eiken. De kastdeuren stonden open en onthulden een aanzienlijke collectie tinnen schotels en vazen en Rosevilleservies.

Jen stopte om een van de kastdeuren dicht te doen. 'Daar zijn ze,' zei ze. 'Je kunt ze van de muur halen als je wilt.'

Er waren twee foto's, allebei geplakt op het donkerpaarse karton dat ze op de zolder van de fotostudio had gevonden. MALCOLM HINSON, FOTOGRAAF, STATLERS CROSS, GEORGIA, stond er in de rechteronderhoek van de twee foto's.

Op de onderste foto waren drie meisjes te zien in hun zondagse kleren, met in hun handen iets wat eruitzag als zangbundels. Hun monden stonden open, ze zongen blijkbaar. Gale herkende ze alle drie van de foto's op de salontafel in de woonkamer. Twee van de meisjes waren van de Stone-familie en de derde was een Falcon. De compositie van de foto was goed, maar hij hield Gale's aandacht maar even vast. Ze staarde naar de foto die erboven hing.

Gale had in haar leven maar één foto van Parrish Singleton gezien, in het enige boek dat het historisch genootschap van Calwyn County ooit had gepubliceerd. Die foto stamde uit de jaren vijftig, toen hij het einde van zijn leven naderde en zijn rol in de geschiedenis van de streek uit was gespeeld. Zelfs op vijftigjarige leeftijd had hij eruitgezien als een oudere man, met holle ogen en ingevallen wangen en een openhangende mond. Als nietsontziende tiener had ze naar de foto gekeken en zich afgevraagd hoe hij ooit de geest kon hebben gehad om naar het Zuiden te komen met als enig doel het schrijven en produceren van een toneelstuk. Het had toen zo'n volkomen belachelijk ideaal geleken. Een ideaal dat gewoon niet paste bij deze mislukkeling met zijn rotte tanden en een sigaret tussen zijn dikke vingers geklemd.

Die tiener had de foto moeten zien waar ze nu naar keek, dacht ze. Malcolm Hinson had hem in actie getroffen, met opgerolde hemdsmouwen vanwege de warme zon van Georgia. Hij stond met een opengeslagen script in de ene hand en gebaarde met de andere. Het licht accentueerde de spieren van zijn blote arm. Zijn donkere haar was vochtig van het zweet en achterovergekamd, en met zijn kin iets vooruitgestoken had hij door kunnen gaan voor een ervaren plattelandsdominee. Hij moest de ironie van de foto zelf ook hebben opgemerkt, want onder aan de foto had hij de woorden: MOOIE KIEK, MALCOLM. JEZUS REDT. BROEDER PARRISH geschreven.

In een van de bovenhoeken van de foto, platgedrukt door het glas, zat een lok donkerbruin haar.

'We hoefden deze niet in te lijsten. We hebben hem zo gevonden. Mal zegt dat het een van de beste foto's uit die tijd is die hij ooit heeft gezien. We weten niet wie broeder Parrish is, maar Mal zegt steeds dat hij van plan is de stad in te gaan en aan iedereen te vragen of ze iets over hem weten.'

Gale voelde haar hart in haar schoenen zinken. 'Dat klinkt alsof hij en ik soortgelijke missies hebben.' Ze dwong haar mond in een flauwe glimlach. 'Weet je, ik hoopte eigenlijk... nou ja, toen Mal me vertelde dat jij ouderenzorg deed, begon

ik te hopen dat Malcolm Hinson nog steeds in leven was.'
Jens sieraden rammelden toen ze haar handen op haar heupen zette. 'Nou, dat is hij inderdaad. Het is alleen dat hij soms zo verdomde koppig kan zijn. Hij weigert iets te zeggen over de man op de foto. Het is zelfs zo dat ik hem verberg achter de deur van de kast omdat hij zo kwaad wordt als hij hem ziet.' Ze grinnikte. 'In feite ben ik echt dol op hem, maar er zijn dagen dat ik denk dat we het samen niet zullen redden. Hij was de eigenaar van dit huis – en nog wat ander onroerend goed – en hij stemde toe het allemaal over te doen aan ons als we hem uit het verpleeghuis haalden en voor hem zorgden. Dus ben ik "opazitter" geworden. En dat "zitten" is exact het juiste woord. Die man komt praktisch nooit van zijn kamer. Maar hij is achtennegentig, dus wie kan het hem kwalijk nemen? Hij blijft gewoon liever op zijn slaapkamer achter in het huis, met onze katten en zijn eigen slechte humeur.'

De demonstranten zongen nog steeds toen Truitt de spoorbaan overstak en op weg ging naar het fabrieksdorp. De hemel zag er dreigend zwart uit en enkele ouders hadden zich al losgemaakt uit de rij en waren met hun wandelwagentjes de met gras begroeide helling afgedaald. De kleine groepjes die zich hadden gevormd op het fabrieksterrein en voor de winkels waren ook aan het uitdunnen; blijkbaar was de dreiging van het weer overtuigender dan de hoop op een spektakel. Toen hij op de menigte toe liep, merkte hij dat de mensen met vragende blikken zijn kant op keken. Christus, dacht hij, ik heb nu geen tijd voor public relations. Hij knikte naar hen met – dat hoopte hij tenminste – een geruststellende grijns, veranderde van koers en haastte zich door de ingang van de oude fabriek.
Het eerste wat hem trof was de overgang. Voor hem lagen de bossen, boven hem was de hemel, en toch waren die twee resterende muren voldoende om hem af te scheiden van de buitenwereld. Hij kon de demonstranten nog horen zingen, hoewel de stemmen steeds minder talrijk werden, hij hoorde het gras knisperen toen de toeschouwers naar huis begonnen te gaan, maar het waren allemaal vage, gedempte geluiden die

hij gemakkelijk had kunnen verwarren met het gekreun en gezucht van de fabrieksarbeiders van een eeuw geleden.

Er kwam een kilte over hem, en hij versnelde zijn pas. In zijn hand had hij de envelop met de foto's.

Als hij haar snik niet had gehoord, zou hij haar voorbijgelopen zijn. Ze zat gehurkt op een platte steen en er zat modder op de zoom van haar lange beige jurk. Ze keek niet op toen hij naar haar toe kwam lopen.

'Nadianna,' zei hij zacht. 'Er is storm op komst. Wat doe je hier?'

Ze wiegde zachtjes voor- en achteruit en hield met haar handen haar ellebogen vast. 'Niets. Ik had gewoon geen zin om naar binnen te gaan, dat is alles. Het is hier koeler.'

'Nauwelijks, dat kan ik je wel vertellen. Kom, ik breng je naar huis en dan kun jij me vertellen wat er mis is.'

'Nee, meneer. Ik wil hier graag blijven zitten.'

Ze draaide haar hoofd naar haar schouder en veegde haar neus af aan de stof van haar jurk. Truitt haalde een zakdoek uit zijn zak. 'Nou, ik heb iets waarover ik met je wil praten, Nadianna,' zei hij terwijl hij haar de zakdoek aanbood. 'Er zit me iets dwars, al vanaf het moment dat ik je foto's heb laten ontwikkelen. Prima werk trouwens. Geen wonder dat je prijzen hebt gewonnen.'

Ze droogde haar ogen met de zakdoek, die ze daarna weer zorgvuldig in vieren vouwde. 'Wat zit u dwars?'

Truitt deed de envelop open. 'Ik wil graag dat je naar deze foto kijkt. Het was de laatste van het filmpje. Ik zou graag willen dat je me vertelt wat je ziet.'

Zonder iets te zeggen pakte ze hem aan. Ze slaakte een diepe zucht en de snik die daarop volgde was zo scherp, dat Truitt zijn hart voelde breken.

'Dat is meneer Cane,' fluisterde ze.

'Dat weet ik. Ik wil graag weten wat er gebeurde toen je hem nam.'

De foto trilde in haar hand. 'Hij was net het vishuis uit gekomen. Hij was boos op zijn dochter en was op weg naar de keuken van zijn huis.'

'En waar was jij?'

'In de tent met het eten.'

'En je stapte gewoon naar buiten en maakte de opname?'
'Ja.'
'Ik begrijp het.' Truitt boog zich naar haar toe. 'Wat mij al enige tijd dwarszit, Nadianna, is de uitdrukking op zijn gezicht. Kijk daar eens goed naar, wil je? Hoe zou je die omschrijven?'

Haar kin trilde en de tranen stroomden vrijelijk over haar wangen. Ze klemde de foto tussen haar vingers en zei niets.

'Nou, ik heb ernaar gekeken en nog eens gekeken,' zei hij, 'en ik zal je vertellen wat ík denk dat het is. Schrik vermengd met angst, maar ook nog iets anders. Zie je het niet? Zie je dat andere niet op zijn gezicht?'

Toen ze geen antwoord gaf, strekte hij zich uit en schudde hij zijn hoofd. 'Ik heb geprobeerd te ontdekken wat het is, en ik denk dat het te maken heeft met wat hij ziet. Eerst dacht ik dat hij misschien Sill zag, maar dat kon niet. Sill was achter hem. En toen dacht ik dat hij misschien naar het huis keek, of naar de mensen onder het tentzeil, maar toen besefte ik dat de hoek van zijn blik dat onmogelijk maakte. Hij keek niet langs of achter de camera, Nadianna. Hij keek er recht in.'

Haar hoofd knakte naar voren. Truitt boog zich naar haar toe en pakte de foto uit haar hand voordat ze die kon verfrommelen.

'Hij keek naar jou, hè, Nadianna?'

Haar gesnik deed haar lichaam schokken. Truitt hurkte naast haar neer en wachtte tot ze een beetje gekalmeerd was. 'Waar heb je hem ontmoet, Nadianna?' vroeg hij vriendelijk. 'Hoe is het begonnen?'

Het duurde een minuut voordat ze antwoordde. Toen ze dat deed, kwamen de woorden vloeiend uit haar mond, alsof ze ze had gerepeteerd, wat iets was waar Truitt geen moment aan twijfelde. Hoe had deze jonge vrouw de afgelopen twee dagen anders moeten doorkomen?

'Ik ontmoette hem ongeveer een jaar geleden op de kippenfokkerij. Hij was daar om een lezing te geven. Ik wist dat hij getrouwd was. Mijn moeder werkte vroeger voor mevrouw Cane, en toen ik klein was, ging ik met haar mee op de dagen dat ze moest strijken. Ik heb altijd gedacht dat mevrouw

Cane de stilste vrouw op aarde was. Niet stil op een goede manier, maar op een trieste manier. Dus toen hij naar de fokkerij kwam en iedereen me vertelde dat hij Martin Cane uit Statlers Cross was, wist ik meteen wie hij was. Hij was de man die zijn vrouw zo stil had gemaakt.'

Ze stak haar kin een stukje omhoog en keek Truitt aan. 'Ze was al verdrietig voordat ik iets met haar man begon, sheriff Truitt. En hij was dat ook. Het had niets met mij te maken. Dat was vóór mij, en ook groter dan ik.'

'Statlers Cross is een klein stadje. Hoe konden jullie een verhouding hebben zonder dat iemand iets merkte?'

'We ontmoetten elkaar nooit hier. Dat deden we altijd in Praterton, op de avonden dat ik cursus had in het kunstcentrum.' Ze wees naar een holte in de stenen bodem onder haar voeten. 'We hadden een teken. Op de ochtenden van mijn cursus liet hij in deze holte een stukje glas achter: groen als hij kwam, bruin als hij niet kon.'

Ze keek hem afkeurend aan. 'Het is nooit mijn bedoeling geweest dat hij zijn vrouw verliet,' zei ze. 'Maar een man heeft zijn verantwoordelijkheden, en Martin Cane wilde die niet.'

'Wat voor verantwoordelijkheden, Nadianna?'

'Een maand geleden ontdekte ik dat ik zwanger was. Ik wilde niet dat hij van Cammy scheidde. Ik had mijn besluit genomen en ik was niet van plan een huwelijk te verwoesten vanwege een keuze die ik had gemaakt. Weet u wat hij tegen me zei? Hij zei dat hij een nicht had die in een abortuskliniek werkte. Hij zei dat ik naar haar toe moest gaan en dat zij het probleem wel zou oplossen: hij zou het betalen. Nou, hoe moest ik daarop reageren? Ik wist dat hij lid was van een van die bewegingen. En nu wilde hij ons kind vermoorden. Ik werd woest, sheriff, een ander woord is er niet voor. Ik heb hem zaterdagmiddag gebeld en hem gezegd dat ik naar de barbecue kwam en dat ik het aan zijn familie zou vertellen – aan iedereen in de hele streek, als dat nodig was – maar dat ik er zeker van wilde zijn dat hij voor zijn kind zou zorgen.' De tranen stroomden over haar gezicht. 'Weet u wat hij tegen me zei? Hij zei dat ik beter weg kon blijven, dat hij zo nodig mij of zichzelf zou vermoorden voordat ik in staat zou zijn om de buitenwereld over ons kind te vertellen. Ik geloofde hem niet. En ik geloofde ook niet echt dat hij van me wilde dat ik ons kind liet aborteren. Pas toen ik het schot hoorde, wist ik wat hij had gedaan en dat hij het allemaal had gemeend.'

'Waar was je toen je het schot hoorde, Nadianna?'

'Buiten. Op het parkeerterrein.'

'Je ging weg? Waarom?'

Ze haalde diep adem. 'Nadat ik zijn foto had genomen, ben ik naar de voorkant van het huis gerend. Ik kon het geschreeuw in de keuken horen. Maar ik ben het huis binnengeslopen en ik trof hem aan in zijn werkkamer.'

'Jullie waren daar alleen?'

'Ja. Ik heb Martin gezegd dat het me speet, maar dat ik het moest doen. Ik moest het doen voor het kind.'

'Wat zei hij daarop?'

'Hij beschuldigde me ervan dat ik hem vermoordde. Hij rukte zich los en rende naar boven. Ik was boos en vertrok. Toen hoorde ik het. Nog geen minuut later hoorde ik het schot.'

'En wat heb je toen gedaan?'

'Ik ben naar mijn auto gerend en naar huis gereden. En het duurde precies een halfuur voordat ik besefte dat dit kind alles was wat van belang was. Martin begreep dat niet. Hij was een arme ziel die verdronk in droefenis. Ik zag dat pas toen het al te laat was. Anders had ik me nooit met hem ingelaten.'

Truitt wreef met zijn handen over zijn gezicht, probeerde er weer wat gevoel in te krijgen. 'Jij bent vandaag al de tweede persoon die me vertelt hoe triest Martin was. Ik heb dat nooit gezien, Nadianna. Ik heb eerder met zelfmoorden te maken gehad. Hij voldeed niet aan het profiel.'

'Martin kwam niet over als triest.' Haar ogen werden groter en voor het eerst zag hij de pure helderheid van hun blauwe tint. 'Hij kwam over als sterk. Daarom hield ik van hem.'

Truitt stond op. 'Nadianna,' zei hij. 'Ik wil dat je heel goed nadenkt. Heb je iemand het huis uit zien komen? En kan iemand bevestigen dat je het huis uit was toen het schot afging?'

Ze keek hem verbaasd aan. 'Ik weet het niet. Ik kan me niet herinneren dat ik iemand heb gezien.'

Instinctief keek Truitt in de richting van Zilah Greene's huis, maar dat werd aan het zicht onttrokken door de stenen muur. Hij haalde een visitekaartje uit zijn portefeuille.

'Ik moet je door een van mijn mannen naar het bureau laten brengen om een officiële verklaring af te leggen, maar hier, Nadianna, neem dit. Ze is een aardige vrouw. Ik wil dat je haar opbelt. Ze werkt voor de overheid en is in staat om je over Martins dood heen te helpen.'

Nadianna keek hem aan met een verbazing die hem een gevoel van schaamte gaf.

'Over zijn dood heen te helpen,' fluisterde ze. 'Ik heb geen vrouw nodig om me over zijn dood heen te helpen. Ik heb mijn kind nodig. En ik moet mijn toekomst uitstippelen.'

De 'achterslaapkamer' van het huis van de Robertsons bleek uiteindelijk een langwerpig vertrek in de rechtervleugel te zijn, aan het eind van wat ooit de centrale gang was geweest. De kamer was alleen bereikbaar via wat Jen Butler de bibliotheek noemde, een klein maar weelderig gemeubileerd vertrek waarin meer bordspelen dan boeken te vinden waren. Jen klopte op de slaapkamerdeur en stak zonder op antwoord te wachten haar hoofd naar binnen.

'Grootvader,' zei ze. 'Er is hier een dame die graag met u zou willen praten. Ze woont in Statlers Cross en is een boek aan het schrijven. Kunt u dat aan?'

Gale hoorde een gegrom, maar ze kon geen woorden onderscheiden. Jen trok een rimpel in haar neus.

'Het is oké,' zei ze. 'Zo is hij altijd. Ga maar naar binnen. Het enige wat ik van je vraag is dat je erop let hoe hij zich voelt. Als hij vermoeid begint te lijken...'

Gale knikte. 'Ik blijf niet lang. Ik heb maar een paar vragen.' Ze zette haar rugzak op de grond en knielde neer naast Katie Pru. 'Luister eens, dametje. We gaan op bezoek bij een man die misschien niet gewend is aan kinderen. Ik wil graag dat je...'

'O, dat is niet nodig,' zei Jen. 'Waarom laat je haar niet bij mij?'

Gale keek haar onzeker aan. 'Ik wil geen misbruik maken van...'

Jen maakte een wuivend gebaar. 'Doe niet zo gek. Voordat ik ben getrouwd, werkte ik in een crèche. Vierjarige kinderen zijn mijn specialiteit.' Ze knielde naast Gale neer en pakte Katie Pru's handje vast. 'Het is zelfs zo,' zei ze, 'dat ik net op het punt stond om kleikoekjes te gaan maken, Katie Pru. Wil je me daarbij helpen?' Toen Katie Pru knikte, stond Jen op en liepen ze samen weg van Gale. 'Fantastisch. Kom, dan gaan we naar de keuken en laten we je moeder haar werk doen.'

Gale wachtte totdat het opgewekte gebabbel van de vrouw was afgenomen tot vaag gemompel in de verte. Toen pakte ze haar rugzak op en duwde de slaapkamerdeur open.

'Meneer Hinson?'

De kamer had twee ramen: een in de smalle westmuur en een tweede in een hoek daarop in de lange muur die de achterkant van het huis vormde. Voor beide hingen gordijnen van een zware bedrukte stof. In de hoek tussen deze twee ramen stond een logge fauteuil waarvan het bladermotief van de bekleding nauwelijks te zien was in het schemerlicht. De kamer had donkere lambriseringen, die de schemerige sfeer versterkten. Gale kon het voeteneind van een bed onderscheiden en het zachte wit van lakens, maar daarachter gingen alle details verloren in het duister. Ze hoorde een zacht geluid, als van een golf die over schelpen spoelt. Ze liep verder de kamer in.

'Meneer Hinson? Bent u wakker?'

Ze sprong op toen een felle klap de stilte doorbrak. Een klein lampje naast het bed sprong aan. Een oude man zat half rechtop tegen de kussens en op zijn borst lag een kat. Het geluid was van de kat afkomstig, die, in tegenstelling tot Gale, blijkbaar niet was geschrokken van het abrupte geluid.

Hinsons mond bracht een schor, krassend gelach voort.

'Heb ik je aan het schrikken gemaakt? Jen heeft dat verdomde ding voor me gekocht.'

Hij klapte weer in zijn handen en opnieuw werd de kamer in duisternis gehuld. Gale draaide zich naar de lamp en klapte in haar handen. Het licht ging aan.

De oude man lachte weer. 'Niet slecht,' zei hij. 'Je hebt een goede klap.' Het gegrinnik nam af tot een zacht gegrom. 'Ik heb Jen verteld dat ik geen bezoek wilde. Dat meisje luistert niet.'

'Ik denk dat ze dat wel doet,' zei Gale. 'Ik denk dat ze gewoon vertrouwt op haar vermogen om te beoordelen welk bezoek u wel en niet kunt ontvangen.'

Hinson bleef even zwijgen. 'Je hebt gelijk,' zei hij. 'En je bent nogal brutaal om dat zo ronduit te zeggen.'

'Als u echt liever geen bezoek ontvangt, meneer Hinson, dan ga ik weer weg. Maar ik heb een probleem en u bent de enige die me daarbij kan helpen.' Ze wachtte even. 'Mijn naam is Gale Grayson. Ik ben Ella Aldens kleindochter.'

'Ik ken geen Ella Alden.'

'U kent een Linnie Cane. Ella is haar nicht.'

Het was in het flauwe licht nauwelijks te zien, maar ze dacht dat hij dieper wegzonk in de kussens. Hij lag doodstil, afgezien van zijn vinger die nerveus aan de deken krabde.

'Het licht is beroerd in deze kamer,' zei hij. 'Kom dichterbij, zodat ik je kan zien.'

Er volgde weer een klap, maar deze keer van het onweer. Na een vlaag regendruppels die plotseling tegen de ruiten sloegen, liep Gale naar het bed, waar ze ongemakkelijk bleef staan terwijl ze zich afvroeg waarom Jen nooit de moeite had genomen om daar een stoel voor het bezoek neer te zetten. Omdat hij nooit bezoek kreeg, antwoordde ze zelf. In de dertig jaar dat ze in en buiten Statlers Cross had gewoond, had ze nooit anders over Malcolm Hinson horen praten dan in de verleden tijd. In een stadje van de grootte van Statlers Cross was het bijna ondenkbaar dat iemand gewoon kon verdwijnen. Maar aan de andere kant was Malcolm Hinson een indringer geweest, en nog een lastige ook. Misschien vond hij de dartele Jen en zijn kat beter gezelschap dan de stugge zuiderlingen van zijn vroegere jaren.

'Mijn god.'

Zijn hand was op de kat gevallen, die nog harder begon te spinnen. Hij strekte de knokige vinger van zijn andere hand en zwaaide ermee naar haar.

'Je lijkt sprekend op haar,' bracht hij uit. 'Misschien iets kleiner. En wat ouder. Maar afgezien daarvan... mijn god.'

'Ik lijk op wie, meneer Hinson?' vroeg Gale vriendelijk.

Hij liet zijn hand weer op de deken vallen. 'Je weet verdomd goed op wie. Hou me niet voor de gek. Je bent die verdomde Jen niet.'

'U hebt gelijk. Het spijt me.' Ze keek naar de stoel die aan de andere kant van de kamer stond. 'Dus u wilt wel even met me praten? Want als dat zo is, dan sleep ik die stoel hiernaartoe, zodat ik kan gaan zitten.'

'Goed. Maar denk niet dat dat betekent dat ik veel tijd heb. Dat is niet zo. En misschien zijn er vragen waarop ik geen antwoord kan geven.'

'Mij best.' Gale schoof met haar voet haar rugzak uit de weg, tilde de stoel op om de vloerplanken niet te beschadigen en bracht hem naar de andere kant van de kamer. Ze zette hem zo neer dat ze allebei in het licht zaten en liet zich toen neerzakken in de kussens.

Toen ze weer naar hem opkeek, lag hij naar haar gezicht te staren. 'Dezelfde ogen. Dezelfde kin,' zei hij. 'Als ze een paar jaar langer had geleefd, had ze misschien datzelfde rare lichte en donkere haar gehad. Wat een merkwaardige manier om grijs te worden. Ik vraag me af hoe jouw verleden eruitziet.'

'Het is niet míjn verleden dat me dwarszit, meneer Hinson. Ik wil graag met u over Linnie praten.'

'Als je denkt dat Linnie geen deel uitmaakt van je verleden,' antwoordde hij zacht, 'dan ben je inderdaad verloren.'

'Wat kunt u me over haar vertellen?'

'Niets.'

Ze volgde met haar vinger de contouren van het bladmotief van de bekleding van de stoel. 'Ik heb een sprei die ze heeft gemaakt. Die is echt heel bijzonder. Er was een buitengewoon vakmanschap voor nodig om die te maken. Ik weef zelf ook, maar ik kan dat niet nadoen.'

Zijn hand streelde de rug van de kat. 'Je weeft?'

'Dat heb ik gedaan. Maar als ik naar Linnies sprei kijk, dan zie ik iets wat ik nog nooit heb gezien. Ze had een enorm talent, meneer Hinson. U wist dat in die tijd, is het niet?'

'Ik wist geen bal in die tijd.'

Ze keek hem recht in de ogen. 'Linnie pleegde zelfmoord, meneer Hinson. Mijn man heeft dat ook gedaan, en het heeft me heel wat tijd gekost... nou ja, ik begrijp het nog steeds

niet. Maar er is iets aan Linnies zelfmoord wat me dwarszit.'
'Dat doen alle zelfmoorden.'
'Nee, niet zoals deze. Ten eerste het moment waarop ze het deed, de middag dat ze de hoofdrol zou spelen in de première van het eerste toneelstuk dat ooit in de stad was opgevoerd. En dan was er haar zoon. Ze waste zijn handen en zijn gezicht. Waarom? Waarom zou ze dat doen vlak voordat ze zelfmoord ging plegen?'
'Waarom zou een moeder er niet voor kiezen om afscheid te nemen van haar kind met een moederlijk gebaar?'
Ze ging met haar vinger langs de steel van het blad en volgde de lijn tot het einde. 'Dat is mogelijk,' zei ze. 'Weet u toevallig in welke kamer ze hem heeft opgesloten?'
Zijn ogen weken geen moment van haar gezicht. 'Welke reden heb je nog meer om aan haar zelfmoord te twijfelen?'
'Ik heb iets gevonden op de zolder van uw fotostudio.'
Ze bukte zich en trok haar rugzak onder het bed vandaan. Voorzichtig haalde ze het afgeknaagde script eruit en ze legde het in haar schoot.
'U hebt dit met opzet bewaard, is het niet?' vroeg ze zacht.
De kat slaakte een kreet. Hinson had zijn vingers hard in zijn pels gedrukt. Het dier worstelde zich los, zette zijn nagels in de hand van de oude man en rende de kamer uit.
'Heb je nog iets anders gevonden?' fluisterde hij.
Gale sloeg zorgvuldig de bladzijden om totdat ze bij de brief kwam. Ze hield hem omhoog.
'Linnie heeft geen zelfmoord gepleegd, hè, meneer Hinson? Haar man heeft haar vermoord. Mijn vraag is: waarom heeft u dat in hemelsnaam nooit aan iemand verteld?'
'Wat maakt dat verdomme nu nog uit?'
Gale gloeide van woede. 'Dat maakt heel veel uit, Malcolm. Als een familie te maken krijgt met een zelfmoord, opent dat een deur. Verdomme, het opent een deur en als die niet wordt dichtgedaan, dan kunnen kinderen, kleinkinderen en achterkleinkinderen door diezelfde deur gaan.'

Zilah trok de keukenstoel naar het aanrecht, ging zitten en legde haar hoofd op het koele staal van het blad. Er was op de deur geklopt, maar ze had het genegeerd. Laat ze maar denken dat ik al naar bed ben, dacht ze. Ze was moe. Ze voelde zich alsof alle lucht uit haar was weggezogen, alsof de stemmen die ze de afgelopen twee dagen had gehoord al haar adem hadden gestolen.

'Martin,' had het meisje gezegd. 'Kom bij me zitten. Laten we gaan zitten en dit uitpraten.'

'Ik kan niet geloven dat je dit doet, Nadianna. Ik hou van je. Hoe kun je dit doen?'

Het raam had opengestaan en er had een elektriciteitssnoer over het kozijn gelopen, dwars over de veranda, door het gras naar de zijkant van het huis. Zilah zat op de schommel en haar voeten maakten gedempte slepende geluiden op de houten planken terwijl ze langzaam voor- en achteruit schommelde. Binnen, in Martins werkkamer, stond het meisje op van de bank en haar vreemde lange kleding wapperde om haar enkels. Toen ze begon te praten, klonken haar woorden gedempt en gejaagd.

'Luister naar me, Martin,' zei het meisje. 'Ik hou van je, maar ik hou ook van dit kind. En jij zult ervoor moeten zorgen, er een vader voor moeten zijn. Dat is alles waar het om gaat.'

'Vuile teef. Waarom geef je me niet meteen mijn geweer, zodat ik er een eind aan kan maken?'

'Martin.' Het meisje liep naar hem toe en pakte de mouw van zijn overhemd vast. Hij rukte zich los en hief zijn hand op om haar te slaan. Met een angstig gezicht kromp het meisje ineen. Vanaf de zijkant van het huis kwam het dreunende gezang van het koor. Martin bleef staan en draaide zich naar het geluid toe. En toen was hij opeens weg en hoorde ze hem de trap op rennen. Het meisje stond in de studeerkamer, sloeg haar handen voor haar gezicht en keek in verwarring om zich heen. Zilah greep de kettingen van de schommel vast en dwong hem tot stilstand. Plotseling liep het meisje voor haar langs, ze haastte zich de treden van de veranda af en verdween op het parkeerterrein tussen de auto's. Zilah bleef zwijgend op de schommel zitten en kreeg een onaangenaam gevoel in haar borst. En toen hoorde ze het geweerschot, zo hard en dichtbij, dat het hout boven haar hoofd kraakte.

Ze voelde zich nu erg moe. Buiten deed de storm de toppen van de bomen buigen en geselden felle bliksemschichten de hemel. De klap volgde onmiddellijk. Licht. Klap. Het patroon herhaalde zich keer op keer totdat ze haar ogen sloot en haar voorhoofd voor- en achteruit over het koele metaal liet gaan.

Bloemen in de vensterbank, grote blauwe bloemen, die ze kon aanraken. Er waren geen gordijnen, en er kropen zwarte kevers over het kozijn, langs de muur naar beneden, en soms over haar voeten als ze bij het raam stond. De lucht bij het raam was koel, en als haar moeder in de kamer aan het werk was, vond Zilah het prettig het kozijn vast te houden en de wind op haar gezicht te voelen.
Ze keek graag naar het huis hiernaast. Er woonde een jongen, die soms onder de boom speelde. Als hij haar bij het raam zag staan, kwam hij door de tuin naar haar toe rennen om haar een cadeautje te geven: een takje, een stuk steen of een lange grasspriet. Als hij in zijn eigen huis was, dan rende hij naar boven, naar zijn kamer. Dan trok hij de gordijnen opzij en zwaaide hij naar haar. En dan zwaaide zij terug. De jongen was haar vriend.
Vandaag zwaaide de jongen niet. Hij stond bij het raam maar bewoog zich niet. Hij drukte zijn gezicht tegen het glas. De uitdrukking op zijn gezicht beviel haar niet. Ze werd er misselijk van.
Ze kon het geschreeuw in het huis horen. Het was de moeder van de jongen die schreeuwde.
Haar eigen moeder riep haar vanaf de andere kant van de kamer. 'Ga weg bij dat raam, Zilah. Het is onze zaak niet.'
Maar de jongen ging niet weg bij zijn raam, en Zilah hield zich vast aan het raamkozijn, hoewel er geen wind was om in haar gezicht te blazen.
Het geschreeuw hield op en de achterdeur zwaaide open. De vader van de jongen kwam het huis uit. Hij sleepte zijn moeder aan haar haar naar buiten. Er was een lap voor haar mond gebonden.

'De eerste persoon die je moet begrijpen is Parrish. Ik heb nooit iemand gekend die zo vitaal was. Dat kwam door zijn opvoeding. Hij was opgegroeid in New York City, waar zijn vader schilder was en zijn moeder activiste. Hij beweerde dat zijn grootmoeder erbij was bij Seneca Falls, maar wie zal het zeggen? Het enige wat ik wist, was dat het de meest energieke, kolossale kerel was die ik ooit had gekend. Hij haalde me over om hiernaartoe te komen, zei tegen me dat ik naar het Zuiden moest gaan om daar mijn talenten te ontwikkelen. Hij maakte me enthousiast. Ik ben gegaan. En toen ik hier eenmaal was, heb ik hem geschreven: "Oké, vuile schoft, jij hebt me dit aangepraat. Kom jij nu ook."

En dat deed hij. Ik weet niet wat hij hier dacht te doen. Materiaal verzamelen, nam ik aan, en dan teruggaan naar het noorden met een verhaal waar niemand omheen kon. En dat heeft hij gevonden. Maar hij is nooit teruggegaan, en geloof me, hij heeft het verhaal nooit verteld. Daar had hij de lef niet voor. Al zijn moed vloeide uit hem weg in dit godvergeten gat.

Ik heb nooit begrepen waarom hij is getrouwd, afgezien van het feit dat mannen bronstig worden als ze ver van huis zijn. Ik geloof niet dat hij van zijn vrouw hield. En ik denk dat als hij toen was gescheiden, de zaken anders zouden zijn gelopen. Maar dat deed hij niet.

Hij zag Linnie als een uitdaging. Ze was zo boos. De mensen hadden het altijd over haar. "Blijf uit de buurt van Linnie. Ze bijt je kop eraf." Ze was niet echt beeldschoon, maar wel heel aantrekkelijk, net als jij, hoewel Parrish in New York wel mooiere vrouwen had gehad. Maar één ding, waaraan nooit iemand twijfelde, was het feit dat ze slim was. Heel erg slim. Haar boosheid maakte haar slim. Je kon haar in de ogen kijken en zien dat er miljoenen gedachten door dat hoofd gingen, en ze was woedend, woedend op jou, op de wereld, en op de almachtige God omdat het Zijn schuld was dat die gedachten er niet uit konden.

Ik weet niet wanneer ze verliefd op elkaar werden. Het was al een paar maanden aan de gang toen Parrish het me vertelde. Ik zei hem dat hij een volslagen idioot was. Ik zei: "De mannen hier zullen een touw nemen en het om je nek leggen omdat je zo'n idioot bent." Maar ik had het mis. Parrish was niet degene die zich zorgen hoefde te maken.'

De moeder van de jongen vocht terug. Ze rukte zich los en rende in de richting van de spoorbaan, maar de vader kreeg haar weer te pakken. Ze probeerde de lap van haar mond te trekken. Maar de vader greep haar armen vast en wrong die achter haar rug. Hij duwde haar met zijn buik tegen de boom.
'Zilah, kom hier. Wat daar buiten ook aan de hand is, is een zaak van de Aldens. Daar hebben wij niets mee te maken. We moeten werken om te kunnen eten. Dat is het enige dat van ons wordt verwacht. Als ze ruzie willen maken, dan doen ze dat maar.'
De jongen stond nog steeds achter het raam te kijken. Hij bracht zijn handen naar het glas en sloeg tegen de ruit, en nog eens en nog eens.

'Hij wilde haar meenemen naar New York. Ik heb hem gezegd dat hij gek was. Wat moest een plattelandsmeisje als Linnie Cane in New York City? Hij zei dat zijn moeder dol op haar zou zijn. Die zou haar onder haar hoede nemen en haar alles leren wat ze moest weten. Ik zei: "God, Parrish, je praat over haar als een circusnummer." En hij antwoordde: "Malcolm, je ziet het niet, hè? Je kijkt niet verder dan die kleren, dat dialect en die manier van doen, hè?" En ik zei: "Denk je dat ze het leuk zal vinden dat je haar wilt veranderen?" Maar daar heeft hij nooit antwoord op gegeven. Het was alsof ze allebei in een roes verkeerden en geen oog hadden voor de consequenties.
Ze zouden Linnies vijf jaar oude zoontje meenemen. Alsof Justin Cane ze zomaar weg zou laten gaan. Maar ze hadden zich vastgebeten in die ene mogelijkheid en dachten verder niet na. Ze hadden hun vertrek als volgt gepland. De dag na het toneelstuk zou ik naar de fabriek gaan om foto's te maken. Parrish zou optreden als mijn assistent. Als de trein op het punt van vertrekken stond, zouden Linnie en haar zoontje naar hen toe komen lopen, en als hij zich in beweging zette, zouden ze met z'n drieën aan boord springen. Ik bleef

maar tegen hem zeggen: "Het leven is niet zo vergevingsgezind. De consequenties zullen niet te overzien zijn." Maar hij wilde niet luisteren. Hij was helemaal gek van haar.'

Het touw zat al om de nek van de moeder voordat Zilah het in de gaten had. De uitdrukking op het gezicht van de moeder veranderde en was nu net als die op het gezicht van de jongen. Hij sloeg tegen de ruit en zijn mond ging open en dicht. Zilah kon niet horen wat hij riep.
Er kwam een man aanrennen door de tuin die het touw probeerde vast te grijpen. Maar de vader duwde hem tegen de grond.
'Ga weg, Deak! Ze waren van plan mijn jongen te stelen!'
De man zat in het gras en had zijn handen voor zijn gezicht geslagen. De vader nam het uiteinde van het touw en gooide het over een tak van de boom. Toen begon hij eraan te trekken en te trekken totdat de voeten van de moeder loskwamen van de grond. Ze schopte om zich heen en probeerde het touw van haar hals te halen, maar hij greep haar handen vast en wrong ze achter haar rug. Ze hing zo wild te spartelen, dat Zilah dacht dat de tak zou breken, maar dat gebeurde niet. Algauw begonnen haar bewegingen langzamer te worden. En toen stopten ze helemaal.
'Zilah, waarom huil je? Kom bij me. Zilah, Zilah, Zilah, mijn lief.'

'Parrish wist het. Hij kwam naar me toe, huilend. Maar inmiddels was zijn vrouw zwanger. Hij moest een keus maken. Hij kon iedereen vertellen wat hij wist en dan zou hij misschien gelyncht worden. Of hij kon het voor zich houden. Dat deed hij. Maar het wilde niet verdwijnen.
Hij vond haar brief in het script. Justin moest hem er tijdens de laatste repetitie in hebben gestopt en hem vervolgens vergeten zijn. Natuurlijk had Parrish de brief nooit ontvangen. Hij heeft nooit ontdekt hoe Justin hem in handen heeft gekregen. Ik zei: "Bewaar hem. Het is bewijs. Misschien besluit je op een dag er gebruik van te maken." Maar dat deed hij niet. Hij bleef bij zijn vrouw en bracht zijn kind groot.

Eén keer vertelde hij me dat hij wilde dat hij zijn mond open had gedaan en was gelyncht. "Dat zou een snellere dood zijn geweest," zei hij. En ik wist daar niets op te zeggen.'

Licht. Klap. Het metaal onder Zilahs hoofd was heet geworden. Ze wilde haar handen op het aanrecht zetten om zich af te zetten, maar ze wilden niet bewegen. Ze waren zwaar, veel te zwaar om op te tillen.
'Laat haar met rust, Zilah. Ze is slecht. Geesten zijn slecht.'
Maar haar vader wist het niet. En haar moeder had niets gezien. Het werd Zilahs herinnering, en die had ze goed bewaard. 'Is het niet, miss Linnie? Heb ik hem niet goed bewaard?'
Zilahs borst begon pijn te doen. Ze voelde hoe hij steeds verder in elkaar werd gedrukt. En toen die splijtende pijn, alsof haar ribben een voor een afbraken en als messen in haar lichaam staken. Ze hapte naar adem, maar er gebeurde niets.
Ze gleed onderuit en kwam met haar hoofd op de vloer terecht. Licht. Klap.

23

Niemand denkt ooit aan de familie van een geest.

Victory Alden,

tegen haar zuster Maralyn Nash, toen ze hun
moeder Ella in het ziekenhuis opzochten, 1989

Vanuit de droge beschutting van Ella's achterveranda keek Truitt naar Zilahs huis, waarvan de donkere ramen aan het oog werden onttrokken door de zwiepende takken van de pecannotenboom. Een fractie van een seconde was de hemel verlicht alsof het dag was, en toen volgde de klap: hard, beangstigend, scherp als een kogel. Iets in de buurt was geraakt. Maar dat was niet Zilah Greene's huis. Dat stond nog ongeschonden, stil en bescheiden aan de andere kant van het hek.

Truitt had op Zilahs deur staan kloppen toen Haskell vanaf het Alden-huis naar hem toe kwam rennen. Het gerechtelijk laboratorium was klaar met de autopsie en de patholoog-anatoom had een paar punten die hij met Truitt en Bingham wilde bespreken. In zijn hand had hij nu de aantekeningen die hij tijdens dat gesprek had gemaakt. Hij voelde zich misselijk. Verdomd als Nadianna geen gelijk had. Hij zou het nooit gedacht hebben, zeker niet na wat hij in de afgelopen twee dagen had gehoord over Martins gewelddadige gedrag ten opzichte van anderen. Hij zou er nooit op hebben durven gokken dat Martin de hand aan zichzelf zou slaan. Het enige wat er nog moest gebeuren, was dat Zilah bevestigde dat ze Nadianna het huis had zien verlaten voordat het schot klonk en dan kon hij de zaak sluiten.

'Ze zijn in de woonkamer, sir,' zei Haskell. 'Iedereen behalve mevrouw Cane. Mevrouw Alden zegt dat ze kalmerende middelen heeft geslikt en te beneveld is om naar beneden te komen.'

Het maakte niet uit. Wat Truitt de vrouwen te vertellen had, kon hij net zo goed persoonlijk doen. Ze wisten het trouwens al lang. Ze hadden het al geweten op het moment dat het geweerschot klonk. Al die tijd, terwijl ze Martins lijk op het bed tilden, aan zijn handen zaten, het geweer aanraakten en het bloed over de muren van de slaapkamer smeerden, hadden ze het geweten. Dit was echt fantastisch. Ella Alden moest zo hard zijn als een brok graniet.

'Craig,' zei hij tegen Haskell. 'Ik handel dit af. Ga jij proberen of je mevrouw Greene aan de telefoon kunt krijgen. Als ze niet opneemt, ga je ernaartoe en kijk je of haar auto in de garage staat. Het bevalt me niet dat er bij haar geen licht brandt tijdens een bui als deze.'

Haskell was al aan het draaien toen Truitt de keuken door liep en de gang in verdween. De regen had het huis een aparte geur gegeven, alsof het oude stof op de vissen vochtig was geworden. Hij wilde dit niet doen. Hij had medelijden met deze vrouwen. En hij was pisnijdig op ieder van hen.

Bij de deur van de woonkamer bleef hij staan. Binnen zaten Ella en Maralyn op de bank.

'Waar is Sill?' vroeg hij.

Ella antwoordde. 'Ik heb haar naar boven gestuurd om bij haar moeder te blijven. Ze hoeft hier niet bij te zijn. Als je ons iets te vertellen hebt, zul je dat aan mij en Maralyn moeten doen. Wij vertellen het wel door aan de anderen.'

Truitt haalde diep adem en liet zich in de perzikkleurige fauteuil zakken. 'Dat denk ik niet, Ella, maar daar hebben we het later wel over. Ik heb met de patholoog-anatoom gepraat. Hij heeft concrete bewijzen gevonden die erop duiden dat Martin zelfmoord heeft gepleegd. En ik heb een getuige die dat bevestigt.'

Ella's vraag klonk bijna snauwend. 'Wat voor concrete bewijzen?'

Truitt negeerde haar en keek Maralyn aan. Ze ontweek zijn blik niet. 'Het is heel fascinerend wat jullie hebben gedaan,' zei hij. 'Ik ben er nog steeds niet uit. Het vergde een enorme concentratie. Jullie konden niet toegeven aan jullie emoties en moesten elke seconde benutten. Maar wat ik nog steeds niet begrijp is het waarom.'

291

'Het was een ongeluk, Alby,' hield Ella vol. 'Als je concrete bewijzen hebt die op iets anders duiden, dan kloppen die niet.'

Zijn blik bleef op Maralyns ogen gericht. 'Iemand in die kamer wist genoeg van forensische wetenschappen – of beschikte in elk geval over de meer dan gemiddelde intelligentie – om te voorzien dat het met een dergelijke wond door een van dichtbij afgevuurde geweerkogel voor ons praktisch onmogelijk is om de doodsoorzaak te bepalen, tenzij we ons helemaal op de sporen op de plaats van het misdrijf concentreren. Dus wat deden jullie? Jullie hebben die sporen gewist en het lichaam verplaatst, zodat we op geen enkele manier konden reconstrueren wat er was gebeurd, en jullie deden dat allemaal op een manier die met een beetje fantasie voor een natuurlijke reactie kon worden aangezien. Legden de vrouwen in dit deel van het land de lichamen van hun mannen niet altijd op een bepaalde manier neer? Dus als jullie daar een beetje gekte aan toevoegden, kon het als een natuurlijke reactie worden beschouwd. Maar ik begrijp nog steeds niet waarom, Maralyn. Het zou me veel helpen – en jullie zelf ook – als je me ten minste kon uitleggen waarom.'

'Je weet niet waar je over praat, Alby,' drong Ella aan. 'Ik wil weten wat voor concrete bewijzen je hebt.'

'Zijn armen,' zei Truitt ronduit. 'De patholoog-anatoom vertelde me dat in al de jaren dat hij autopsies heeft verricht op zelfmoordenaars die geweren hadden gebruikt, hij gewoonlijk heel weinig bloed op de armen aantreft. Die worden naar buiten gericht, onder hun hoofden, als ze de trekker overhalen, weet je? Er zat bloed op Martins armen, Ella, maar iemand had dat erop gesmeerd.'

'"Gewoonlijk" klinkt me niet overtuigend genoeg in de oren, Alby. We zullen dat aanvechten.'

Truitt glimlachte. 'Dat weet ik, Ella. Maar ik heb ook een getuige, misschien zelfs twee. Een van hen heeft met Martin gesproken kort voordat het schot viel. Ze zegt dat hij tegen haar zei dat hij zelfmoord ging plegen.'

Voor het eerst zei Maralyn iets. 'Wie?'

Truitt schudde zijn hoofd. 'Dat kan ik nu nog niet zeggen. Maar ze heeft een heel complete verklaring afgelegd. Als je

Martins persoonlijkheid in aanmerking neemt, zijn plaats in de gemeenschap, het tijdstip en de plaats – al die mensen, al die ogen die op hem waren gericht – dan klinkt het niet onredelijk. En zonder het te weten had Ryan Teller de inzet nog verhoogd. Wat ik nu graag van jullie wil, is de waarheid over wat jullie hebben gedaan.'

'Dat hebben we je verteld, Alby,' zei Ella. 'We waren in de keuken toen het geweer afging. We zijn naar boven gerend en vonden hem dood in de slaapkamer. De schoonmaakspullen voor zijn geweer waren op het nachtkastje. Misschien zijn we een beetje de kluts kwijtgeraakt. Maar wat we hebben gedaan moet te begrijpen zijn, voor iemand met enig gevoel.'

'Iemand met enig gevoel.' Truitt wreef zich in de ogen. 'Ella, ik heb een kameraad van me gebeld die op het sheriffkantoor in Walton County werkt, en hem over deze zaak verteld. Weet je wat hij tegen me zei? Dat hij jullie diezelfde avond allemaal gearresteerd zou hebben. Ik heb de zaak verknald. Maar ik ben verdomde blij dat jullie alleen maar hebben geprobeerd een zelfmoord weg te moffelen, en geen moord.'

'Hoe durf je ons te beschuldigen van wegmoffelen...?'

Truitts woede laaide op. 'Ach, kom nou, Ella. Je eigen dochter heeft dat min of meer toegegeven aan mijn hulpsheriff. Ze heeft hem verteld dat jij had opgedragen dat de schoonmaakspullen op het nachtkastje moesten worden gelegd, maar dat ze die op het laatste moment in Cammy's tas heeft gestopt.'

Ella keek Maralyn aan. 'Heb jij dat gezegd?'

'We hoeven niet verzeild te raken in een verzekeringsfraude, moeder. Ik heb de tas meegenomen naar beneden en achter de kussens van de bank verstopt. Als Martins verzekeringsmaatschappij fraude kan bewijzen, gaan we allemaal de gevangenis in. Trouwens, die olie en lappen hebben er niets...'

Ella richtte haar blik weer op Truitt. 'Geld had er niets mee te maken. Als het fraude is waar je je zorgen om maakt, Alby, dan teken ik nú een verklaring waarin ik zeg dat ik geen cent van het verzekeringsgeld zal accepteren.'

'Heel koelbloedig, Ella, maar ik had zelf al uitgedacht dat het niet om geld ging. Dus waarom vertel je me niet waar het wél om ging?'

Stilte. Truitt stak zijn hand in zijn zak en haalde Nadianna's foto's tevoorschijn. Martins starende gezicht bij de tafel met het eten. Truitt dacht dat hij nu de uitdrukking in de ogen van zijn oude vriend begreep: schrik, angst en een allesoverheersende ontkenning. De waarheid was dat Martin zelfmoord had gepleegd op het moment dat de sluiter klikte: toen werd de beslissing genomen. Truitt durfde te wedden dat hij dezelfde uitdrukking op zijn gezicht had gehad op het moment dat de kogel in zijn schedel drong. Truitts keel brandde toen hij de foto op de salontafel legde. Hij had het nooit gedacht van Martin. Het strookte gewoon niet met zijn karakter.

'Deze man was mijn vriend, Ella,' zei hij zacht. 'Ik heb hem in de steek gelaten. Het minste wat ik hem schuldig ben is de waarheid over zijn dood.'

Het was Maralyn die uiteindelijk het woord nam. Ze boog zich opzij en pakte Ella's hand vast.

'Moeder,' zei ze op sombere toon. 'Dit gaat niet zoals we dat wilden. Ik ga het hem vertellen.'

'Maar Sill...'

'Sill zal dit op haar eigen manier moeten verwerken.'

Maralyn stak haar hand in haar broekzak en haalde er een tissue uit. Ze veegde zorgvuldig haar mond af.

'Je hebt gelijk, Alby. We wisten het zodra we het geweer hoorden afgaan. Misschien hadden we het de hele dag al geweten. Martin was humeurig geweest: nerveus, boos en ja, ik zou zeggen depressief. Sill had beter moeten weten dan te doen wat ze deed, maar ze had zich de laatste tijd steeds strijdlustiger tegenover Martin opgesteld. Ik neem het haar niet kwalijk, maar ik denk wel dat ze deze keer te ver is gegaan. Ik geloof niet dat hij het aankon. Het was vernederend voor hem, zoals zijn eigen dochter hem op die manier afviel in het bijzijn van al die mensen. Ik denk dat hij heeft gedacht: verdomme, ik zal ze eens wat laten zien. Sommige mensen plegen zelfmoord uit woede, weet je. En Martin is altijd woedend geweest.'

Truitt zat naar de foto te staren. Ze had gelijk: er was ook woede op zijn gezicht te zien. 'Ga door.'

'Wat ik je nu ga vertellen, kan misschien moeilijk te begrijpen zijn, Alby. Er zijn maar weinig mensen die erover kunnen meepraten. Dat hoop ik tenminste oprecht.'

'Maralyn, alsjeblieft...' Ella's stem klonk smekend.

Maralyn haakte haar moeders arm door de hare en vervolgde: 'Elke familie die te maken krijgt met een zelfmoord raakt beschadigd. Eén zelfmoord maakt een tweede minder onwaarschijnlijk. Maar stel je eens voor hoe het is als die zelfmoord een deel wordt van de stadsfolklore, een lokale vorm van vermaak. Stel je voor hoe het is als jouw familietragedie het kampvuurverhaal van alle anderen wordt. Dat is nog erger dan geroddel en gefluister. Toen ik jong was, kwamen er met *Halloween* tienerjongens langs in jurken en met touwen om hun nek. Ik lachte erom, maar het maakte me ook bang, Alby. Want in mijn hart heb ik altijd geweten dat als Linnie het kon, ik het ook kon.'

Truitt merkte tot zijn schrik dat ze zat te huilen.

'Eén zelfmoord maakt een tweede minder onwaarschijnlijk,' herhaalde Ella op schorre toon. 'Hoor je dat, Alby? Luister je naar wat we zeggen?'

Buiten dreunde de bliksem zo hard tegen de zijkant van het huis, dat alle muren trilden. 'Mijn moeder is omgekomen in een auto-ongeluk.' Gale's stem had zo zakelijk geklonken, zoals hij had kunnen verwachten van iemand die was grootgebracht door een grootmoeder die haar op veilige afstand van de dood van haar moeder had gehouden.

Jezus Christus. Hij keek omlaag naar de salontafel, zocht naar het glimlachende meisje in het badpak. 'Ella, wil je me vertellen dat je dochter Kathleen...'

Maralyn onderbrak hem. 'We weten het niet, Alby. Zij en Gale's vader stonden op de rand van een scheiding. Haar auto is 's avonds laat tegen een peiler van een viaduct over de I-75 gereden. De politie zei dat ze waarschijnlijk in slaap was gevallen achter het stuur. Maar we weten het niet. En dat maakte ons bang.'

'Weet Gale het?'

'Nee. En zeg het alsjeblieft niet tegen haar.'

'Ik heb Linnies zoon zien opgroeien tot een verbitterde, akelige man die Martin misbruikte,' zei Ella. 'Mijn moeder en zuster hebben geworsteld met wat Linnie ons had nagelaten, en ik heb mijn eigen dochter er ook mee zien worstelen. Ik heb altijd mijn best gedaan om Gale erbuiten te houden. Maar ik kon niets doen om Sill te helpen. Tot dit moment, Alby. Laat haar niet leven met een vader die zelfmoord heeft gepleegd.'

'Maar ze weet het, Ella. Ze was in die kamer toen jullie de sporen uitwisten.'

Ella's ogen glansden toen ze zich naar hem toe boog. 'Maar ze weet het niet zeker. Als jij en Johnny Bingham het afdoen als een ongeluk, zal ze jullie geloven. Dan kan ze doorgaan met haar leven.'

'Maar ze zal nog steeds denken dat haar ruzie met Martin de reden was dat hij zijn geweer tevoorschijn had gehaald...'

'Maar daar kunnen we mee overweg, Alby. Verantwoordelijk zijn voor een ongeluk is niet hetzelfde als verantwoordelijk zijn voor een zelfmoord. Alsjeblieft, Alby. Je gaf toe dat je Martin iets schuldig bent. Betaal hem op deze manier terug.'

Hij was Martin inderdaad iets schuldig. Voorzichtig pakte hij de laatste foto op. Hij had zich altijd zo op het gezicht geconcentreerd, dat hij de rest van de foto nauwelijks had bekeken: de strakgespannen huid rondom de knokkels van Martins tot vuist gebalde hand, het zweet dat op buikhoogte een donkere plek in zijn overhemd vormde, de kop van de geroosterde big die onderaan nog net zichtbaar was, de gevlochten kamperfoelie die om zijn nek hing.

Truitts keel werd droog. 'Maralyn,' zei hij zacht. 'Vertel me nog eens wat jullie vieren aan het doen waren toen het geweer afging.'

Eerst dacht hij dat het onweer het geluid veroorzaakte, een vreemd, grommend geluid. Toen herkende hij het: er werd een motor gestart. Hij stond op uit zijn stoel op het moment dat Sill lijkbleek en met een gejaagde blik in de ogen de kamer in kwam rennen.

'Moeder is weggegaan,' stamelde ze. 'We konden jullie horen door het ventilatierooster. Ze heeft de sleutels uit uw tas gepakt, miss Ella...'

Truitt rende de kamer uit en riep Haskell. Hij kreeg geen antwoord. Hij rukte de voordeur open en rende de tuin in.

De regendruppels sloegen in zijn gezicht. Hij klom in zijn auto en draaide de contactsleutel om op het moment dat Ella's Buick over de spoorwegovergang reed.

Hij reed de oprijlaan af en stuurde de weg naast de spoorbaan op. De lucht was donker en de Buick was verdwenen in de duisternis voor hem. Hij trapte het gaspedaal in, reed langs de winkels en was blij dat het vroege sluitingsuur en de regen ervoor zorgden dat er niemand op straat was. Hij passeerde de begraafplaats en de kerk en deed zijn uiterste best om een glimp op te vangen van de auto die voor hem reed. Niets. Hij dacht dat hij in de verte sirenes hoorde, maar zeker wist hij het niet. Hij stak net zijn hand uit naar zijn telefoon toen hij de Buick plotseling voor zich zag, op minder dan tien meter afstand. De richtingaanwijzer knipperde beleefd. Hij trapte op zijn rem op het moment dat de Buick afsloeg.

Op zijn hoede reed hij achter haar aan. Aan het eind van de weg zag hij de Buick de oprit van het huis van de Canes opdraaien en achter het huis verdwijnen. Zijn hulpsheriff die voor het huis postte, stapte uit zijn auto. Truitt knipperde met zijn lichten, gebaarde hem weer in te stappen en reed langzaam de oprit op.

De Buick was naast het vishuis geparkeerd. Bij de barbecuekuil trapte Truitt op zijn rem. Met zijn portier als schild liet hij zich uit de auto glijden.

'Cammy!' riep hij. 'Kun je me horen?'

Er kwam geen geluid uit het vishuis. De afstand tussen het vishuis en de barbecuekuil was niet meer dan twintig meter, maar het was open terrein. Hij trok zijn revolver uit zijn schouderholster. Hij had geen idee of ze een wapen had. Maar hij wist verdomde zeker dat ze wist hoe ze er een moest gebruiken.

'Cammy,' riep hij weer. 'Ik ben het, Alby. Laat me naar je toe komen, dan kunnen we praten.'

Meer stilte. Hij draaide zich om om te zien of zijn hulpsheriff hem de tuin in was gevolgd. Dat had hij gedaan: de in het bruin geklede figuur zat gehurkt bij de zijkant van het woonhuis.

Toen hoorde hij een schrapend geluid uit het vishuis komen,

alsof er stoelpoten over een cementen vloer krasten. Een paar seconden later hoorde hij haar stem.

'Alby? Ik heb nog een paar minuten nodig. Kun je me die geven?'

'Natuurlijk kan ik dat, Cammy. Maar ik zou het leuker vinden als ik bij je mocht komen zitten.'

Het duurde enige tijd voordat ze antwoord gaf. 'Weet je wat, Alby? Ik denk dat ik dat ook leuk vind.'

'Heb je een wapen, Cammy?'

Haar lach was zacht en kwam maar net boven het getik van de regen uit. 'Nee, ik heb geen wapen. Ik haat die dingen, weet je dat niet?'

Hij keek naar zijn hulpsheriff, die zijn revolver trok en hem op het vishuis richtte. Met zijn eigen wapen voor zich uit rende hij naar het vishuis toe en gluurde hij door de hordeur naar binnen.

Ze zat op een picknickbank en haar handen lagen gevouwen voor haar op tafel. Ze glimlachte flauw naar hem toen hij zijn wapen weer in de holster stak en het vishuis binnenkwam.

'Ik hoopte dat ik genoeg tijd zou hebben om na te denken over hoe ik het je moet vertellen, maar ik neem aan dat jij liever wilt dat ik dat niet doe. Ik heb twee dagen tijd gehad om de juiste woorden te vinden, maar ik ging ervan uit dat Ella het wel zou oplossen. Ik had nooit gedacht dat Ella ergens in zou falen.'

Hij pakte de aluminium klapstoel die tegen de muur stond en zette hem voor haar neer. 'Waarin heeft ze gefaald, Cammy?'

'Om het weg te moffelen. Zo noemde jij het, is het niet? Het is raar, Alby, maar ik moest er net aan denken dat het nooit in me is opgekomen om te liegen, op dat moment tenminste. Maar ze waren allemaal opeens in die kamer, met Ella die zei dat we dit moesten doen en dat moesten doen, en ik dacht: God gaat me redden. Hij gaat me uiteindelijk toch nog redden.'

'Cammy, ik moet je vertellen wat je rechten zijn...'

Ze wuifde met haar hand naar hem. 'Doe niet zo gek, Alby.'

'Je moet met een advocaat gaan praten...'

'Ik heb geen advocaat nodig. Ik heb mijn man vermoord.

Het was een vergissing. Het spijt me heel erg.'

'Cammy, kom met me mee. Dan gaan we naar mijn kantoor en kun je iemand bellen die je kan helpen.'

'Nee, Alby.' Haar stem klonk zacht en een beetje belerend. 'Jij wilde hier binnenkomen en bij me komen zitten. Ik dacht dat ik kon liegen. Ik dacht, nou ja, als die drie andere vrouwen kunnen liegen, dan kan ik het ook. Maar ik kan het niet. En toen ik hoorde wat Ella met Sill van plan was, wilde ik dat ook niet meer. Sill is niet verantwoordelijk voor haar vaders dood en ik kan niet toestaan dat ze denkt dat dat wel zo is.'

Ze plukte aan een gat in het rood-wit geruite plastic tafelkleed en maakte het groot genoeg om haar hele vinger erin te steken. 'Weet je, Alby, ik moet iets hebben met keukens. Herinner je je die ochtenden nog dat je naar het huis kwam voordat jullie gingen jagen? Dan zaten jij en Martin aan tafel te eten alsof ik er niet was, alsof ik onzichtbaar was geworden of zoiets. Datzelfde gebeurde zaterdagavond. Ik was naar buiten gelopen om die streng kamperfoelie om de nek van de big te doen toen Martin en Sill hun woordenwisseling kregen. Ik stond bij de achterdeur en wilde net weer naar binnen gaan. Martin liep me voorbij alsof ik er niet was. Ik liep hem achterna naar binnen en toen kwam Sill de keuken in. Zij en Ella kregen ruzie en ik liep de gang in, Martin achterna. Ik wilde met hem praten. Ik dacht dat als hij wist van Sills kind en de grote druk waaronder ze had gestaan, hij misschien wat aardiger voor haar zou zijn.'

Ze drukte haar vingertop in het plastic. Het gaf mee, maar scheurde niet. 'Toen ik in de gang kwam, hoorde ik stemmen. Martin en een vrouw. Het rare was dat niets van wat er werd gezegd me verbaasde. Ik denk dat als ik verbaasd was geweest, ik hem niet vermoord zou hebben. De mensen zeggen toch wel eens dat er iets in je knapt? Nou, ik weet nu precies hoe dat voelt. Ik kon iets in mijn hoofd horen knappen. Dus toen die vrouw was weggegaan, ben ik de trap op gelopen. Hij was in de slaapkamer, zat op de rand van het bed. Hij keek pas op toen ik het geweer op hem richtte. En zelfs toen zei hij niets. Hij zat me alleen maar wezenloos aan te kijken, alsof hij niet wist wie ik was.

Nadat ik het had gedaan, ben ik naar de badkamer gerend. En toen waren plotseling Ella en de anderen in de slaapkamer. Ik wist eerst niet wat ze aan het doen waren toen ze de sporen uitwisten en Martin op het bed tilden. En toen begreep ik het. Ze dachten dat het zelfmoord was. Ik begon in gedachten te bidden. Ik ben de kamer binnengegaan en toen kreeg de waanzin ook vat op mij. Ze hebben er geen seconde aan getwijfeld dat ik samen met hen de trap op ben gekomen. Later die avond in Ella's huis praatten we over wat we jou zouden vertellen. Ella wilde dat we precies konden zeggen wat we aan het doen waren toen het geweer afging, zodat we niet op een leugen konden worden betrapt. Ik heb hun gezegd dat ik in de hoek van de keuken was, bezig met die streng kamperfoelie voor de big. Ze geloofden me. Ze hadden niet eens gemerkt dat ik weg was gegaan.'

Het plastic gaf mee onder haar vingertop en het rood werd langzaam wit. Plotseling schoot haar vinger erdoorheen. Ze trok haar hand terug en wierp hem een vage glimlach toe.

'Er was maar één ding dat ik kon doen, Alby. Slapen. Ik dacht dat als ik maar bleef slapen, Ella wel zou zorgen dat alles goed kwam. Maar ik kon niet toestaan dat ze Sill de schuld gaf. Ik moest mijn kind beschermen.'

Truitt stond op en liep naar de deur van het vishuis. Buiten, naast de barbecuekuil, stonden nu twee auto's van het sheriffkantoor.

'En Nadianna's baby dan?' vroeg hij zwaarmoedig. 'Je wist dat ze zwanger was en toch probeerde je haar de schuld van een zelfmoord in de schoenen te schuiven?'

Ze staarde hem verbijsterd aan. 'Nou, ze ís tenslotte schuldig, is het niet, Alby? Zij besloot een verhouding te beginnen met mijn man. Als zij er niet was geweest, zou ik hem nooit doodgeschoten hebben. Dachten ze soms dat ze maar wat aan konden rotzooien en mij alles konden afnemen wat ik had? Ik ben een goede echtgenote geweest, Alby. Ik heb mijn leven opgeofferd om een goede echtgenote te zijn.'

Epiloog

Ik weet het niet; een of ander oud spookverhaal. Of dergelijke onzin.

Charlie Perkins,

toen hem door zijn docent sociologie werd gevraagd
naar een plaatselijk fenomeen met de naam Linnie Cane, 1993

Gale was diep in slaap toen de telefoon begon te rinkelen. De vlijmscherpe angst was er onmiddellijk. Het was nog donker buiten. Wie kon haar op dit uur bellen, en waar was Katie Pru, verdomme? Ze worstelde zich overeind in haar geïmproviseerde bed op de vloer en zocht met haar hand naar de telefoon.

'Gale? Ik vond dat ik je moest bellen om even te checken of alles in orde was.'

Ze leunde tegen de voorkant van de bank in de studeerkamer en tastte achter zich om haar dochter te voelen. Ze lag er, regelmatig ademhalend onder de deken.

'Daniel? Is alles goed met je?'

'Best.' Hij klonk zo... vlak. Ze zocht naar een beter woord. Hij klonk uitgeblust.

'Waarom bel je? Hoe laat is het trouwens?'

'Ik weet niet hoe laat het bij jou is. Hier is het tien uur in de ochtend. Eens kijken, dan moet het bij jou ongeveer...'

'Vijf uur 's morgens zijn. Wat ben je toch een griezel.' Ze kon hem bijna horen grijnzen. Politiemensen, dacht ze, wat hebben ze toch een stompzinnig gevoel voor humor. Ze schoof even heen en weer tegen de bank totdat ze lekker zat.

'Oké, nu heb je mij ook een keer wakker gebeld, dus we staan gelijk. Hoewel het tamelijk moedig van je was. Hoe wist je dat ik niet in een huis vol slapende vrouwen zou zijn?'

'Dat begreep ik min of meer uit je fax. Ik wist niet eens dat ze faxapparaten hadden in een achterlijk gat als Statlers Cross.'

'Er is er één, maar je moet wel elke keer de kippen eraf jagen.'
'Ah, de onwankelbare Grayson-spirit.' Toen werd zijn toon weer ernstig. 'Ik heb wat tijd genomen om tussen de regels door te lezen, Gale. Ik kon de toon niet helemaal zetten. Hoe gaat het met je?'

Ze pakte Linnies sprei van de armleuning van de bank en legde die over haar knieën. 'Dat is moeilijk te zeggen. Bedroefd. Niet echt kapot van verdriet. Meer berustend, eigenlijk. Ik bedoel: dit soort dingen gebeurt. Getrouwde mensen vermoorden elkaar soms. Dat is niets nieuws.'

Het bleef even stil aan de andere kant van de lijn. 'Maar er was meer aan de hand,' zei hij ten slotte.

'Ja.' Er was meer, maar daar wilde ze niet aan denken. 'We hadden gisteren een dubbele begrafenis. Eerst Martin en toen Zilah Greene. Ryan heeft nog geprobeerd om Zilahs dochters zover te krijgen dat ze de begrafenis een dag uitstelden, maar ze stonden erop. Het was nogal wrang, in feite. Ik weet niet hoeveel mensen in deze stad ooit langer dan twee seconden aan Zilah hebben gedacht, maar ze waren er allemaal, samen met de halve bevolking van de streek.'

'Je bent naar de diensten geweest?' vroeg hij vriendelijk.

'Ja, ik ben geweest.' Ze wreef met de ruwe stof van de sprei over haar wang. Ze vertelde hem niet dat ze zachtjes had gehuild tijdens beide diensten, iets wat ze nog nooit had gedaan. En ze vond het niet prettig dat ze zichzelf moest bekennen dat haar tranen meer voor Linnie dan voor Martin waren geweest.

'Cammy hield vast aan haar verhaal, wat een interessant effect had op Ella. Die was er zo zeker van dat Martin de hand aan zichzelf had geslagen.' Gale haalde diep adem. 'Ik ook, trouwens,' zei ze zacht. 'Het leek me gewoon zo waarschijnlijk. Hoe dan ook, Ella's advocaat is ervan overtuigd dat geen enkele rechter in dit deel van het land haar hard zal aanpakken voor het rommelen met bewijsmateriaal op de plaats van een misdrijf, maar Ella is zo geïrriteerd als de pest omdat ze het eens een keer mis had. Ze is een paar dagen bij Sill en Faith in Atlanta, om zich ervan te overtuigen dat het goed gaat met Sill. Niet dat ik me zorgen maak over Sill. Die Faith is een heel sterke vrouw...'

Ze raaskalde maar wat. Ze had gehoord dat vrouwen dat deden als ze door verdriet waren overmand. Ze dacht aan Ella, die zo ontredderd was na Nora's dood, dat ze met haar gasten aan de eetkamertafel zat en maar doorkletste zonder te merken dat ze in haar thee zat te roeren met een kippenbotje. Het verschil was dat Gale's gebabbel niet voortkwam uit verdriet maar uit angst. Ze keek naar haar dochter, die gewoon doorsliep, en de tranen sprongen in haar ogen.

'Gale...'

'De deur is opengezet voor Katie Pru, Daniel.' Haar stem klonk fluisterend. 'Ella had gelijk. Mijn familie is opgegroeid in de overtuiging dat Linnie zelfmoord had gepleegd, en dat heeft alles bepaald wat ze deden. Tom heeft de deur geopend voor Katie Pru en ik denk niet dat ik in staat ben om die weer dicht te doen.'

'Je hebt hem voor jezelf dichtgedaan. Het was niet gemakkelijk om Toms dood te verwerken, maar je hebt het gedaan. Jíj kunt die deur voor haar sluiten.'

'Maar ik heb hem voor mezelf gesloten vanwege haar. Zo eenvoudig zal het voor haar niet zijn.'

'Het zal zelfs eenvoudiger zijn. Zij hoeft het niet alleen te doen, want ze heeft een verdomd goede moeder die haar kan helpen.'

Het licht dat door de ramen langs het plafond naar binnen scheen, was wit geworden tegen de tijd dat ze de telefoon ophing. Ze legde haar hoofd tegen Katie Pru's armpje en deed haar ogen dicht. Het was doodstil in huis, die merkwaardige stilte van een niet-vertrouwde omgeving. Misschien had Ella gelijk. Misschien hoorde ze hier toch niet thuis.

Onder haar arm bewoog Katie Pru. Ze deed haar ogen open, keek Gale aan en glimlachte.

'Goeiemorgen, mama. Jij bent de droevige dame niet. Dat heeft de jakkuwaar me verteld.'

Gale kriebelde haar dochter zachtjes onder haar kin. 'En wie, dametje, mag de droevige dame dan wel zijn?'

Katie Pru giechelde en probeerde haar hoofd weg te draaien. 'De droevige dame heeft verdriet. Nadianna weet alles van de droevige dame. Ze zal je het verhaal zelf wel vertellen. Ze komt vandaag hiernaartoe. Dat heb je gezegd.'

'Weet je wat Nadianna pas tegen me zei? Ze keek naar deze sprei en toen zei ze dat ze graag wilde leren weven.'

'Ik weet nog dat jij weefde,' zei Katie Pru. 'Het klonk als fluisterende stokjes.'

Gale begon te lachen. 'Je hebt gelijk, kindje. Dat is precies hoe het klinkt. Nadianna zei dat ze hiernaartoe zou komen om jou verhaaltjes te vertellen en op je te passen als ik haar leerde weven. Wat vind je daarvan?'

Katie Pru dacht een ogenblik na. 'Dat is goed,' besloot ze. 'Maar geen verhalen meer over de droevige dame.'

'Afgesproken. Geen verhalen meer over de droevige dame. We zullen tegen haar zeggen dat we die niet meer willen horen.'

Lees ook van A.W. Bruna Uitgevers B.V.

Frank Delaney

Amethist

In het voorjaar van 1991 verblijft de Engelse architect Nicholas Newman korte tijd in een hotel in het Zwitserse Zug. Hij rouwt nog steeds om het verlies van zijn geliefde Madeleine, die drie jaar eerder op gruwelijke wijze werd vermoord. Hij kan er maar niet overheen komen.

In het hotel ontmoet hij de Ikars, een excentriek Hongaars echtpaar op leeftijd. Trots tonen ze hem de foto's van hun Italiaanse villa, die ze weer in hun oude glorie laten herstellen. Tot zijn verbijstering ontwaart Nicholas op één daarvan een klein beeldje van amethist: het enige object dat na de moord op Madeleine werd vermist...

Vanaf dat moment wordt Nicholas' bestaan bedreigd. Zijn shampoo is vervangen door bijtend zuur; zijn bankrekeningen zijn leeggehaald; een onbekende gooit kerosine over hem heen, die in brand wordt gestoken. Meer dood dan levend belandt hij op intensive care.

En daar dient het verleden zich ondubbelzinnig aan. In de persoon van Lukas Waterman, die zich voorstelt als Madeleines mentor. En in de vorm van oude documenten, die Nicholas van hem moet lezen. Dagboekaantekeningen en verslagen van een verzwegen experiment van de nazi's, waarvan Madeleine ooit het slachtoffer was. Goebbels' geheime *Familienanstalt*, het instituut waarmee hij het joodse ras van binnenuit probeerde uit te roeien. Door de systematische vernietiging van de geest...

ISBN 90 229 8375 7

Lees ook van A.W. Bruna Uitgevers B.V.

Peter Gadol

Hel op aarde

Jason Dark heeft met veel moeite zijn leven weer op poten gezet: na een stukgelopen huwelijk en een mislukte carrière als advocaat heeft hij zich op het verwaarloosde familielandgoed in Oak Valley teruggetrokken, waar hij – eenzaam en alleen – keihard gewerkt heeft om de wijngaard weer productief te maken. En zijn inspanningen hebben vrucht afgeworpen. Niet alleen in de vorm van de eerste goede wijn sinds jaren, maar vooral in de vorm van een nieuwe kans met zijn vrouw Julia en hun zoon Tim, die zich weer bij hem hebben gevoegd. Jason waant zich weer in het paradijs.
Maar dan slaat de realiteit keihard toe. Op een regenachtige en mistige avond veroorzaakt Jason een gruwelijk auto-ongeluk. Hij rijdt veel te hard, remt te laat... Zijn slachtoffer sterft voor zijn ogen. In een flits realiseert hij zich dat hij – door zijn eigen schuld – in één klap alles waarvoor hij zo hard heeft gewerkt opnieuw kan verliezen en op dat moment neemt hij een verregaand besluit.
Een besluit waardoor de rest van zijn leven één grote leugen zal zijn en waardoor zijn zelfgeschapen paradijs gaandeweg in een hel zal veranderen...

ISBN 90 229 8391 9

Lees ook van A.W. Bruna Uitgevers B.V.

Gabrielle Lord

Vlijmscherp

Harry Doyle heeft na een aantal slopende jaren Moordzaken vaarwel gezegd en maakt nu deel uit van het speurhondenteam. Het lag in de bedoeling dat er wat meer orde en regelmaat in zijn leven zou komen, maar het tegendeel is waar. Zijn huis is veranderd in een operationele politiebasis, die hij en zijn gezin dag en nacht delen met minstens twee politiehonden die een zeer intensieve behandeling eisen.

Op een dag wordt Harry's assistentie ingeroepen bij de arrestatie van een misdadiger die zich in een woning heeft verschanst. De politie omsingelt het pand, maar de man weet te ontsnappen. In de kelder wordt echter het lijk van een vrouw gevonden.

Net als zijn honden beschikt Harry over een uniek reukvermogen dat hem in staat stelt duizenden geuren te onderscheiden. Hij is slechts een fractie van een seconde in de buurt van een moordenaar geweest, maar dat was voor hem lang genoeg om diens geur op te vangen. Hij heeft iets geroken dat hij herkent, maar dat hij niet onmiddellijk thuis kan brengen...

Als kort daarna een nieuw lijk wordt gevonden – omgeven door dezelfde vreemde geur – dringt een verschrikkelijk besef tot hem door...

ISBN 90 229 8419 2

Lees ook van A.W. Bruna Uitgevers B.V.

Gabrielle Lord

Door merg en been

Cass Meredith wordt benoemd tot hoofd van de staatscommissie die het probleem van de kinderpornografie moet aanpakken. Voor Cass, gedreven advocate en liefhebbend moeder van de achtjarige Mozzie, dé mogelijkheid om haar stad Sydney van deze vunzige praktijken te bevrijden.

Maar helaas komt detective John Carrigan direct onder haar te staan. Carrigan, tot voor kort rechercheur bij de zedenpolitie, is berucht vanwege zijn omkoopbaarheid en voorkeur voor minderjarige meisjes. Bovendien dreigt Loveday Larsen, een exotische prostituee, met openbaarmaking van een videoband waarop een vooraanstaand politicus verboden pedofiele handelingen pleegt en die bovendien een grof geval van kindermishandeling toont...

Met hart en ziel stort Cass zich in het onderzoek. Al gauw lijkt het erop dat elke stap in de richting van de ontmaskering van de daders een stap is in de ontdekking van haarzelf. Haar hele leven, zowel professioneel als privé, is ineens discutabel. En dat gaat zo ver, dat niet alleen zijzelf, maar ook haar kleine Mozzie voor een groot gevaar komen te staan.

ISBN 90 229 8302 1

Lees ook van A.W. Bruna Uitgevers B.V.

David Baldacci

Duister lot

LuAnn Tyler heeft het niet getroffen in dit leven. Veel plezier beleeft ze niet aan haar miserabele baantje als serveerster en al helemaal niet aan haar vriend Duane, een armzalige drugsdealer die aan de drank is en die ze geregeld met een andere vrouw in bed betrapt.
Op haar twintigste kan LuAnn alleen maar dromen van een beter bestaan, van een carrière als model of filmster, want ze ziet er beslist goed uit.

Ineens lijkt haar droom werkelijkheid te worden. Een wildvreemde man biedt haar de kans in één klap schatrijk te worden. En ze hoeft er alleen maar een staatslot voor te kopen, met elk willekeurig nummer. Hij zal ervoor zorgen dat op dit lot de hoofdprijs zal vallen en samen delen ze de winst... Lang aarzelt LuAnn, want ze gelooft deze mysterieuze 'Jackson' met zijn krankzinnige voorstel geen moment, maar uiteindelijk hapt ze toe. Wat heeft ze te verliezen?

En... LuAnn wint. Van de ene dag op de andere is zij een steenrijke vrouw en ligt de wereld aan haar voeten. Tenminste, zo lijkt het, want al snel wordt ze, verdacht van moord, gedwongen te vluchten. En al snel beseft ze dat van nu af aan altijd en overal het gevaar op de loer zal liggen...

ISBN 90 229 8373 0

Lees ook van A.W. Bruna Uitgevers B.V.

David Ambrose

Geestkracht

Joanna Cross, reporter bij een toonaangevend Amerikaans tijdschrift, is bezig met een serie kritische artikelen over parapsychologie. Ze slaagt erin de bedrieglijke praktijken van een pseudo-spiritistisch echtpaar aan de kaak te stellen, dat munt slaat uit de wanhoop van mensen die contact zoeken met hun dierbaren aan 'gene zijde'.

Dr. Sam Towne, als onderzoekspsycholoog verbonden aan de universiteit van Manhattan, nodigt Joanna uit deel te nemen aan een onderzoek waarin aangetoond zal worden dat paranormale verschijnselen als telepathie en psychokinese wetenschappelijk verklaard kunnen worden. Hij vraagt haar deel te nemen aan een experiment, waarin op basis van collectieve suggestie een 'geest' gecreëerd zal worden...

Ondanks haar sceptische houding stemt Joanna hierin toe, niet in de laatste plaats vanwege Sams mannelijke charmes. En tot haar verbazing lukt het hen door middel van seances in contact te komen met Adam Wyatt, een geest die niet anders dan een product van hun gezamenlijke suggestie zou zijn. Verbazing die echter in verbijstering omslaat wanneer Adam een geheel eigen, en zeer gewelddadig karakter ontwikkelt...

ISBN 90 229 8372 2

Lees ook van A.W. Bruna Uitgevers B.V.

John Katzenbach

Heilstaat

Susan Clayton leeft samen met haar moeder in eenzame afzondering. Susan werkt op de redactie van *Miami Magazine*, waarin wekelijks haar woordraadseltjes verschijnen. Op zekere dag ontvangt zij van een onbekende een cryptische, maar huiveringwekkende boodschap: *Ik heb je gevonden.*

Jeffrey Clayton, hoogleraar criminele psychologie, draagt een geheim uit het verleden met zich mee. Vijfentwintig jaar geleden ontvluchtte hij met zijn moeder en zusje zijn tirannieke vader, die kort daarop, verdacht van moord, zelfmoord gepleegd zou hebben.

Dan raakt Jeffrey tegen zijn zin betrokken bij het onderzoek naar een seriemoordenaar, een moordzuchtige sadist die is binnengedrongen in de pas opgerichte Eenenvijftigste Staat van de Verenigde Staten, die bedoeld is als heilstaat, als veilige haven in een land vol moreel verval en misdaad.

De autoriteiten zijn er namelijk van overtuigd dat deze moordenaar niemand anders is dan professor Claytons vader en ze stellen Jeffrey een ultimatum: bezorg ons de man die verantwoordelijk is voor deze slachting. *Vind je vader.*

ISBN 90 229 8363 3

Lees ook van A.W. Bruna Uitgevers B.V.

John Grisham

De straatvechter

Michael Brock is een veelbelovende jonge advocaat. In snelle vaart maakt hij
carrière bij Drake & Sweeney, een van de meest prestigieuze kantoren van
Washington. Het geld stroomt binnen; over drie jaar zal hij maat zijn. Michaels
ster is rijzende en hij heeft geen tijd te verliezen. Hij heeft het druk en hij heeft
haast.

Totdat het noodlot toeslaat in de vorm van een gewelddadige confrontatie. Een
vreemde man dringt het kantoor van Drake & Sweeney binnen en gijzelt een
groep advocaten, onder wie Michael . Uren van spanning volgen totdat de politie
ingrijpt en de gijzelaar neerschiet.

Wie was deze man eigenlijk? Na wat speurwerk komt Michael erachter dat het
hier gaat om een oude, verwarde zwerver die al zo'n twintig jaar op straat leeft.
En als hij nog wat dieper graaft, stuit hij op een verschrikkelijk geheim, dat te
maken heeft met zijn eigen kantoor...
Michaels toekomstbeeld stort in. Hij neemt onmiddellijk ontslag, maar het
geheime dossier neemt hij mee. Hij komt op straat terecht, waar hij rechtskundige
bijstand verleent aan dak- en thuislozen. Michael is nu advocaat van de armen.
En een dief...

ISBN 90 229 8399 4

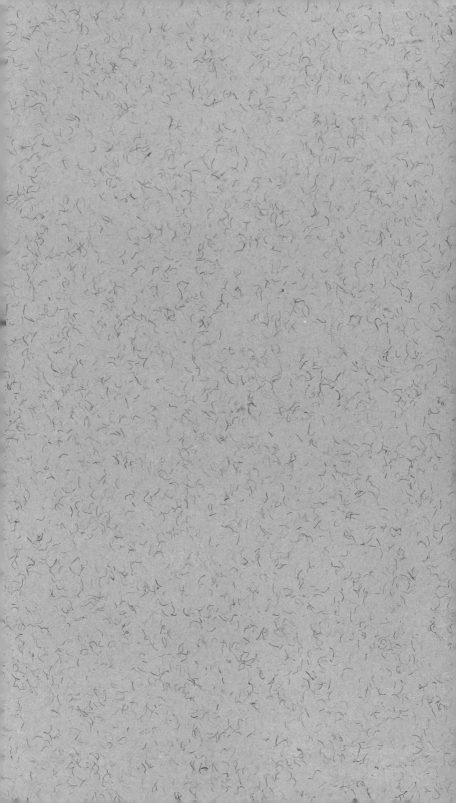